D0265467

Guillaume Renaud

Québec, 1759

SONIA MARMEN

Guillaume Renaud

Québec, 1759

roman

LES ÉDITIONS DE LA BAGNOLE

Conception graphique et mise en pages: Folio infographie
Révision: Annie Pronovost, Richard Roch et Michel Therrien pour la présente édition
Illustration de la couverture inspirée d'un tableau original de Sybiline

Dépôt légal 3e trimestre 2010
Bibliothèque et Archives nationales du Québec

Les Éditions de la Bagnole
1209, avenue Bernard Ouest, bureau 200
Montréal (Québec) H2V 1V7
leseditionsdelabagnole.com

Catalogage avant publication de Bibliothèque et Archives nationales du Québec et Bibliothèque et Archives Canada

Marmen, Sonia, 1962-

Guillaume Renaud, Québec 1759

2e éd.

Publ. antérieurement sous le titre: Guillaume Renaud. 2008.
Comprend des réf. bibliogr.

ISBN 978-2-923342-49-8

1. Québec (Québec) - Histoire - 1759 (Siège) - Romans, nouvelles, etc. I. Titre. II. Titre: Guillaume Renaud.

PS8576.A743G83 2010 C843'.6 C2010-941514-0
PS9576.A743G83 2010

Les Éditions de la Bagnole reconnaissent l'aide financière du gouvernement du Canada par l'entremise du Programme d'aide au développement de l'industrie de l'édition (PADIÉ) pour leurs activités d'édition. Les Éditions de la Bagnole remercient de leur soutien financier le Conseil des Arts du Canada et la Société de développement des entreprises culturelles du Québec (SODEC). Les Éditions de la Bagnole bénéficient du Programme de crédit d'impôt pour l'édition de livres du gouvernement du Québec, géré par la SODEC.

Première partie

Un espion dans Québec

Québec, le 11 juillet 1759

Québec et le Saint-Laurent
1759
rivière Montmorency
Château-Richer
chenal Nord
Sainte-Famille
Ange-Gardien
Saint-Jean
île d'Orléans
Saint-Pierre
Sault-de-Montmorency
Beauport
rivière Saint-Charles
Charlesbourg
Saint-Laurent
rivière Jacques-Cartier
Québec
Pointe-Lévy
Beaumont
Ancienne-Lorette
Anse-au-Foulon
Côte-du-Sud
Sainte-Foy
Sillery
Cap-Rouge
Saint-Augustin
rivière Etchemin
Pointe-aux-Trembles
Saint-Nicolas
rivière Chaudière
fleuve Saint-Laurent
Saint-Antoine

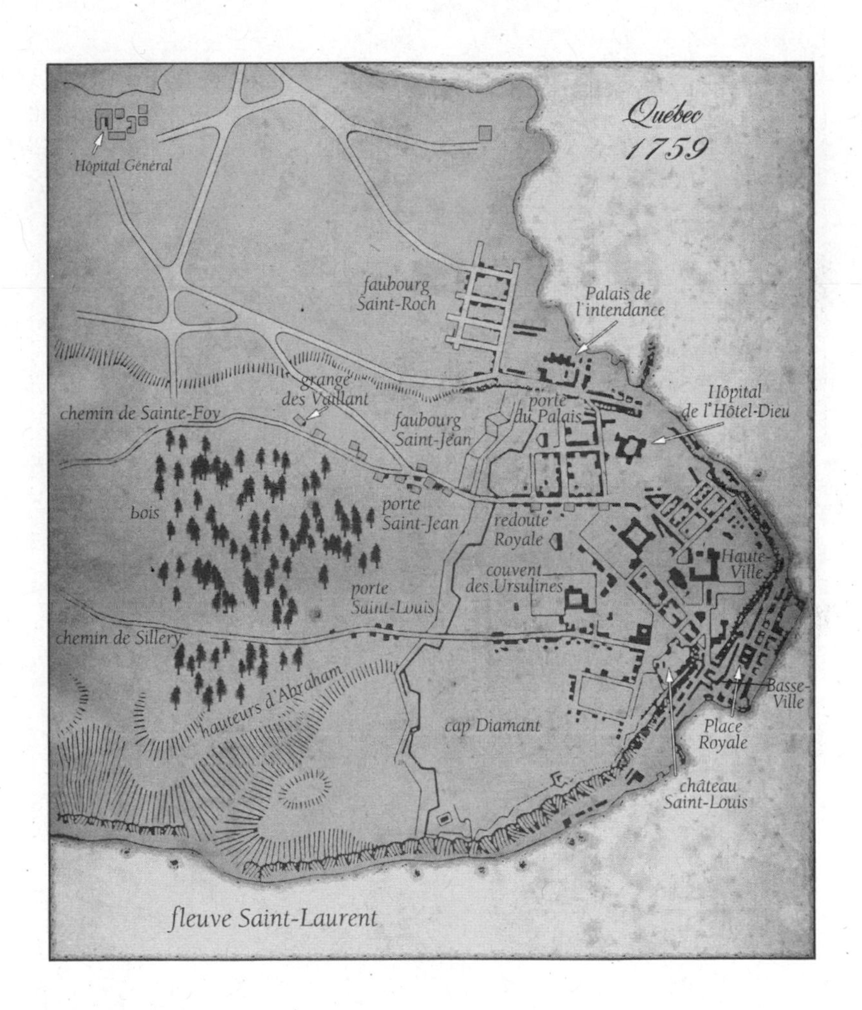
Québec
1759
Hôpital Général
faubourg
Saint-Roch
Palais de
l'intendance
grange
des Vaillant
chemin de Sainte-Foy
porte
du Palais
faubourg
Saint-Jean
Hôpital
de l'Hôtel-Dieu
bois
porte
Saint-Jean
redoute
Royale
Haute-
Ville
couvent
des Ursulines
porte
Saint-Louis
chemin de Sillery
hauteurs d'Abraham
Basse-
Ville
cap Diamant
Place
Royale
château
Saint-Louis
fleuve Saint-Laurent

I

Les conspirateurs

— Pan ! Pan ! fait le soldat en lâchant d'un coup la bande de cuir qu'il pinçait entre ses doigts.

Le projectile fend l'air en sifflant et touche sa cible, qui pousse un hurlement de douleur.

— Je l'ai eu ! En plein dans le mille ! crie l'attaquant, fier de lui.

— Eh bien, mon brave Guillaume ! résonne une voix derrière lui. Tu mérites d'être promu commandant du bataillon d'élite. Entre les deux yeux, c'est pas mal visé.

En geignant, le blessé fuit en direction de la clôture de bois qui sépare la cour des Renaud de celle des Couture.

— C'est qui le poltron ? Hein ? De nous deux, c'est qui le poltron ? gronde sourdement Guillaume.

Armant son lance-pierre d'un nouveau projectile, Guillaume quitte la protection de la vieille remise et se met à la poursuite de l'ennemi. Mais le voyant se retrancher dans la cuisine des Couture, il renonce à s'aventurer plus loin et regagne la sécurité de son abri. De là, l'œil noir de frustration collé aux planches vermoulues, il surveille par une fente le champ de bataille désert. L'attente est courte.

— Torrieu de bout de ficelle ! L'armée anglaise a envoyé des renforts ! grince-t-il entre ses dents sans quitter des yeux la silhouette qui s'approche dangereusement de leur redoute, l'air menaçant.

— Je te parie un sou que la mère Couture va chercher à te chauffer les oreilles comme jamais...

Un sourire s'étirant sur son visage barbouillé de boue et de bran de scie, Guillaume se retourne vers son capitaine. Émeline est occupée à renouer le ruban rose dans ses boucles emmêlées et sa robe est toute poussiéreuse.

—Seulement si elle arrive à me mettre le grappin dessus, lui dit-il.

Après avoir rangé son arme dans la poche de sa culotte de toile dépenaillée et replacé son tricorne tout bosselé sur son crâne, il donne un solide coup de pied contre le mur du fond. Deux planches cèdent. La lumière vive du soleil de juillet qui s'empresse d'envahir les lieux les fait cligner des yeux. Quelques secondes plus tard, la porte s'ouvre dans un claquement, soulevant un nuage de poussière. Prise d'une quinte de toux, la mère de Jacquelin Couture se penche dans l'appentis et plisse les paupières pour mieux voir: la remise est vide. Elle est la seule à entendre son affreux juron.

La place Royale bouillonne d'une activité semblable à celle d'un jour de marché. Si la menace rôde en dehors des murs de la ville, ici la vie suit son cours normal. Les deux amis courent en louvoyant dans la cohue. Par plusieurs coups d'œil par-dessus son épaule, Guillaume s'assure qu'ils ne sont pas poursuivis. Essoufflé, il s'adosse au socle du buste du roi Louis XIV. Il peut être tranquille jusqu'à l'heure du souper. Sa mère sera alors au courant de son méfait. Il ira probablement au lit avec un bol de bouillon et du pain sec comme seul repas.

Son regard furète dans la foule tandis que les méchancetés de Jacquelin continuent de lui marteler l'esprit. « Je ne suis pas un poltron ! » se répète-t-il encore. « Et je peux le prouver... » Assez rapidement, il repère un homme qui fait mine d'examiner la qualité du cuir d'une botte sur l'étal du cordonnier Guyon. La poche de son justaucorps est gonflée par un objet, et il croit deviner de quoi il s'agit. « En voilà un qui ne doit certainement pas manquer de bon pain blanc moelleux sur sa table », songe

Guillaume pour se déculpabiliser du geste qu'il s'apprête à commettre. Attrapant la main d'Émeline, il l'entraîne avec lui à travers la place jusqu'au client qu'il bouscule avant de continuer son chemin sans s'excuser. L'homme se retourne, le poing en l'air, dans le but évident de l'admonester. Mais Guillaume et Émeline ont déjà disparu derrière une charrette dans la rue Notre-Dame et ne s'arrêtent qu'une fois rendus dans la ruelle du Saut-au-Matelot.

— Tu peux m'expliquer ce qui t'a pris ? l'interpelle Émeline.

Pliée en deux, elle cherche à reprendre son souffle.

Un large sourire illumine le visage excité de Guillaume. Après avoir vérifié que personne ne pouvait les voir, il brandit un petit sac de cuir et le secoue, faisant tinter son contenu devant la frimousse toute rouge d'une Émeline éberluée.

— Tiens ! La preuve que je ne suis pas un poltron ! clame-t-il, fier de son coup. J'ai réussi à prendre ça dans la poche du monsieur sans qu'il…

— Guillaume ! s'écrie Émeline, scandalisée. Ce n'est pas une bonne façon de démontrer ta bravoure. De plus, tu l'as fait bien vainement : Jacquelin n'était même pas là pour te voir. Tu vas tout de suite rendre cette bourse à…

Des voix d'hommes leur parvenant du côté de la rivière Saint-Charles coupent court aux remontrances d'Émeline. Pressentant le danger, Guillaume la pousse dans un obscur portique. L'un contre l'autre, le cœur battant de la crainte d'être découverts, ils attendent en écoutant le crissement des semelles sur le gravillon. Le bruit s'arrête.

— … et il *é* arrivé ce *matine* même… chuchote l'une des voix dans un français fortement teinté par un accent étranger. Il veut rencontrer vous… *secretly, I mean*[1].

« Un Anglais », conclut aussitôt Guillaume en frémissant. Un Anglais à Québec ? Un loup se faufile dans la bergerie ! Depuis la création des colonies en terre d'Amérique, Blancs et Indiens,

---

1. Secrètement, je veux dire.

Anglais et Français se querellent. Tout petit, lors des veillées, Guillaume a souvent écouté son grand-père, Louis Renaud, raconter avec passion ses exploits guerriers contre les Anglais. Ces « maudits Anglais ! » comme il les appelait toujours, une lueur de haine dans le regard. Guillaume en est naturellement venu à considérer ces voisins du Sud comme de dangereux méchants.

Même si la guerre, qui fait rage entre la France et l'Angleterre, dure depuis un bon moment déjà, le tonnerre des canons n'a jusqu'à ce jour résonné qu'à des lieues de Québec. L'idée qu'une réelle menace puisse peser sur la capitale de la Nouvelle-France paraît donc improbable à Guillaume. Louis Renaud n'a-t-il pas d'ailleurs affirmé que Québec est imprenable parce que la ville bénéficie de la protection de la Vierge Marie, patronne de la paroisse ?

Mais voilà qu'il y a deux semaines, c'est-à-dire le 27 juin de l'an 1759, l'imposante flotte du général Wolfe a jeté l'ancre dans le bassin de Québec, et les troupes anglaises ont débarqué sur l'île d'Orléans. Depuis, les habitants vivent dans une peur perpétuelle, et Guillaume craint cette nouvelle menace autant que les autres. L'insouciance de la jeunesse connaît des limites face à une telle réalité. Des navires anglais, il y en a des dizaines de dizaines, et chacun d'eux, il le sait pour avoir entendu les adultes le déclarer, contient des centaines d'hommes armés de mousquets, prêts pour le combat.

— Ici, à Québec ? demande la voix d'un interlocuteur.

Au son de cette voix-là, indubitablement française, les yeux de Guillaume s'arrondissent.

— *No, it's too risky*[2]…

— Où, alors ? Je ne veux pas m'exposer… vous comprenez… ma position et…

— Votre position, ricane sinistrement l'étranger, donne à vous *no* choix, vous conviendrez. *Now here is what Stobo wants from*

---

2. Non, c'est trop dangereux.

you[3]... Il indique à vous l'heure et lieu du rendez-vous. *Also* les renseignements qu'il a besoin. Broulez ce message après avoir lou.

— Mais, c'est... je ne peux pas...

— Souvenez-vous du fort Duquesne, *sir*...

Guillaume fronce les sourcils. Un long silence suit pendant lequel les noms de Duquesne et de Stobo font écho dans sa tête et soulèvent en lui des émotions désagréables. Le capitaine Robert Stobo était un prisonnier anglais gardé au fort Duquesne[4] avant d'être amené à la prison de Québec, d'où il s'est évadé en mai dernier. Stobo est la cause de la disgrâce de son père...

— *Be sure you have all the information requested*[5], ajoute péremptoirement l'étranger.

Le Français marque un moment d'hésitation.

— D'accord, j'y serai, réplique-t-il dans un soupir résigné.

— *Very well*[6]... Je souhaite un bon journée à vous, *sir. And remember*[7]... Je connais pas vous et vous connaissez pas *me*.

— Vous êtes déjà tout oublié.

S'ensuit un autre silence. Des bruits de pas s'éloignent ensuite. Un mélange de peur et d'ahurissement crispe le ventre de Guillaume. Il croise les yeux écarquillés de son amie. Il est sur le point d'ouvrir la bouche quand il entend des bottes qui remuent les gravillons. Les pas viennent dans leur direction. Si on les découvre ici, c'en est fini d'eux.

Guillaume s'enfonce plus profondément dans l'ombre du portique avec Émeline, qu'il garde si bien serrée contre lui qu'il peut sentir battre son cœur. Une silhouette passe devant leurs yeux terrifiés tel un spectre gris.

---

3. Maintenant voici ce que Stobo veut de vous...
4. Fortification militaire construite par l'armée française en territoire anglais et qui est aujourd'hui le site de la ville américaine de Pittsburgh, en Pennsylvanie.
5. Assurez-vous d'avoir toute l'information demandée.
6. Très bien...
7. Et rappelez-vous...

— Tu sais qui c'est ? demande Émeline sur un ton qui ne cache rien de sa crainte.

— Euh... non.

— Que peut bien fabriquer l'un de nos compatriotes avec un Anglais ?

Le visage de Guillaume se froisse pendant qu'il médite sur la question. Il n'a pas tout compris de la conversation, qui était chuchotée, mais il en a entendu suffisamment pour tirer une conclusion. Pendant un moment, les deux amis n'entendent plus que la rumeur de la Basse-Ville qu'atténuent un peu les criaillements des goélands qui décrivent de larges cercles au-dessus d'eux. La voix flûtée d'Émeline brise le silence.

— Tu crois que c'est un espion ? Et ce Stobo, tu penses qu'il s'agit du même Stobo qui s'est évadé de la prison de l'intendance ?

Guillaume réfléchit. Il n'a pas envie d'évoquer les mauvais souvenirs qui entourent l'affaire Stobo et la disgrâce de son père. De quoi discutait ce Français avec cet Anglais ? Se pouvait-il qu'un compatriote se transforme en espion et aide l'ennemi dans ses desseins d'attaquer Québec ? Sa bouche se tord en tous sens pendant que les hypothèses défilent dans son esprit.

— Émeline, l'affaire est grave, déclare-t-il tout de go. Je pense qu'il faut avertir ton père de ce que nous venons d'entendre.

— Et comment est-ce que je vais lui expliquer ce que je fabriquais dans cette ruelle au lieu d'être sagement en train de répéter mes leçons de solfège chez ma cousine ? rétorque-t-elle du tac au tac en lui opposant un air de défi.

Piqué, Guillaume esquisse une moue agacée. Il avait oublié que les parents d'Émeline la croient chez Marguerite. Elle a passé un marché avec sa cousine : à condition qu'elle soit de retour rue Sainte-Anne avant trois heures de l'après-midi et en échange de quelques victuailles que son amie arrive à subtiliser dans les réserves familiales, Marguerite laisse parfois Émeline disposer à sa guise de ses deux heures de cours de musique. C'est comme ça qu'elle et Guillaume peuvent se retrouver de temps à autre, car les parents d'Émeline lui interdisent de revoir son ami depuis l'accusation de Michel Renaud, le père de Guillaume, dans l'affaire du fort Duquesne. Ses parents lui donnent comme seule raison que ce sont des affaires d'adultes et qu'elle doit leur obéir. Mais Émeline et son ami s'entendent bien et quoi qu'ait fait le père de Guillaume, eux n'ont rien à y voir. Les affaires d'adultes ne regardent que les adultes, justement ! Le subterfuge dure depuis maintenant trois ans. Au grand désespoir de la mère d'Émeline, ses progrès au clavecin avancent à pas de tortue. Qu'importe ! Elle déteste jouer de la musique.

—Et si toi tu racontais tout à ta mère ? Elle saurait à qui s'adresser, par la suite. Au capitaine Giffard, par exemple. Il était l'ami de ton père, non ? Qui sait, on fera peut-être de toi un héros ? On proclamera partout : le brave Guillaume Renaud a sauvé Québec d'une invasion anglaise ! On érigera une statue en ton honneur, comme les Flamands l'ont fait pour le Manneken Pis.

Guillaume lance un regard perplexe vers son amie. Il déteste quand Émeline parle de choses qu'il ne connaît pas.

—C'est quoi, un Manneken Pis ? ose-t-il tout de même demander.

—Le petit garçon qui a sauvé la ville de Bruxelles d'une attaque ennemie il y a environ trois cents ans. C'est une histoire que m'a racontée sœur Adèle. Elle connaît beaucoup de choses fascinantes sur l'histoire de l'Europe. Elle est née là-bas.

Guillaume réfléchit. Émeline a raison. Robert Stobo est un espion anglais, c'est bien connu. Le mieux serait d'avertir immédiatement les autorités. Il repense à l'exploit de ce Manneken quelque chose. Guillaume Renaud, un héros ! Mais le croira-t-on, lui, le fils d'un traître ? D'ailleurs, ils n'ont pas vraiment vu les deux hommes dans la ruelle, donc ils ne peuvent pas les identifier.

—Finalement, on ne sait pas exactement ce qu'on a entendu, Émeline.

—Un Anglais qui donne un rendez-vous à un Français en cachette, si ce n'est pas pour trafiquer des affaires pas correctes, eh bien dis-moi ce que c'est ! Personne ne nous a vus, Guillaume. De quoi as-tu peur ? Qu'est-ce qui se passe ? Il n'y a pas deux minutes, tu me demandais de tout raconter à mon père et maintenant tu ne veux plus rien dire.

Des idées plus troublantes les unes que les autres bombardent encore l'esprit du garçon. « Poltron ! Poltron ! » Les injures proférées par Jacquelin lui reviennent. Fâché de devoir encore jouer le rôle du méchant, celui-ci lui a lancé : « Devant un vrai Anglais, Guillaume Renaud, tu ferais pas autant le fantasse. Poltron comme tu es, tu ferais certainement dans ta culotte ! » Tricheur, peut-être, pense Guillaume. Mais pas poltron ! Même s'il est vrai qu'il s'arrange toujours pour marquer discrètement d'une manière ou d'une autre la brindille la plus courte quand ils tirent leurs rôles au sort, ça ne donne pas le droit à Jacquelin de le traiter de la sorte.

Guillaume donne un violent coup de pied dans l'une des nombreuses galettes de schiste qui se détachent de l'abrupte paroi rocheuse qui jette son ombre sur la ruelle. La galette éclate sous l'impact, s'éparpille, et il marche rageusement sur les morceaux, terminant de les réduire en miettes. Il y a un vrai Anglais dans la ville, et il ne fera rien ? Il n'est pas un poltron ! C'est seulement que…

— Torrieu de crotte de chien ! lance-t-il tout haut. On ne sait même pas où ni quand doit avoir lieu ce rendez-vous. Alors quoi ? On pensera que je raconte n'importe quoi juste pour me rendre intéressant.

Il pense surtout qu'il risque de ridiculiser davantage le nom des Renaud. Sans plus tarder, il prend la direction du marché, Émeline trottinant derrière lui. Comme l'a suggéré son amie, il pourrait toujours en glisser un mot à Giffard. Il saurait certainement quoi faire de cette information. Mais Guillaume est persuadé que si Émeline ne l'appuie pas, personne ne le prendra au sérieux. Pas même sa propre mère.

Tout le monde dit de Giffard qu'il est un fervent patriote et un soldat exemplaire. Cela lui a valu l'estime de ses pairs et des promotions au sein de l'armée coloniale. Pendant qu'on destituait Michel Renaud, on offrait à Charles Giffard le grade de capitaine qui aurait dû lui revenir. Giffard a toujours fait preuve d'un comportement réfléchi, irréprochable, tandis que Renaud se laissait trop souvent emporter par son caractère bouillonnant. Mais Guillaume sait que son père n'avait rien à se reprocher. Il portait sa patrie dans son cœur, « à côté de Maman, Jeanne et toi », comme il disait chaque fois qu'il partait en campagne militaire.

Alors, que s'est-il donc passé au fort Duquesne, à la fin de l'été 1755 ? Une lettre hautement compromettante a été découverte sur le corps d'un général de l'armée anglaise mort à la bataille de la Monongahéla[8]. Cette lettre contenait des informations secrètes au sujet de l'armée française, mais aussi un plan détaillé du fort Duquesne. Le tout était signé de la main du capitaine Robert Stobo, justement prisonnier des Français dans ce même fort. Les conclusions n'ont pas été longues à venir. Quelqu'un à l'intérieur du fort avait certainement aidé Stobo à faire passer cette lettre à l'ennemi. Au cours de l'enquête, Stobo a prétendu avoir demandé l'aide du lieutenant Renaud, qu'on a finalement accusé d'avoir mis la garnison du fort Duquesne en péril. Or la divulgation d'informations pouvant nuire à la sécurité de la colonie est considérée comme un acte de haute trahison envers le roi de France. Surtout en temps de guerre. Et ce crime est punissable par la mort. Même Giffard, son prétendu ami, n'a rien tenté pour se porter à sa défense.

Finalement, parce que les preuves n'étaient pas suffisantes et parce que trop de témoignages se contredisaient, Michel Renaud n'a pas été condamné pour haute trahison, ce qui lui aurait valu d'être décapité sur la place publique. Cependant, en dépit de son acquittement, la réputation du père de Guillaume était gravement et irrémédiablement entachée. Michel a été renvoyé de l'armée et n'a pas pu se retrouver du travail. Toutes les portes se fermaient sitôt qu'il se montrait le nez chez un artisan ou un commerçant. Après un an d'infructueuses et humiliantes tentatives, Michel

---

8. La bataille a eu lieu le 9 juillet 1755. Une partie de la rivière Monongahéla est en Pennsylvanie, territoire situé aujourd'hui aux États-Unis.

rentrait de plus en plus tard à la maison, souvent trop ivre pour se déshabiller avant de se coucher. Au petit matin, il arrivait que Guillaume découvre son père ronflant sur la table. Un beau soir, Michel Renaud n'est pas rentré chez lui. On l'a retrouvé le lendemain matin, mort noyé dans la rivière Saint-Charles.

Guillaume refusera jusqu'à sa propre mort de croire que son père est un traître. Mais si rien ne prouve hors de tout doute la culpabilité de son père, rien ne le met suffisamment hors de cause pour réhabiliter son nom. Il faudrait un miracle, et il sait que les miracles arrivent seulement dans la Bible.

Non, il vaut mieux oublier cette histoire d'espion. Ce sont des affaires d'adultes. Guillaume a ses propres soucis, et celui qui le ronge aujourd'hui est Jacquelin Couture. Il aurait bien aimé que son compagnon le voie prendre la bourse du monsieur sur la place Royale, rien que pour lui prouver qu'il n'a rien d'un poltron et lui faire ravaler ses injures. Il a bien envie de lui clouer le bec une fois pour toutes, à ce blanc-bec.

Il repense à ce qu'il a entendu dans la ruelle. Une idée germe lentement dans son cerveau, et son visage prend une expression satisfaite.

Les deux amis se rapprochent du bruit qui règne sur la place Royale. Guillaume ralentit sa foulée. Ses narines frémissent. Il tourne la tête et lorgne vers la boulangerie. L'arôme qui parvient jusqu'à lui le fait saliver et le détourne momentanément de l'objet de ses tracas. Dans la vitrine, de petits gâteaux au miel, des croquignoles et des quarterons[9] de pain remplissent les paniers. Il y a si longtemps qu'il n'a pas mordu dans une épaisse et moelleuse tartine beurrée. La disette qui sévit en Nouvelle-France depuis le début des conflits avec l'Angleterre a poussé l'intendant Bigot à diminuer les rations de pain permises par habitant. De plus, Bigot leur impose de se nourrir de viande de cheval. Guillaume refuse d'avaler cette semelle sèche et coriace que lui sert parfois sa mère.

---

9. Un quarteron pèse un quart de livre. C'était le poids de pain accordé par habitant par jour.

Il préfère s'en tenir à la simple volaille et au bon vieux lard mitonné. Pour l'heure, ce sont les belles croquignoles au sucre qui l'intéressent, et le boulanger en demande un prix scandaleusement élevé.

Émeline le rejoint et attend. Guillaume tâte sa poche vide d'argent et se souvient de la bourse volée qu'il a coincée dans sa ceinture. Il la récupère et l'ouvre, faisant glisser son contenu dans sa paume. Il compte une couronne d'argent et huit sols.

— Qu'est-ce que tu vas faire avec ça ? lui demande Émeline, l'air contrarié.

Il a bien envie de se payer une petite gâterie, comme ces croquignoles ou encore des galettes aux raisins secs. Mais il sait que ce ne serait pas bien de profiter égoïstement de cet argent quand il a toujours quelque chose dans son assiette, matin, midi et soir, alors que d'autres n'ont même pas de quoi s'offrir un seul repas quotidien. À contrecœur, il fait disparaître l'argent dans sa poche et se débarrasse de la bourse en l'enfouissant avec le bout de sa chaussure dans l'un des tas d'ordures nauséabonds qui s'accumulent dans la ruelle.

Pendant tout ce temps, Émeline le regarde durement.

— Guillaume Renaud, tu sais que tu aurais pu te faire prendre et te retrouver en prison comme…

— Comme mon père ? l'interrompt abruptement Guillaume. Ne t'en fais pas, Émeline, je vais donner l'argent aux Ursulines pour les pauvres.

Émeline approuve d'un mouvement de la tête, puis, consciente d'avoir blessé son ami, son expression s'adoucit.

— Excuse-moi, Guillaume. J'ai parlé trop vite.

— C'est ce que tu penses, toi aussi, hein ? Que mon père méritait la prison ? Que je suis un mécréant comme lui ?

— Non, Guillaume ! se défend Émeline avec véhémence.

Émeline Gauthier, son amie « à la vie, à la mort ! », est sincère, Guillaume le sait bien. Mais il n'a pas envie de lui pardonner comme il ne veut pas pardonner les injures de Jacquelin… du moins, pas si vite. Empruntant un air de chef indien, il croise les bras sur sa poitrine et la toise. Alors Émeline roule sa lèvre inférieure entre ses dents et adopte son air de « petit chiot orphelin perdu sous la pluie dans la nuit noire ». Enfin, ce sont les termes qu'emploie sa mère pour désigner son attitude étudiée pour obtenir ce qu'elle veut. Guillaume ne lui a jamais résisté. Et au soupir qu'il laisse échapper, elle sait qu'elle vient de l'emporter encore une fois.

— Allez ! lui lance-t-il en souriant. Je n'ai pas le droit de m'emporter contre toi. C'est contre Jacquelin que j'en ai. Je t'expliquerai mon plan de vengeance sur le chemin du couvent. On verra bien qui de moi ou de lui est le poltron.

II

Le germe de la révolte

La famille Renaud habitait naguère une belle maison de pierre dans la rue Saint-Louis, voisine de celle des Gauthier. Après la mort de Michel, Guillaume, sa mère et sa jeune sœur, Jeanne, ont dû emménager dans un logement moins coûteux dans la Basse-Ville, dans la « quand même respectable » rue Saint-Pierre, comme le dit sa mère. C'est un modeste deux-pièces qui occupe la moitié de la maison du marchand Grenet. L'autre moitié sert de magasin au marchand qui habite l'étage supérieur. C'est propre, et il y a un petit poêle en fonte qui les tient au chaud l'hiver.

Guillaume ne se plaint pas du manque de confort comme sa sœur. Il aime la proximité nouvelle du fleuve Saint-Laurent, sur le bord duquel il se rend régulièrement pour admirer les nombreux navires en rade dans le bassin. Il est impressionné par les Indiens qu'il voit souvent arriver en canots des villages environnants pour faire des affaires en ville. L'hiver, les gémissements de la glace qu'il entend la nuit le terrifient autant qu'ils le fascinent. De plus, à son avis, avec l'achalandage du marché et l'activité sur les quais, la Basse-Ville est beaucoup plus animée et intéressante à parcourir que la trop tranquille Haute-Ville. Ce qui le désole vraiment, dans ce déménagement, c'est de ne plus voir Émeline tous les jours comme avant, quand chaque matin il l'accompagnait jusque chez les Ursulines avant de continuer son chemin jusqu'au séminaire, où lui-même étudie. Guillaume en est à sa cinquième année scolaire et, même s'il trouve parfois ses cours ennuyants, il fait de gros efforts pour les réussir. Il sait tous les sacrifices que fait sa mère pour que sa sœur et lui obtiennent une éducation correcte et qu'ils n'aient jamais faim.

Catherine Renaud soupire de lassitude. Elle regarde les cheveux de son fils et résiste à la tentation de les caresser. Il lui cause bien des soucis, son Guillaume. Il ressemble beaucoup à Michel. Obstiné et souvent hardi comme un lion. Pour un gamin de onze ans seulement, il est très courageux. Les épreuves des dernières années le lui ont prouvé à maintes reprises.

— Qu'as-tu fait aujourd'hui ? lui demande-t-elle en déposant un bol de soupe devant lui.

Guillaume ne répond pas. Il se mire dans le liquide fumant. Ce soir, il a droit à cinq morceaux de lard bien gras qui forment des îlots à la surface. Il déchire un morceau de sa portion de pain bis[1] et le laisse tomber dans le bol. Il le regarde se gorger de bouillon et couler comme un navire. Guillaume voit soudain la flotte anglaise dans son bol, et un frisson le secoue. Il a encore le ventre tout noué des émotions de l'après-midi.

— J'ai reçu la visite de la mère de Jacquelin, remarque sa mère en prenant place à la table après avoir servi Jeanne qui attend patiemment de voir comment son frère s'en sortira, cette fois-ci.

Guillaume se renfrogne.

— Il l'a cherché. Il m'a traité de poltron. Il a eu ce qu'il méritait, se défend-il sur un ton bourru.

— Allons, dit sa mère en posant sa main sur son épaule, en te traitant de poltron, je suis certaine que Jacquelin ne voulait pas te blesser. Il jouait l'ennemi, si j'ai bien compris. L'ennemi doit être méchant, non ?

— Peut-être bien, concède Guillaume. Mais il n'avait pas besoin de me traiter de… de poltron.

Un poltron, c'est un peureux ! Guillaume Renaud n'est pas un peureux ! Les Renaud n'ont jamais eu peur de quoi que ce soit. Ils

1. Le pain bis était fabriqué à partir de farines bises, qui contenaient plus de son que les farines blanchies. Ce pain était considéré comme le pain des pauvres.

sont une race d'hommes courageux et loyaux. Pas des poltrons ni des traîtres ! Qu'on se le tienne pour dit !

La rage gonfle sa poitrine, et il serre très fort les poings sous la table. Traître ! C'est comme ça qu'on a appelé son père à son retour du fort Duquesne.

Guillaume revoit en souvenir le visage de son père, si triste et si défait, à sa sortie du tribunal. Il était acquitté. Il aurait dû s'en réjouir, mais... Le lieutenant Michel Renaud tombé en disgrâce ! C'était la honte. Un déshonneur pour l'une des plus anciennes familles de la Nouvelle-France. Leur ancêtre, Guillaume Renaud, un Normand de Saint-Jouin, en France, était un soldat du régiment de Carignan-Salières venu en 1665 mater les Iroquois qui menaçaient les colons français et le commerce des fourrures. Quand la paix a enfin été installée, Louis XIV, le roi de France, que tous appelaient le Roi-Soleil, a offert un beau lopin de terre à chaque soldat qui acceptait de demeurer dans la colonie française. C'est ainsi qu'après avoir épousé à Québec Marie de Lamarre, une fille du roi, l'arrière-grand-père du jeune Guillaume s'est établi à Charlesbourg.

La voix maintenant plus sévère de sa mère l'arrache à ses rêveries.

— J'aimerais que tu ailles faire tes excuses après le souper.

— Je ne veux pas aller faire des excuses…

— Guillaume !

— Il méritait que…

— Qu'il mérite ou non une réprimande, ce n'est pas à toi de le décider. Ton geste est aussi condamnable que le sien.

Frustré, Guillaume serre les lèvres.

— Et je veux que tu me donnes ton lance-pierre.

— Quoi ? Maman, non ! Pas mon lance-pierre ! proteste vivement Guillaume en se levant.

— C'est comme ça, le coupe sa mère.

D'un geste rageur, Guillaume se rassoit et plonge sa cuillère dans son bol.

Après avoir lancé un regard mauvais à Guillaume, la mère Couture appelle son fils. Jacquelin arrive quelques secondes plus tard. Il sort dans la rue rejoindre Guillaume qui attend, l'air penaud.

— Qu'est-ce que tu veux ? lance le garçon en croisant les bras.

— Je suis venu te faire des excuses, répond Guillaume, du bout des lèvres.

Il a horreur de ça. C'est tellement humiliant ! Encore plus humiliant que de se faire traiter de poltron, finalement. Mais il n'a pas le choix, s'il veut récupérer son lance-pierre. Il regarde Jacquelin, qui le dévisage, l'air de se demander s'il se moque de lui.

— C'est vrai, grince Guillaume, je suis venu pour te demander pardon de t'avoir lancé la pierre. Je ne voulais pas vraiment te faire mal. J'ai juste… trop bien visé.

Il remarque la grosse bosse violacée sur le front de son camarade. Il grimace et commence un tout petit peu à être sincèrement désolé.

— Ça fait mal ?

Jacquelin porte sa main à sa blessure. La bosse est presque aussi grosse qu'un œuf de poule.

— Ouais…

— Ouais… répète Guillaume. Ma mère m'a confisqué mon lance-pierre.

Il ne pourra pas jouer avec son lance-pierre avant deux semaines. Deux semaines ! C'est trop long ! Cette punition est des plus sévères, d'autant plus que sa mère sait combien il chérit ce jouet que lui a fabriqué son père peu de temps avant de mourir.

— Alors, tu acceptes mes excuses ou non ?

— Je ne sais pas, répond Jacquelin sur un ton buté qui fait regretter à Guillaume son subit sentiment de culpabilité.

En général, il s'entend assez bien avec son voisin, qui a le même âge que lui. Mais il arrive que l'attitude de supériorité que se donne trop souvent Jacquelin le mette hors de lui. Il sait que la mère Couture rappelle régulièrement à ses enfants que les vices des parents se transmettent à leurs descendants. Il sait aussi qu'en disant ça, elle fait allusion, sans toutefois le nommer, à Michel Renaud. Si elle permet à Jacquelin de fréquenter Guillaume, c'est par charité chrétienne. C'est Jacquelin qui le lui a dit.

— Je veux bien rester ton ami si tu me promets que je ne ferai plus l'Anglais quand on jouera à la guerre, réplique enfin Jacquelin.

Guillaume pince les lèvres et considère son compagnon un moment en silence, réfléchissant à son plan de vengeance échafaudé dans l'après-midi avec Émeline. Il se pare d'un air repentant.

— D'accord. Demain, j'ai l'intention d'aller voir les soldats répéter leurs manœuvres. Est-ce que ça te dirait de venir avec moi ?

— Je ne peux pas, maugrée Jacquelin, tu sais bien que demain je dois aller aider à l'abattoir.

Bien sûr que Guillaume le sait. Le père et l'oncle de Jacquelin sont bouchers. Demain sera jeudi, et les bouchers Couture doivent abattre les nombreuses bêtes qui seront vendues au marché le vendredi dès le lever du soleil.

— Demain après le souper, alors ? On pourrait se rendre dans les pâturages derrière le verger des Ursulines et assister aux manœuvres des soldats de la redoute[2].

— Demain après souper ? Ouais... je pense que je pourrais.

Un léger sourire retrousse les coins de la bouche de Guillaume.

— Bon... eh bien, on se verra demain, alors. Disons vers huit heures et demie devant la cathédrale.

— C'est bon, dit Jacquelin d'une voix plus enjouée, à demain !

Voilà, tout se met en place, pour le plus grand plaisir de Guillaume.

À son retour chez lui, Guillaume découvre Charles Giffard assis dans le fauteuil préféré de son père, un verre de vin à la main. Il vient rendre visite à Catherine Renaud comme il le fait régulièrement depuis qu'elle est veuve, mais avec plus d'assiduité depuis le début du printemps. Ce soir, il lui a apporté un beau morceau de

2. Construction de fortification isolée.

jambon et une grosse pointe de fromage tout fondant qu'ils mangeront demain. « Quels stupides cadeaux à apporter à une dame qu'on courtise ! se dit Guillaume. Il nous traite comme des pauvres ! Comment Maman peut-elle accepter une telle humiliation ? » Guillaume ne comprend rien aux adultes. Il n'aime pas l'air satisfait, un brin suffisant, qu'affiche Giffard quand il leur offre de tels délices en temps de disette. Mais il doit bien reconnaître que, trop souvent, sa mère ne pourrait pas les obtenir autrement.

Charles Giffard sirote son vin tout en discourant sur les batteries ennemies qui se déploient de l'autre côté de la rive, juste en face de la capitale. De son coin de la pièce, où il dispute une partie de jeu de l'oie avec sa sœur Jeanne, Guillaume garde un œil avisé sur l'officier de l'armée coloniale. L'homme lui tourne le dos, et il ne peut pas voir son visage, mais il entend tout de ses propos.

— Vous croyez que leurs boulets peuvent nous atteindre ? demande Catherine, inquiète.

— À en croire les ingénieurs...

Giffard n'en dit pas plus, car tous les deux connaissent la déconcertante réponse. Quatre mille pieds seulement séparent les batteries anglaises de la ville. Or les obusiers anglais sont de puissants engins. Réglés par des ingénieurs d'expérience, ils deviennent des instruments destructeurs terribles.

— S'il fallait...

— Soyez sans crainte, madame, l'interrompt Giffard d'une voix grave, l'aide major général Jean-Daniel Dumas s'occupe à cet instant même d'organiser une expédition dans le but de mettre l'artillerie de la Pointe-Lévy hors d'état de nuire. Nous savons tous que Dumas a prouvé son efficacité à la Monongahéla...

L'évocation de la dernière bataille pendant laquelle s'était si vaillamment battu Michel Renaud jette un malaise dans la pièce. Guillaume observe le visage de sa mère, qu'éclaire la petite lueur de la lampe bec de corbeau[3]. Baissant les yeux, elle laisse un triste

3. Lampe en fer forgé dans laquelle on plaçait une mèche dont l'extrémité baignait dans du suif d'animal.

sourire ourler sa bouche. Sans doute se remémore-t-elle quelque doux souvenir.

— Pardonnez ma maladresse, murmure Giffard. Je sais combien il vous manque toujours.

Guillaume voit la main de l'officier effleurer le délicat poignet de sa mère et il grimace. Aime-t-elle Giffard ? Il ne s'était jamais posé cette question jusqu'ici. Sa mère retire doucement son bras pour resservir du vin à son invité.

— Allons, ma chère amie, continue Giffard sur le même ton, dans quelques jours... semaines, tout au plus, tout ceci ne sera plus qu'un mauvais souvenir. Sans plus craindre de voir ces affreux Anglais nous tomber dessus comme la manne, nous pourrons nous balader librement sur les hauteurs d'Abraham et admirer l'automne peindre notre beau pays de couleurs flamboyantes, dit encore doucereusement le soupirant. D'ici là, je souhaiterais tant que vous acceptiez enfin mon offre de vous réfugier dans ma maison. Je n'y habite guère plus, puisque je passe presque tout mon temps à la garnison. Vous y seriez plus en sécurité, madame.

« *Sa* maison ? » se répète Guillaume dans sa tête. Curieusement, en effet, c'est Giffard qui s'est porté acquéreur de leur belle maison de la rue Saint-Louis quand sa mère l'a mise en vente. Guillaume fronce les sourcils. Impatiente qu'il joue enfin son tour, sa sœur étend sa jambe sous la table et lui donne un coup de pied sur le tibia. Gardant l'oreille tendue, le garçon lance le dé. Il fait avancer son jeton de trois cases sur le plateau de jeu cartonné.

— Je préfère attendre après le mariage, Charles...

Mariage ? Le mot fait sursauter Guillaume sur son siège. Il regarde sa mère, ahuri. Elle soupire et baisse la tête.

Un lourd silence s'installe dans le petit logement. Guillaume sent la colère monter en lui. Il en a assez entendu. Il se lève et, faisant fi des protestations de Jeanne qui réclame en rechignant qu'il termine la partie, il annonce qu'il va prendre un peu l'air.

— Ne va pas trop loin, l'avertit sévèrement sa mère.

— Ouais, je sais, ronchonne Guillaume. Des fois qu'il y aurait un Anglais...

Giffard se raidit et lui lance un regard intéressé.

— Qu'est-ce qui te fait dire ça, petit homme ? demande-t-il d'un air inquiet. Tu as vu des ennemis dans Québec ?

Guillaume se mord la langue.

— Euh… non, monsieur, bredouille-t-il. Je disais ça comme ça.

Puis il sort sans les saluer. Sa mère le lui reprochera, mais il s'en moque. Il a envie d'être seul. Il ne veut plus jamais revoir Charles Giffard tourner autour de sa mère.

Dehors, il fait encore chaud. Les pierres des maisons serrées les unes contre les autres retiennent la chaleur comme dans un immense four à pain. Les habitants laissent leurs fenêtres ouvertes pour permettre à la fraîcheur du soir d'entrer dans leur logis étouffant. Guillaume entend les pleurs du petit dernier des Couture, ce qui lui rappelle le guet-apens qu'il a tendu à Jacquelin. Il doit finir de mettre son plan au point. Mais pour le moment, il est trop bouleversé pour s'en préoccuper.

Il emprunte la ruelle du Porche et court vers le fleuve, là où l'odeur du fumier et des latrines est moins suffocante, là où l'espace s'ouvre sur un ciel strié de couleurs qui se reflète en ondulant sur la surface calme de l'eau. Il s'arrête sur les galets de la grève, entre la batterie Royale et la batterie du Dauphin. Les canons français sont à leur poste, leur gueule enfoncée dans les créneaux des remparts, prêts à cracher leurs lourds boulets de fer. Les sentinelles en faction vont et viennent, armées de leur mousquet, scrutant le fleuve d'un œil d'aigle. La marée est haute, et des vaguelettes lèchent presque les pieds de Guillaume. Il laisse la brise jouer avec ses cheveux pendant qu'il ravale la grosse boule de sanglots qui lui monte dans la gorge.

— Ce Giffard… s'indigne-t-il. Il a *ma* maison, et maintenant il veut *ma* mère !

Guillaume n'aime pas Charles Giffard. Du plus loin qu'il peut se rappeler, avec ses yeux noirs aussi brillants que ceux d'un rat la nuit, il lui a toujours trouvé un air mystérieux qui lui fait un peu peur. Mais la raison principale de son agressivité envers Giffard, c'est qu'il a laissé tomber son père. « Et Papa est mort de chagrin et de honte. » Jamais Guillaume n'abandonnera Émeline de cette façon. Des amis « à la vie, à la mort ! », ça doit se tenir les coudes, s'entraider. Giffard n'a rien fait, rien dit pour venir en aide à Michel Renaud au cours du procès.

— Ce n'est pas un ami, ça ! gronde Guillaume en donnant un coup de pied sur un galet. C'est un traître ! Il n'y a qu'un traître qui peut voler la maison et la femme de son ami.

Il sait que Charles Giffard a déjà été l'un des nombreux prétendants de la belle Catherine Morand. Mais c'est Michel Renaud que Catherine a choisi d'épouser. Guillaume a souvent entendu Giffard taquiner son père à ce sujet.

— C'est parce qu'elle a eu pitié de toi, disait-il en rigolant.

— C'est parce que je suis le plus fin, mon ami ! ripostait Michel en riant.

Évidemment, tous les deux étaient restés de bons amis. Mais une lueur mystérieuse s'allume encore dans les yeux noirs de Charles Giffard quand il regarde sa mère.

Le coucher de soleil fait rougir les escarpements rocheux sur la rive opposée. Guillaume plisse les paupières pour observer les petits points lumineux qui scintillent à la Pointe-Lévy : c'est le camp anglais. Avec la longue-vue de son père, il pourrait sans doute voir les soldats s'activer comme des fourmis rouges à préparer leur œuvre de destruction. L'inquiétude remplace graduellement la colère dans le ventre de Guillaume. Il ne peut pas les voir dans l'obscurité qui s'installe, mais il sait que les canons sont là, pointés sur la ville, sur lui. Il repense à la conversation secrète qu'il a entendue dans la ruelle, et des papillons lui chatouillent maintenant le ventre.

Quelques minutes s'écoulent encore. Le soleil a sombré de l'autre côté de l'horizon, et le ciel se couvre d'un joli voile indigo. Une main se pose sur l'épaule de Guillaume, le faisant tressaillir. Le gamin tourne la tête. Charles Giffard est à ses côtés et sous ses épais sourcils, ses yeux noirs le fixent d'un air bizarre.

— Bonsoir, mon ami. Qu'admires-tu ainsi tout seul dans le crépuscule ?

Guillaume se détourne et ne répond pas. La main de Giffard quitte l'épaule pour ébouriffer la chevelure du garçon.

— Je comprends pourquoi tu viens si souvent te recueillir à cet endroit, avance Giffard après s'être éclairci la voix. La vue y est magnifique.

— Elle serait encore plus belle si ces fichus Anglais ne campaient pas si près, maugrée Guillaume dans un accès d'impatience. Et puis, j'aime cet endroit parce que j'ai la paix quand j'y viens, d'habitude.

Le soldat s'efforce d'ignorer les insolences du gamin. Même s'il pense que Catherine manque parfois d'autorité envers son fils, il sait qu'elle fait du mieux qu'elle peut. Autre chose le préoccupe pour l'instant. Il a vu Guillaume dans la ruelle du Saut-au-Matelot cet après-midi. Qu'a-t-il vu et entendu, au juste ?

— Tu es certain de ne pas m'avoir menti tout à l'heure au sujet d'un Anglais dans la ville, Guillaume ?

Guillaume se fige.

— Je ne suis pas un menteur, ment-il pourtant effrontément.

Les yeux noirs de Giffard le jaugent d'un air soupçonneux. Puis ses traits se détendent.

— Non, certainement pas, ricane-t-il. Allons, bon ! Ta mère souhaite que tu rentres.

— Ouais… fait Guillaume entre ses dents. Je vais rentrer dans une minute.

Il attend que Giffard s'en aille. L'homme reste encore un peu, puis se décide enfin à partir.

— Bonne nuit, Guillaume.

— Bonne nuit, monsieur, s'oblige à grommeler Guillaume.

Le bruit des bottes du soldat sur le gravier s'éloigne, et Guillaume respire plus librement. Tout en observant l'éclat des centaines de tentes de toile blanche sur les hauteurs de Lévy, il songe au lendemain et savoure déjà la revanche qu'il se promet d'avoir sur Jacquelin. Cette pensée le réconforte.

III

Le rendez-vous clandestin

Tout est silencieux dans le logement des Renaud. Catherine est partie avec Jeanne porter les vêtements qu'elle a reprisés pour les soldats de la garnison du cap Diamant. Guillaume est resté au lit parce qu'il souffre d'un mal de ventre qui l'empêche de les accompagner.

Quand il est bien certain qu'il est seul, il se lève et se rend jusqu'au lit de sa mère. Il tire sur le coffre caché en dessous et l'ouvre. Les serrures grincent. Guillaume découvre le contenu qui dégage une odeur de renfermé et de moisissure. Il y a quelques livres, dont un petit catéchisme aux coins effilochés. Il reconnaît le nécessaire de rasage dans son étui de cuir racorni. Une perruque poudrée comme celles que portent les hommes de distinction. Il y a aussi une épée qui a commencé à rouiller, un hausse-col[1] en laiton terni, un tricorne et le bel uniforme des Compagnies franches de la Marine[2].

Ce sont des effets ayant appartenu à son père et que sa mère conserve précieusement. Guillaume les revoit pour la première fois depuis qu'elle les a soigneusement rangés. Il pose le chapeau sur sa tête. Il est un peu grand. Il enfile le justaucorps gris pâle

1. Pièce de métal qui protégeait la base du cou des militaires.
2. Les Compagnies franches de la Marine étaient les forces armées coloniales de la Nouvelle-France et se composaient en majorité de Canadiens de naissance.

aux parements bleus et tourne sur lui-même pour faire voler les basques autour de lui. Le vêtement lui tombe jusque sous les genoux, et ses mains se perdent sous les larges manchettes garnies de boutons dorés. Guillaume se souvient des robustes mains de son père dépassant des délicates dentelles des manches de chemise. Il avait fière allure, le lieutenant Renaud, dans cet uniforme. Guillaume n'a pas de glace pour s'admirer, mais il s'imagine tout aussi élégant que son père.

L'épée chuinte quand il la retire de son fourreau. L'arme au poing, il imite quelques mouvements d'escrime. Mais l'arme est lourde, et il se fatigue rapidement. Puis il s'intéresse à un objet enveloppé dans un morceau de toile huilée. C'est un pistolet à silex. Guillaume le prend précautionneusement et le soulève avec ses deux mains en pointant le canon devant lui. Son père a toujours refusé de le laisser le manipuler. C'est dangereux, un pistolet, quand on ne sait pas s'en servir correctement. Bien sûr, Guillaume ne sait pas comment fonctionne une arme à feu. Mais il n'a pas besoin de le savoir. L'arme lui sera seulement utile pour faire plus vrai. Il replace l'épée et le justaucorps dans le coffre. S'il le salissait, sa mère lui passerait un savon dont il se souviendrait longtemps. Il ne conserve que le tricorne, la perruque, le hausse-col et le pistolet. Puis il referme doucement le couvercle et repousse le coffre sous le lit.

C'est ce soir que l'action va se dérouler. Tous les jeudis après le souper, Catherine et ses enfants se rendent à l'Hôtel-Dieu aider les sœurs hospitalières à donner des soins aux malades. Avec la guerre, il y a beaucoup plus de blessés. Guillaume déteste cette tâche imposée par sa mère. Mais il s'y plie sans rechigner, parce qu'un bon chrétien doit aider son prochain, et que la bonté est toujours récompensée par Dieu un jour ou l'autre. Cette semaine, il fera exception, car son mal de ventre le retiendra au lit toute la soirée. Un faux mal de ventre, bien entendu. C'est le subterfuge qu'il a trouvé pour échapper à cette obligation et mettre son plan à exécution.

Il fait l'inventaire de ce dont il aura besoin : le pistolet, le tricorne, la perruque, une cape, de la corde, un briquet et une lanterne. Il emballe un morceau de jambon et une tranche de pain. Il emportera aussi son canif. Il fourre tout son attirail dans un sac de toile et se glisse hors du logis. Un coup d'œil vers le ciel lui indique que la pluie menace. Il est encore bleu, mais de gros nuages gris roulent vers la ville. Après s'être assuré que personne ne l'observe, Guillaume s'élance dans la cour et cache son sac dans la vieille remise. Puis il se dépêche de rentrer se remettre au lit. Il ne reste plus qu'à attendre l'heure où il ira retrouver Émeline à l'endroit convenu.

Parce qu'il prétend avoir encore mal au ventre, Guillaume n'a droit qu'à une petite portion de viande. Il ne peut surtout pas avoir de biscuits aux raisins secs, offerts par madame Grenet, même si ce sont ses préférés. Sitôt son maigre souper englouti, Guillaume retourne se coucher, son estomac criaillant comme une mouette affamée. Sa mère prend deux tabliers propres dans la grande armoire et les glisse dans son panier. Puis Jeanne et elle se couvrent la tête de leur bonnet blanc empesé.

—Tu restes bien sagement ici, ordonne-t-elle à son fils en l'embrassant sur le front. Grâce à Dieu, tu n'es pas fiévreux. Ce doit être seulement un malaise passager.

Les premiers signes d'une maladie inquiètent toujours la mère de Guillaume. La fièvre emporte tant d'enfants et d'adultes sans prévenir... Elle dépose un pichet d'eau et un gobelet sur le sol à côté de la paillasse de Guillaume. Quand il fait froid, ils dorment tous ensemble dans le grand lit garni de courtines. Mais l'été, Guillaume préfère dormir seul sur un lit de fortune installé sur le plancher de la chambre. Il y fait moins chaud.

La porte se referme derrière sa mère et sa sœur. Guillaume attend encore un peu. Il arrive que sa mère oublie quelque chose et revienne le chercher. Mais elle ne revient pas. Alors il se lève et s'habille. Il prend soin de cacher le hausse-col sous son gilet sans manches. Il l'a bien frotté, et il est redevenu tout brillant, comme avant. Après avoir enfilé sa vieille vareuse de laine noire, il sort de la maison aussi silencieusement qu'un chat et se faufile dans la remise pour récupérer le sac de toile. Chez les Couture, on a allumé des lampes. Jacquelin et son père sont rentrés pour le souper. Émeline et lui vont bien rigoler, ce soir.

Le ciel s'obscurcit rapidement, et les ombres se fondent avec la nuit qui s'insinue partout dans les rues de Québec. Guillaume avance au pas de course sur le chemin Sainte-Anne. Il se dépêche, car il ne veut pas faire attendre Émeline. Elle est près du mur qui entoure le verger des Ursulines, mais il ne la reconnaît pas. Elle vient vers lui, habillée comme un garçon. Une chemise de lin, une culotte bleu foncé boutonnée sous le genou et une vareuse de laine grise. Elle porte un chapeau rond de feutre noir. Elle a rassemblé ses belles boucles brunes sur sa nuque et les a attachées de la même façon que lui, avec un lacet de cuir.

— Tu as déjà vu un espion anglais avec des jupons ? lui dit-elle en riant de sa mine étonnée. J'ai emprunté les vêtements à mon frère sans qu'il le sache. Il a fallu que je promette ma part de dessert de demain en plus de celle de ce soir à ma sœur Marie pour qu'elle raconte à Maman que je suis sortie aux latrines si elle monte à la chambre avant que je revienne.

C'est qu'elle a l'esprit vif, Émeline Gauthier ! Et elle est courageuse avec ça ! Aussi courageuse qu'un garçon ! C'est pour ça que Guillaume l'aime bien. Il affiche un air content. Émeline et lui se remettent en route et traversent le terrain vague qui longe la redoute Royale. Ils doivent se dépêcher, les soldats ont déjà commencé à exécuter leurs manœuvres militaires. Guillaume les observe et se dit que, si son père était encore vivant, s'il était un lieutenant respecté, il lui achèterait sans doute un grade de cadet-à-l'aiguillette[3]. À cette pensée, il touche le hausse-col qui pend à son cou et vérifie si Émeline le suit toujours. Par deux fois, elle doit s'arrêter pour replacer la bourre de coton dans les chaussures

3. Officier en formation.

à boucles d'argent qui sont trop grandes pour elle. Dans le pré d'herbe grasse se dresse la silhouette d'un vieux hangar. C'est là qu'ils se dirigent. Quelle leçon ils vont lui infliger, à ce blanc-bec de Jacquelin !

La porte s'ouvre dans un lugubre craquement de bois. Dans un battement d'ailes, quelque chose les frôle, et Émeline étouffe un cri d'effroi dans sa paume. Il fait très sombre, et on dirait que personne n'est entré ici depuis des années. C'est parfait ! Les dernières lueurs du jour filtrent par les interstices des planches qui forment la toiture et peignent des lames grises sur le sol.

— Je crois que c'est l'endroit que j'aurais choisi pour rencontrer secrètement un espion, murmure Émeline en s'aventurant dans le bâtiment.

— Ouais, c'est chouette, non ? répond Guillaume en déposant son sac.

Il l'ouvre, fouille dedans, prend la lanterne, et en fait jaillir une flamme. Puis il allume la chandelle. Ils se retrouvent aussitôt au cœur d'un halo de lumière ambrée. Des ombres sautillantes se lèvent sur les murs tels des spectres sortant de terre. Pendant un court moment, ni l'un ni l'autre ne dit mot. Ils écoutent la rumeur de la ville qui leur parvient comme un doux murmure.

— Il faut se mettre au travail, fait soudainement observer Guillaume.

L'excitation du jeu lui remue le ventre. Il se concentre sur ce qu'il a à faire. Il balaie l'endroit des yeux pour trouver le matériel dont il aura besoin. Il repère une vieille chaise suspendue au mur. Quoi encore ? Deux planches couchées dans une charrette à laquelle il manque une roue. Et là, de la paille. Quelques minutes plus tard, ils ont réussi à fabriquer une sorte de mannequin, qu'ils ont habillé de la cape, de la perruque et du tricorne de Michel Renaud. Pour finir, Guillaume fait glisser le hausse-col autour du cou du mannequin de paille.

— Je crois que ça devrait suffire, annonce-t-il en jugeant de l'effet de la mise en scène. Toi, tu grimperas sur la chaise. Comme ça, tu paraîtras juste assez grande.

— Et qu'est-ce que je fais, quand tu reviens avec Jacquelin ?

— Eh bien, tu fais semblant de conclure un marché avec ton compère. Tu n'auras qu'à chuchoter et à laisser passer quelques informations comme celles qu'on en a entendues dans la ruelle. Jacquelin n'y verra que du feu. Ensuite, tu fais mine de t'apercevoir de notre présence, tu sors ton pistolet et tu le pointes vers nous en nous ordonnant de sortir de notre cachette.

L'idée est d'attirer Jacquelin vers le hangar en prétextant avoir vu quelqu'un y entrer. Ensuite, Guillaume se cachera avec son ami, et ils épieront Émeline qui fera semblant d'être un espion. La pénombre la masquera suffisamment pour que Jacquelin ne la reconnaisse pas. Le mannequin sera le deuxième espion, l'Anglais à qui s'adressera Émeline. Après quelques secondes, Guillaume devra provoquer un bruit qui attirera l'attention d'Émeline, l'espion français.

— Tu feras peur à Jacquelin avec ça, annonce-t-il.

C'est à ce moment qu'il sort le pistolet de son père. Il imagine déjà la réaction de Jacquelin quand Émeline pointera l'arme vers lui. Il déguerpira à la vitesse d'un cheval piqué par une guêpe.

— Tu veux que je me serve de ça ? s'inquiète Émeline.

Elle fixe l'objet avec des yeux ronds comme des roues de carrosse.

— Les espions ne portent pas de jupons, mais ils possèdent tous des armes, lui explique Guillaume, un brin moqueur.

Émeline accueille la remarque avec une moue offusquée.

— Ne t'en fais pas, il est vide. Tiens, regarde, quand j'appuie sur…

Une détonation terrible ébranle le bâtiment et fait fuir les pigeons qui s'y étaient abrités dans un vacarme qui assourdit le cri d'Émeline. Quand le silence retombe en même temps qu'une pluie de plumes, les deux jeunes entendent les battements de leur cœur tambouriner dans leurs oreilles. Encore sous le choc, Guillaume regarde le pistolet qu'il a laissé tomber à ses pieds. Il n'ose plus bouger. Il voit le trou qu'a fait le projectile dans la terre, à quelques pas seulement d'Émeline.

— Je croyais… je croyais… bégaie-t-il sans arriver à terminer sa phrase.

Des cris leur parviennent de l'extérieur. Le coup de feu a sonné l'alerte. C'est Émeline qui réagit la première. Elle se précipite sur le mannequin, récupère la cape, le tricorne et la perruque et enfouit le tout dans le sac. Guillaume ramasse prestement le pistolet et il est sur le point de souffler la lanterne quand il voit briller le hausse-col oublié sur le mannequin. Il court le reprendre, le fait glisser autour de son cou. Aussi vite que le leur permettent leurs jambes flageolantes, les deux amis s'élancent hors du hangar en direction de la rue Saint-Jean.

Guillaume se retourne. Loin derrière, Émeline tente encore une fois de remettre sa chaussure. Il voit avec horreur les soldats de la redoute venir dans leur direction tandis que d'autres arrivent des remparts.

— Torrieu de vieux crapaud galeux ! Ils nous filent le train.

Vite, il rebrousse chemin, attrape son amie par le bras et l'entraîne dans sa fuite. Ensemble, ils traversent une cour, tournent l'angle d'une maison et s'engouffrent dans un étroit passage qui les mène jusque dans la rue Saint-Jean.

— Ma chaussure, se plaint Émeline, à bout de souffle.

— Laisse tomber cette fichue godasse ! s'exaspère Guillaume en se retournant.

— Elle est à mon frère. Je vais me faire gronder.

— Ce n'est pas son unique paire de… Émeline !

En vain. Elle a disparu dans le passage. Le temps qu'un chat lui file entre les jambes, Guillaume pense prendre la poudre d'escampette sans elle. « Tu n'es pas un lâche, se sermonne-t-il. Émeline est ton amie, et tu ne la laisseras pas tomber comme Giffard a fait avec Papa. »

La fillette surgit près de lui, le teint écarlate, en serrant sa chaussure dans sa main. Dans ses yeux, Guillaume peut lire la peur. Il comprend que le jeu n'a plus rien de drôle. Ils vont se retrouver dans un sacré pétrin si on les prend avec le pistolet dans leur sac. Le plus simple serait de s'en débarrasser. Mais il n'en est pas question : c'est le pistolet de son père. Il en sera quitte pour les galères[4] s'il n'arrive pas à semer ses poursuivants. Et le nom des Renaud sera honni pour l'éternité. Les soldats appellent dans la cour. « Petit Jésus, prie-t-il dans son cœur affolé, aidez-nous à... »

Il n'a pas terminé de formuler sa demande qu'un chariot couvert tiré par un bœuf leur passe sous le nez et continue son chemin cahin-caha vers la porte Saint-Jean. Guillaume saisit sa chance : il saute à l'arrière du véhicule et tend la main à son amie qui le dévisage, paralysée d'effroi.

— Viens ! Fais vite !

Émeline court pour le rejoindre. Elle attrape sa main et se hisse près de lui. Guillaume rabat prestement le coin de toile qui protège la marchandise en prenant soin de se réserver un petit espace pour surveiller leurs arrières. Il voit un, deux, trois, puis quatre soldats faire irruption dans la rue, mousquets à la main. Les hommes regardent d'un côté et de l'autre, puis se dispersent dans toutes les directions.

— Nous... nous l'avons échappé belle, murmure Guillaume en se laissant rouler sur le dos, soulagé.

— À qui le dis-tu ! soupire Émeline.

Les deux amis se regardent pendant un instant de silence. Puis ils éclatent de rire, se félicitant de leur réussite. Le chariot s'immobilise brusquement, coupant court à l'expression de leur joie. Leur estomac se noue d'angoisse quand ils entendent le conducteur discuter avec la sentinelle du corps de garde qui contrôle les allées et venues à la porte Saint-Jean.

— Zut ! fait Émeline tout bas. S'ils fouillent le chariot ?

— Torrieu de cornes de bouc puant !

Guillaume n'ose même pas y penser. Le temps s'étire sur une éternité pour les deux passagers clandestins, mais il ne s'égrène en fait que quelques secondes. Le chariot se remet finalement en branle sans qu'on vienne les déranger, et cette fois, ils savourent leur bonne fortune avec plus de retenue.

---

4. La peine des galères était une condamnation à ramer sur les galères du roi.

IV

Des imprévus

Les cahots de la voiture les secouent rudement, faisant rebondir le sac de toile. Guillaume l'attrape juste au moment où il allait tomber par-dessus bord. Le serrant contre sa poitrine, Guillaume s'appuie contre un baril pendant qu'ils traversent le faubourg Saint-Jean. Il suggère d'attendre encore un peu avant de descendre. Les habitants du faubourg Saint-Jean, où ils se trouvent maintenant, pourraient trouver suspect de voir deux jeunes surgir du chariot comme des voleurs. Émeline est d'accord, et ils laissent passer un bon moment avant de se laisser glisser hors du chariot.

L'atterrissage se fait assez brutalement, et ils roulent jusque dans le fossé herbeux. Quand ils se relèvent, ils constatent que la nuit leur est tombée dessus sans qu'ils s'en rendent compte. Guillaume regarde autour de lui et cherche des repères familiers dans la pénombre qui les enveloppe. Le vacarme du chariot qui continue sa route sur le chemin de Sainte-Foy s'atténue petit à petit. Ils sont plus éloignés des murs de la ville qu'il ne l'avait estimé. Entre eux et le fleuve se dresse la masse sombre des bois de Sillery. À quelque distance des bois, sur les hauteurs d'Abraham, il distingue vaguement la silhouette d'un moulin. C'est celui de Dumont. Un peu moins loin, du côté droit de la route, se trouvent les restes de la grange des Vaillant ravagée par les flammes l'hiver dernier. Droit devant eux, des flambeaux éclairent les remparts de Québec.

— Bon, ça va, ça va ! se répète-t-il comme pour se rassurer lui-même.

Oui, tout bien compté, ça peut aller. Ils s'en sont sortis intacts et ils ont amplement le temps de rentrer avant le couvre-feu. Guillaume allume la lanterne. Ils se mettent en marche dans le cercle de lumière qui va et vient sur le chemin au rythme des mouvements de son bras. La lune est cachée derrière un épais masque de nuages. L'odeur de la pluie est omniprésente.

— Tu crois qu'il t'attend toujours ?

— Qui ça ? demande Guillaume.

— Eh bien, Jacquelin ! l'éclaire Émeline.

— Aïe ! fait Guillaume.

Il imagine son vilain voisin tout seul sur le parvis de la cathédrale, les mains dans les poches à l'attendre comme un mendiant, et il déclare en riant :

— Tant pis ! Je me paierai sa tête une prochaine fois.

Puis il cesse de rire et ne dit plus rien. Ils parcourent plusieurs toises dans le silence le plus complet pendant que, dans leur esprit, repassent les récents évènements. Les cailloux crissent sous leurs semelles. Le chant des grillons sonne comme le bourdon sourd d'une musette dans les champs qui les entourent. Une chouette rayée hulule en réponse au chant nasillard d'un engoulevent qui retentit dans les bois. Le furtif battement d'ailes d'une chauve-souris en quête de son repas froisse l'air tout près d'eux. Une nouvelle vie s'installe avec la nuit.

Quelques gouttelettes d'eau s'écrasent en faisant de petits plocs ! sur leurs chapeaux pendant que le clocher de la cathédrale Notre-Dame se met à sonner neuf heures. Ils pressent un peu plus le pas.

— Je crois bien que je vais me faire gronder, lâche Émeline. Marie ne peut tout de même pas raconter à Maman que j'ai passé la soirée aux latrines.

— Sans doute que moi aussi, commente Guillaume. Maman rentre toujours aux environs de neuf heures et demie.

— Mais cela en aura valu la peine.

— Oui… c'était quand même chouette.

Guillaume se tourne vers son amie de toujours et lui sourit dans le noir. Il discerne mal les traits d'Émeline, mais il devine qu'elle lui sourit aussi. Elle tâte la manche de sa vareuse jusqu'à sa main, qu'elle serre dans la sienne. Ce geste inattendu, qu'elle a pourtant fait maintes fois auparavant, provoque cette fois-ci chez Guillaume un effet tout drôle.

— J'aime bien être avec toi, ajoute-t-elle pour finir.

Guillaume demeure un moment aphone avant de pouvoir prononcer un mot.

— Moi aussi.

Mais qu'est-ce qu'il vient de dire, là? « La vérité », lui souffle une petite voix quelque part dans son crâne. Mais qu'est-ce qu'elle va croire? « Que tu te sens bien avec elle, toi aussi. Rien de plus, gros bêta! » Il se sent rougir comme le fer au feu. Un feu que le ciel a apparemment bien l'intention de refroidir: la pluie se met à tomber avec plus d'intensité, et Émeline et Guillaume se mettent à courir. Quand ils atteignent la grange noircie des Vaillant, ils sont trempés. Il n'est plus question de continuer sous ces trombes d'eau. Il faudra attendre un peu.

Pestant contre la chance qui les a abandonnés, Guillaume inspecte l'endroit pour trouver un abri sec. Il flotte dans la grange une tenace odeur de suie. La toiture, lourdement endommagée lors de l'incendie, laisse apparaître des béances par où s'engouffre la pluie. Il trouve dans un coin des cages à poules vides. Cela devrait leur fournir un abri convenable. Guillaume étend la cape sur la terre battue pour les protéger de l'humidité et il invite Émeline à venir s'asseoir près de lui. L'espace sous les cages est exigu, et ils doivent se coller l'un à l'autre. Cela ramène Guillaume dans la ruelle du Saut-au-Matelot, quand ils ont surpris la conversation entre les deux espions et qu'Émeline s'est blottie contre lui.

L'averse produit un vacarme épouvantable dans la grange qu'elle mitraille sans sembler se fatiguer. Pour passer le temps, les deux amis se racontent des histoires et jouent aux charades. Guillaume a même commencé à imaginer un nouveau piège pour Jacquelin. Quand son ventre crie famine, il se souvient des victuailles qu'il avait prévues dans son sac et les partage avec Émeline, qui dévore sa part à pleines dents. C'est que toute cette aventure leur a ouvert un appétit d'ogre ! Bientôt, ils ont tout avalé, jusqu'aux miettes de pain répandues sur leurs culottes.

Le temps s'écoule sans qu'ils s'en aperçoivent et c'est le lointain son des cloches de la cathédrale perçant l'orage qui les fait réagir. Il est dix heures, l'heure du couvre-feu. Consternés, Guillaume et Émeline se regardent sans se voir dans le noir. La chandelle s'est consumée.

— Qu'est-ce qu'on fait ? s'enquiert Émeline. Il pleut encore aussi fort que tout à l'heure. On ne peut tout de même pas passer la nuit ici. Couvrons-nous de la cape et rentrons.

— Elle va se détremper et devenir aussi lourde qu'un chien mort bien avant que nous n'atteignions la porte des remparts. Mais tu as raison. Nous ne pouvons pas rester ici plus longtemps. Nos parents vont mourir d'inquiétude.

Ils commencent à ranger leurs effets dans le sac de toile quand un bruit sourd résonne dans l'air humide et froid. Le sol gronde sous leurs pieds. La main d'Émeline touche l'épaule de Guillaume comme pour s'assurer qu'il est encore là.

— C'était quoi, ça ?

— Le tonnerre, je suppose.

— Il n'y a pas eu d'éclair, observe-t-elle après un moment de réflexion.

Un second bruit suivi d'un autre petit tremblement de terre les secoue.

— Ce sont des coups de canon ! s'écrie soudain Guillaume.

— Le général Montcalm a enfin décidé de bombarder les Anglais, claironne Émeline en tapant de joie dans ses mains. Papa se demandait justement ce que le général attendait pour renvoyer en Angleterre ces fainéants qui se prélassent sur les hauteurs de Lévy. Leur envoyer quelques boulets aux fesses leur fera certainement du bien.

Guillaume pouffe de rire et s'apprête à répliquer quand un craquement de bois le rend muet.

— Tu as entendu ?

— Quelqu'un vient, chuchote son amie.

Un cheval s'ébroue bruyamment, confirmant l'affirmation d'Émeline. La porte de la grange s'ouvre doucement en faisant grincer ses gonds rouillés. Les yeux ronds d'appréhension, les deux fugitifs attendent à l'abri de l'obscurité.

Ils entendent d'abord le martèlement des sabots du cheval qui pénètre dans le bâtiment. Puis une voix d'homme profère une brochette de jurons qui lui aurait mérité une magistrale taloche derrière la tête de la part de Catherine. Guillaume se retient de rire. Mais il devient complètement ahuri quand une flamme jaillit d'un briquet, lui dévoilant un visage long et mince serti de deux yeux noirs brillants sous d'épais sourcils. Des yeux de rat.

— Mais c'est…

Le reste de la phrase d'Émeline s'étouffe dans la paume de Guillaume. Ils ont tous les deux reconnu Charles Giffard. Ce dernier, incertain d'avoir entendu quelque chose, se tourne dans leur direction. Le briquet allumé se déplace de gauche à droite et de haut en bas dans l'épaisse obscurité. On dirait le vol d'agonie d'un papillon de nuit qui s'est enflammé les ailes après s'être aventuré près du feu. Mais la flamme est trop petite et trop loin pour les éclairer. Le briquet s'éteint d'un coup et tout redevient noir. On n'entend plus que les grondements des canons au loin et le tambourinement continu de la pluie.

Émeline est en colère et gesticule pour se libérer de la main de Guillaume plaquée sur sa bouche. Elle se dit que c'est une chance inouïe que monsieur Giffard se retrouve ici avec son cheval et elle veut en profiter pour rentrer chez elle. Guillaume ne se laisse pas démonter. Il ne sait pas pourquoi, mais il pressent un danger. Émeline le pince à la cuisse, mais il ne bronche pas. Elle cesse enfin de gigoter en entendant le grincement de la porte qui s'ouvre de nouveau. Une seconde silhouette se découpe sur un fond de lueur rouge en même temps que tonne un canon.

— Monsieur ? chuchote Giffard en s'avançant vers le nouvel arrivant.

— De quelle couleur est votre cheval ? demande ce dernier.

— Il est rouge.

Libérée de son bâillon, Émeline recule vers les cages à poules. Son cœur se met à battre très vite. L'homme a parlé avec un accent bizarre. Cela ressemblait à de l'anglais, à la différence qu'ici, l'homme roulait fortement ses « r » dans sa gorge. Guillaume, lui, plisse le front d'incompréhension. Qu'est-ce que cette histoire de cheval rouge ?

— *Rrred. Good. 'Tis the rrright color*[1].

— Vous arrivez bien tôt, monsieur, remarque Giffard sur un ton franchement mécontent.

— Je voulais m'assourer que vous tendez pas une piège à moi, réplique l'autre dans son français laborieux.

— Comme vous pouvez le constater, je suis seul, ronchonne Giffard d'une voix si étouffée que Guillaume la reconnaît à peine.

— *Dinna fash yerself, Saint-Amant*[2]. *Now*, si nous venions à ce qui nous rrréounit ici. Je souis *happy to see* que vous acceptez de colla... *collaborate with me.*

Saint-Amant ? Collaborer ? Mais de quoi parlent-ils, à la fin ?

Giffard grogne.

— Vous ne m'en avez guère laissé le choix, monsieur Stobo.

— Oui, je concède cela à vous. Quoique... *we always have the choice, you know*[3]. Pour nous, les Écossais, choisir *between* la vie et l'hounneur n'a jamais été trrrès *difficult.* Allons, finissons-en, que je rrretourne *to my* canot dans les plous brrrefs délais. Vous avez ce qui m'intéresse ?

— Oui... j'ai tout consigné sur papier, explique Giffard. Enfin, où ai-je mis l'enveloppe... ? Ah ! La voilà ! Il y a le nombre et les positions actuelles des troupes. J'ai indiqué les dates et les trajets prévus pour les convois de transport de vivres qui nous viennent de Montréal et de Trois-Rivières. Il y a aussi la liste de nos navires

1. Rouge. Bien. C'est la bonne couleur.
2. Ne vous fâchez pas, monsieur Saint-Amant.
3. Nous avons toujours le choix, vous savez.

armés encore présents dans le fleuve. C'est le mieux que j'ai pu découvrir.

— *How* pouis-je m'assourer que ces informations *are true*, Saint-Amant ? demande Stobo avec une note de suspicion dans la voix.

— Quand il y va de votre vie... réplique Giffard amèrement.

— Votre vie... *aye* ! oui, ricane méchamment le Britannique. Enfin, à chacoune la sienne, n'est-ce pas ? Et la vôtre, dépouis notre pétite entente *at Duquesne Fort*, ne vaut pas plous que la corde qui pourrait servir à vous pendre. Toutefois, c'est dommage que Braddock se soit faite touer avec *all my plans* sour lui. Toute cette travail pour rien...

Guillaume n'en croit pas ses oreilles. Monsieur Giffard alias Saint-Amant est l'espion qu'ils ont épié dans la ruelle ! Son cœur se débat comme une petite souris prisonnière des griffes d'un gros matou.

Émeline tremble de peur elle aussi. Et dire qu'elle a été sur le point de dévoiler leur présence. Quelle catastrophe ! Elle n'ose même pas imaginer ce qui se serait produit ensuite. Elle n'ose pas...

Elle sent quelque chose monter le long de son mollet. Elle secoue vigoureusement sa jambe en frissonnant de dégoût. Sa chaussure se détache de son pied et va atterrir dans un bruit mat à quelques pas des deux conspirateurs, qui se taisent aussitôt. Un silence tendu retombe sur tous les occupants de la grange. On n'entend plus que le tambourinement de la pluie et le vacarme des bombardements. Pétrifiés de terreur, Émeline et Guillaume ont cessé de respirer. Ils ont l'impression que le temps s'est arrêté.

— Qui est là ? *God damn...* Vous n'êtes pas seul, Saint-Amant ! tonne l'Écossais. J'aurais dou m'en douter. Une homme qui trrrahit une fois...

Il y a des cliquetis métalliques. Une détonation provoque une lueur qui éclaire brièvement l'intérieur du bâtiment. Quelqu'un a tiré un coup de pistolet. Émeline pousse un cri de terreur et cherche refuge dans les bras de Guillaume, qui tremble maintenant tout autant qu'elle. Ils entendent des bruits de lutte. Le cheval s'énerve, hennit et piaffe tandis que quelqu'un le monte. La porte de la grange s'ouvre dans un fracas, et la monture et son cavalier s'élancent au galop sous la pluie battante. La porte reste ouverte, et devant le ciel qui se teinte d'orange, ils voient une silhouette se redresser lentement en émettant des jurons étouffés. L'homme se retourne dans leur direction.

— Qui que vous soyez, montrez-vous !

Guillaume a chaud et froid en même temps. Dans sa bouche, il ne reste plus assez de salive à avaler. La respiration d'Émeline s'accélère. Elle est terrifiée comme elle ne l'a jamais été. Guillaume serre très fort ses mains dans les siennes en pensant : « Tiens bon, Émeline ! Tiens bon ! » Il se dit aussi : « Ne craque pas, Guillaume ! Si tu craques, vous êtes perdus. » Ils entendent le long chuintement d'une lame qui est tirée de son fourreau.

— Sortez de votre cachette, et aucun mal ne vous sera fait.

Guillaume prie le petit Jésus de l'épargner. Il n'a que onze ans, après tout. Il mérite d'être puni pour avoir désobéi à sa mère, mais pas de cette façon !

Giffard avance un pas à la fois. Guillaume comprend qu'ils sont coincés. Il se tourne vers Émeline, et son cœur se brise. C'est sa faute. Il voulait seulement s'amuser un peu aux dépens de Jacquelin. Mais tout est allé de travers et maintenant...

— Au nom du roi, je vous commande de sortir de là, ou je vous embroche comme un porc sur mon épée.

Guillaume sent le courage le quitter. Une peur sourde le domine, et il se sent... comme le plus misérable des poltrons.

— S'il vous plaît, monsieur Giffard, nous jurons de ne rien dire, supplie-t-il en retenant les sanglots qui lui soulèvent la poitrine.

— Ne nous faites pas de mal, geint Émeline à son tour.

Au son des voix qu'il entend, Giffard fronce les sourcils. Il fouille frénétiquement sa poche pour retrouver son briquet, qu'il allume. Les enfants sortent précautionneusement de leur cachette et avancent jusque dans le cercle de lumière. Ce que découvre Giffard le frappe de stupéfaction.

— Pardi ! Guillaume ? Émeline ? Par tous les diables ! Que faites-vous ici ?

Il ne fait pas de doute que les enfants ont tout entendu de l'échange qu'il a eu avec Robert Stobo. Qu'allait-il faire d'eux, maintenant ?

— Vous allez nous tuer ? demande Guillaume d'une voix tremblotante en lorgnant la lame qui brille sinistrement dans la lueur de la flamme.

Indécis, Charles Giffard se gratte la tête. Que fait le fils de Catherine ici ? Que convient-il de faire, maintenant ? Il ne peut pas laisser les enfants rentrer comme si de rien n'était après ce qui vient de se produire. Leur présence a presque failli tout faire échouer. Le coup de crosse qu'il a reçu sur la tempe l'élance douloureusement. Il comprend qu'il s'en est fallu de peu que Stobo le tue. D'un geste furieux, il leur indique la porte. Il adopte un air menaçant et prend une voix grave.

— Suivez-moi.

Guillaume ramasse son sac de toile. Il bombe le torse et se pare d'un air brave.

— Monsieur Giffard, gardez-moi et laissez partir Émeline, elle ne dira rien, je vous le jure sur la tombe de mon père.

Le capitaine Giffard considère le gamin en silence. Il prend soin de ne rien laisser poindre des sentiments qui l'agitent sous un masque imperturbable.

— Tu serais prêt à te sacrifier pour elle ?

Guillaume se mord les lèvres. Il pense à sa mère et à Jeanne, et cela finit de lui ouvrir le cœur en deux. Elles le pleureront certainement. Il regrette seulement de ne pas pouvoir dire à sa mère combien elle se trompe sur le compte de Giffard.

— Oui, répond-il, résigné à subir son destin.

« Tel père, tel fils », pense Giffard avec un pincement au cœur.

— Dis-moi, Guillaume, est-ce que ta mère sait où tu es ?

Le garçon secoue la tête pour dire non.

— Qu'allez-vous faire de moi ? ose-t-il redemander en reniflant.

— Je vais y réfléchir sur le chemin du retour, répond enfin Giffard.

Sans se départir de sa froideur, il prend le sac de toile et pousse les enfants devant lui.

V

Renaud le renard

Au fur et à mesure qu'ils approchent des remparts, le bruit des déflagrations s'intensifie jusqu'à en devenir infernal. Émeline serre plus fort la main de Guillaume. À travers la pluie et ses larmes, elle regarde les éclairs qui nimbent la ville d'une curieuse aura orangée. Elle croit que Guillaume les voit aussi, mais dans la tête de Guillaume, les idées se bousculent et accaparent toute son attention. Il sait que Giffard ne les tuera pas, sinon il l'aurait déjà fait dans la grange ou quelque part dans les champs. Cette inquiétude écartée, il peut réfléchir à d'autres choses, notamment à l'allusion qu'a faite Stobo sur le rôle qu'a joué Giffard au fort Duquesne. Ainsi, dans l'affaire de la lettre, c'était lui, le traître ! Giffard a fait passer son méfait sur le dos de son ami, Michel Renaud. C'est odieux ! C'est pire que tout ce qu'il aurait pu imaginer !

Quelques toises encore les séparent des remparts. Des cris leur parviennent par-delà les épais murs de pierres. Toute cette cacophonie finit par tirer Guillaume de sa méditation, et il lève les yeux vers le ciel qui s'illumine sporadiquement. On dirait un feu d'artifice. Un coup de tonnerre lointain résonne ; quelques secondes plus tard, une explosion fait vibrer le sol sous ses pieds. La vérité commence à se frayer un chemin dans son cerveau. Ce ne sont pas les canons français qui bombardent les Anglais, mais l'inverse. Ce que tout le monde craignait est en train de se réaliser : les Anglais attaquent Québec !

— Torrieu de…

Il ne trouve plus de mots.

— Qui va là ? crie une voix comme venant d'outre-tombe.

Des soldats surgissent dans les créneaux des remparts, mousquets à la main, prêts à leur tirer dessus.

— Je suis le capitaine Charles Giffard, soldat de Sa Majesté le roi de France, ouvrez-nous ! répond Giffard en hurlant à l'adresse de la sentinelle.

Un visage apparaît furtivement dans le guichet de la porte du corps de garde pour identifier le demandeur. Les grandes portes s'entrouvrent pour les laisser entrer dans l'enceinte de la ville fortifiée. Un soldat s'empresse auprès d'eux. Les autres retournent à leur poste.

— Capitaine Giffard, vous voilà enfin !

— Pardi ! Rien ne va comme prévu, peste le capitaine en secouant son manteau dégoulinant de pluie.

— À qui le dites-vous ! acquiesce le soldat d'un air embarrassé.

— Est-ce que le transfert de Damien a été effectué selon mes ordres ?

— À ce propos…

Un sifflement strident suivi d'une déflagration interrompt momentanément le soldat qui s'énerve.

— De bien mauvaises nouvelles, monsieur. Le prisonnier a réussi à s'échapper et…

— Quoi ? s'écrie Giffard. Ai-je bien entendu ?

— Je le crains, monsieur.

— Bande d'incapables ! Qui est l'imbécile qui l'a laissé s'échapper ? tonne le capitaine, hors de lui.

— Monsieur, il y a eu une explosion. Un mur de la prison s'est effondré. Le prisonnier a profité de l'effet de surprise et du nuage de poussière qui remplissait…

Le vrombissement d'une bombe qui tombe quelque part dans la Haute-Ville couvre les paroles du soldat. Muets de stupeur devant l'ampleur de l'attaque, Guillaume et Émeline se pressent l'un contre l'autre. Guillaume regarde comme dans un rêve les gens aller et venir dans le plus grand des désordres, tantôt emportant un meuble, tantôt traînant un enfant ou un animal terrifié. Dire qu'il y a deux heures à peine, la ville baignait dans le calme. Et maintenant... c'est la guerre. Et cette guerre qui se joue dans Québec n'a plus rien d'un jeu!

—Il faut retrouver le prisonnier, ordonne Giffard. Prenez quatre hommes avec vous et partez à sa recherche. Je promets une récompense à celui qui lui mettra la main au collet.

—Nous savons qu'il n'a pas franchi les portes de la ville, mon capitaine.

—Et la rivière? Et les falaises? Est-ce qu'on les surveille?

—Nous faisons ce que nous pouvons, monsieur, reprend le soldat, penaud. Il y a beaucoup à voir. La population ne sait plus où se réfugier. Plusieurs se sont rendus à la redoute du cap Diamant et ont menacé la garnison. On accuse Montcalm de ne rien faire pour protéger les habitants. Les pillards vont bientôt se mettre à l'œuvre. Tous les hommes d'armes sont réclamés pour maintenir un certain ordre et aider les gens à quitter leur habitation. Les bombes ont touché le couvent ainsi que l'Hôtel-Dieu. Et la Basse-Ville est gravement atteinte...

Le cœur de Guillaume fait un bond dans sa poitrine serrée. Il pense à sa mère et à Jeanne. L'Hôtel-Dieu touché; la Basse-Ville en ruine...

—Je vois, murmure Giffard, consterné.

Le capitaine se félicite des dispositions qu'il a prises concernant Catherine et sa fille avant de partir pour son rendez-vous avec Stobo. Il baisse les yeux sur le jeune Renaud et soupire. Tout va de travers. Tout se complique: Damien s'est échappé, le fils de Catherine l'a vu avec l'espion britannique, et la ville est en état de crise.

—Sergent Gagné, assurez-vous que ces enfants seront escortés jusqu'au palais de l'Intendance. Qu'ils y soient gardés sous bonne surveillance jusqu'à mon retour. Je ne veux pas entendre parler d'une autre évasion ce soir. Je m'occupe personnellement du prisonnier.

— Soyez sans inquiétude, le rassure le soldat avec un sourire, il ne s'agit que d'enfants...

— Ne sous-estimez surtout pas les enfants, sergent, le coupe Giffard en lui jetant un regard mauvais. Les souris s'échappent joyeusement entre les pattes du chat qui dort.

Pendant que les grands discutent, Guillaume observe avec une incrédulité grandissante ce qui se déroule autour d'eux. Les habitants arrivent de tous les côtés et se pressent à la porte des remparts. Si la plupart semblent sains et saufs, certains portent des bandages, d'autres sont même transportés sur des brancards. Ils veulent sortir de la ville. Ils veulent échapper à cette pluie de fer qui leur tombe sur la tête. Mais les soldats les refoulent le long du mur de pierres, leur indiquant que personne n'a le droit de quitter la ville tant que le gouverneur n'en a pas donné la permission. Guillaume cherche parmi les visages ceux de sa mère et de sa sœur. Où sont-elles ? La Basse-Ville est gravement atteinte... Guillaume s'invente de sombres scénarios : les corps de sa mère et de sa sœur perdus dans les décombres de l'hôpital des sœurs hospitalières, ou encore ensevelis sous les gravats de leur maison. Et lui, tout seul, tout seul.

— Maman... gémit-il, en proie à une panique sourde.

Une femme passe près d'eux, en pleurs. Elle appelle : « Pierre ! Pierre ! » Elle s'arrête devant Guillaume et l'attrape par les épaules pour le regarder en face. Mais la déception déforme son visage. Elle ne reconnaît pas celui qu'elle cherche et elle se remet à pleurer en appelant encore.

Guillaume imagine sa mère le cherchant partout, terrifiée elle aussi de l'avoir perdu. Il ne peut pas rester là à attendre que Giffard scelle son sort. Il doit retrouver sa famille et il prie pour qu'elle soit saine et sauve.

— Guillaume ! hurle Émeline.

Mais Guillaume n'entend plus rien. Il court aussi vite que peuvent le porter ses jambes.

— Maman ! appelle-t-il. Maman !

— Arrêtez-le ! Arrêtez-moi ce garçon, pardi ! ordonne Giffard.

Les gens s'écartent devant Guillaume comme du blé devant un cheval fou. Les façades des maisons deviennent floues, et les lueurs des flambeaux forment de drôles d'étoiles scintillantes devant ses yeux qui se brouillent de larmes. Soudain, une poigne solide le soulève du sol, lui coupe le souffle et le retient prisonnier. Guillaume se débat comme un diable dans l'eau bénite. Il appelle sa mère et sa sœur. Il ne veut pas rester tout seul au monde. Il hurle de rage et il frappe et frappe encore l'homme qui l'empêche de rejoindre sa famille.

— Lâchez-moi ! Je veux voir Maman !

— Plus tard, mon petit bonhomme, lui lance le sergent Gagné en cherchant à le maîtriser. Pour l'instant, il faut obéir aux ordres du capitaine Giffard.

— C'est un traître… je ne veux pas lui obéir.

Une deuxième paire de bras devient nécessaire pour maîtriser enfin le gamin qui, devant l'inutilité de ses efforts, en vient à se calmer.

Le visage de Giffard apparaît aussitôt devant le sien. Ses yeux noirs le fixent. À la lueur des flambeaux qui les encerclent, le garçon voit son propre reflet dans le gouffre de ces yeux-là. Des yeux de glace.

— Ne redis plus jamais ça. Tu ne sais pas de quoi tu parles, Guillaume Renaud.

— Je l'ai dit, et je le redirai ! Vous avez menti à Maman, crie-t-il avec hargne. Vous avez… trahi Papa… Il était votre ami…C'est à cause de vous… que Papa est mort. À cause de vous ! Je vous hais ! Je vous hais !

Le visage du capitaine tique et devient cramoisi. Quelque chose passe dans son regard qui se dérobe, et Guillaume n'a pas le temps de le saisir.

— Ça suffit ! gronde Giffard en se redressant d'un coup, puis il s'adresse au sergent : emmenez-les !

Un obus frappe la toiture d'une maison dans la rue Saint-Jean et provoque une déflagration qui souffle les bardeaux en charpie. Les gens qui s'étaient rassemblés autour de Guillaume et des deux soldats se dispersent comme des feuilles balayées par les rafales d'automne. Giffard s'est envolé avec eux. Le bras en étau dans la poigne du sergent Gagné, Guillaume ravale les sanglots qui lui compriment la poitrine. Il ne donnera pas le spectacle d'un Renaud en larmes. Ça, jamais!

Il règne une atmosphère survoltée au palais de l'Intendance. De la pièce où on les a enfermés, Guillaume et Émeline écoutent les bombardements fracasser les maisons de la ville. Blottie contre son ami, Émeline a les yeux rouges et gonflés. On leur a apporté des bols de soupe et du pain; ils n'ont touché à rien. Avant de les quitter, le sergent Gagné leur a fait la promesse d'avertir leurs parents qu'ils vont bien et qu'ils sont en sécurité. Mais Guillaume n'y croit pas. Giffard les a fait enfermer pour gagner du temps. Que mijote le capitaine? Il aimerait bien le découvrir. Il a bien essayé de dire aux gens de l'intendance ce qu'il a vu et entendu dans la grange. Le capitaine Giffard, un espion? Allons donc! Comme il l'avait soupçonné, personne ne le croit. On a ri et on s'est détourné. Allait-on écouter les accusations du fils d'un traître? Alors, soit! Qu'à cela ne tienne, il va se débrouiller tout seul.

Guillaume étudie les possibilités de fuite. Leur porte est fermée à double tour. Quant aux autres issues, soit elles sont aussi verrouillées, soit elles donnent sur une impasse. Il a vérifié les fenêtres, mais comme ils sont au deuxième étage, ils ne peuvent rien tenter de ce côté sans risquer de se rompre le cou. Reste la ruse. Il s'assoit sur le plancher dans un coin de la pièce et passe en revue les objets qui pourraient lui servir. Il réfléchit.

— Il s'est enfui! Guillaume Renaud s'est enfui! crie Émeline à pleins poumons en tambourinant sur la porte de ses poings.

Quelques secondes plus tard, le verrou cliquette, et le lourd battant de bois s'ouvre lentement. Un visage apparaît.

— Il est... parti, hoquette Émeline. Je me suis endormie et... à mon réveil, il n'était plus là. Par la fenêtre... il s'est enfui par la fenêtre.

Le laquais, un jeune garçon à peine plus vieux que Guillaume, passe sa tête blonde par l'entrebâillement et fait mine d'inspecter la pièce. L'air affreusement accablé, Émeline gémit, les mains sur sa bouche. Elle coule un regard affolé vers les vantaux à carreaux de verre grands ouverts sur la nuit et le plancher inondé par la pluie qui s'invite dans la pièce. Le laquais constate les faits et blêmit. Tous les rideaux ont disparu des fenêtres. L'extrémité d'un pan de velours bleu est nouée autour d'une patte du massif bureau de noyer. Le laquais se précipite et s'empare du morceau du rideau qui le mène directement à la fenêtre. Il tire sur la corde improvisée: les vestiges des rideaux raboutés par des nœuds solides s'accumulent à ses pieds.

L'autre extrémité pendant mollement entre ses mains, le pauvre garçon se retourne vers Émeline et pose sur elle un regard désespéré. Il est aussi blanc qu'un cadavre. Un son rauque s'échappe de sa gorge. Il sort de la pièce en courant. Émeline le suit jusqu'à la porte, où elle s'arrête.

— La voie est libre, chuchote-t-elle.

Une porte bouge et Guillaume surgit d'un petit cabinet obscur.

— Promets-moi d'être prudent, murmure son amie, quand il passe devant elle.

— Promis.

Il lui sourit. Juste avant de se glisser dans le corridor, il hésite, revient sur ses pas et pose un léger baiser sur la joue d'Émeline. Il n'a pas le plaisir de la voir rougir, car il s'éclipse aussitôt.

Guillaume trouve facilement une cage d'escalier. Deux hommes montent du rez-de-chaussée. Il a tout juste le temps de dévaler les degrés jusqu'au premier étage et de se mettre à l'abri derrière une tapisserie suspendue au mur. Absorbés par leur discussion, les deux hommes passent devant sa cachette sans remarquer qu'une paire de bas blancs sales chaussés de souliers à boucles d'étain dépasse drôlement de la tapisserie. Guillaume attend qu'ils se soient suffisamment éloignés pour sortir de sa cachette. Son cœur fait vibrer sa cage thoracique comme un tambour sur un champ de bataille, et sa respiration est sifflante. Il avale une bonne goulée d'air, ravale sa salive, puis il retire la main qui s'était instinctivement posée sur la crosse du pistolet qui gonfle la poche de sa vareuse. La solidité de l'arme de son père contre son ventre le rassure. Heureusement, personne n'a jugé bon de fouiller son sac avant de l'enfermer dans le petit bureau.

Le passage est de nouveau libre. D'un pas feutré, il entreprend de descendre la dernière volée de marches. Le corridor est silencieux et n'est éclairé que par quelques lampes à huile qui dégagent une désagréable odeur de suif rance. Toutes les portes qui le jalonnent de part et d'autre sont fermées. La section du bâtiment dans laquelle il se trouve est apparemment tranquille. Il doit bien y avoir une sortie quelque part…

Le corridor débouche sur le hall. Deux sentinelles se tiennent près de l'entrée, l'air de s'ennuyer. Guillaume est surpris et déçu. Il avait cru voir le hall grouiller de monde en arrivant. Sans la cohue espérée pour le couvrir, traverser le hall et franchir la porte représentent un défi de taille. Il y sera aussi visible que le nez au milieu de la figure !

Il n'a pas le temps d'analyser la situation. Des hommes sortent d'une pièce. Combien sont-ils ? Deux, quatre, cinq… six. Aïe ! Ils viennent vers lui.

— Torrieu de vieille pomme pourrie ! grogne-t-il.

Guillaume comprend qu'il doit passer à l'action avant que les hommes ne l'aperçoivent, mais il se ravise au dernier moment, quand il voit le sergent Gagné surgir de l'autre côté du hall. Il reste immobile, le dos contre le mur. Petit Jésus ! Que faire ? Le groupe d'hommes approche. Leurs beaux habits de soie et de velours, brodés de fils d'or et d'argent, froufroutent et scintillent sous les feux des lampes. Les hommes le dépassent sans le remarquer. L'instinct pousse Guillaume à leur emboîter le pas sans savoir où cela le mènera. Pourvu que le sergent ne le voie pas.

À son immense plaisir, Guillaume s'aperçoit qu'ils se dirigent vers la sortie. Dans sa poitrine, son cœur cogne un marteau sur une enclume et il prie pour que les sentinelles ne le remarquent pas quand…

— Renaud !

Les pieds de Guillaume s'ancrent dans le dallage de pierre. L'air se bloque dans sa trachée.

— Toi, le petit Renaud !

Guillaume se retourne lentement. Il croise le regard courroucé du sergent Gagné. Aussi subitement qu'ils s'étaient figés, ses muscles se délient et Guillaume détale en courant. Il pousse les hommes qui obstruent son passage. Derrière lui, les récriminations du sergent qui s'est mis à sa poursuite percent le vacarme de la pluie qui le fouette au visage. Les semelles de Guillaume battent les pavés à une vitesse folle. À ce rythme d'enfer, il est certain qu'il pourrait arriver à Montréal en deux jours. Les cris de Gagné alertent les soldats dans l'enceinte du parc du Palais. Comme des faucons convergeant vers la même proie, ils arrivent vers lui des magasins du roi, de la remise, des jardins et des prisons. L'un d'eux n'est plus qu'à quelques enjambées de lui. La panique s'empare de Guillaume. Il n'y arrivera pas. On va le reprendre et l'enfermer au cachot, d'où il n'aura plus aucune chance de s'évader. Il ne reverra plus Émeline ni sa mère…

Repenser à sa mère lui insuffle un regain d'énergie. Guillaume aperçoit des tonneaux empilés contre le mur du parc, tout près de la fabrique de potasse. S'il parvient à les atteindre, il peut encore avoir une chance… une toute petite chance. Guillaume rassemble ses dernières forces et les concentre dans ses maigres mollets. Il s'élance sur le premier tonneau, saute sur le second, bondit sur le troisième, glisse sur le bois mouillé, se rattrape et grimpe lestement les derniers échelons jusqu'au sommet, où il ose prendre le temps de vérifier où en sont ses poursuivants. Le soldat qui le suivait de près s'active maintenant à gravir lui aussi les tonneaux tandis que les autres se rassemblent en bas. Guillaume lance un regard de l'autre côté du mur de pierres. Il est beaucoup trop haut pour sauter. Il n'a pas le choix. En équilibre sur le dernier tonneau, il s'aventure sur le haut du mur tel un funambule sur une corde raide. Les bras en croix, il avance prudemment, un pied devant l'autre. Il doit se concentrer : ne pas regarder en bas, mais droit devant.

Les soldats suivent sa progression à la lueur des torches et encouragent leur confrère d'armes qui joue aussi à faire l'équilibriste derrière lui.

— Hardi, Lavigueur ! Encore trois pas et il est à toi ! lui lancent-ils.

— Peut-être cinq pas, rectifie Guillaume pour lui-même en accélérant la cadence.

Une puissante explosion résonne sur les parois du roc qui domine la Basse-Ville et lui fait presque perdre pied. Brusquement, le grondement du bombardement s'impose de nouveau à lui. Ses oreilles s'y étaient habituées et il ne l'entendait plus. On lui ordonne, au nom du roi, de se rendre dans l'instant, sinon... Sinon quoi ? Mais Guillaume ne pense qu'à se rendre jusqu'à l'angle du mur, il ne songe qu'à retrouver sa mère et sa sœur, qui doivent s'inquiéter tout autant que lui.

— Oh ! Ahhh ! font les hommes au sol.

Intrigué, Guillaume tourne la tête vers eux.

— Oh ! Ahhh ! font-ils encore.

Guillaume regarde derrière lui pour connaître la raison de leur inquiétude. Son poursuivant oscille dangereusement, ses bras battant le vide pour retrouver son équilibre.

— Aïe ! Ouf !

Le soldat a glissé et est rudement tombé à califourchon sur le sommet du mur. Sa bouche forme une grimace comique. Devinant la douleur atroce du pauvre homme, Guillaume comprend que son poursuivant n'est plus en état de continuer. Un rire monte dans sa gorge. Il franchit aisément la distance qui le sépare de l'angle du mur tandis que le sergent Gagné profère des menaces. Il sent qu'une main invisible le guide, le protège, et il se plaît à croire que c'est celle de son père. Oui, son père garde un œil sur lui. Sa mère ne le lui a-t-elle pas toujours rappelé ? Comment pouvait-il l'avoir oublié ? Le cœur de Guillaume se gonfle d'un courage renouvelé. Il se sent d'un coup plus léger, plus habile, comme un chat sur les toits, la nuit. Il s'engage sur la portion nord-sud du mur et le suit jusqu'à la toiture d'un appentis, sur lequel il saute et glisse avant de toucher le sol en roulant sur lui-même.

Le voilà libre !

VI

Le refuge du loup

La Basse-Ville est le théâtre d'une scène désolante à laquelle Guillaume ne s'attendait pas. La première pensée qui lui vient en découvrant les toitures effondrées et les murs écroulés est la description qu'a faite le père Ambroise de la destruction de Carthage dans son cours d'histoire, au séminaire. Il a le sentiment d'être planté au beau milieu du triste décor d'une tragédie grecque.

Lentement, le cœur en lambeaux, il avance parmi les débris qui encombrent la rue Saint-Pierre. L'auberge du Lion d'or de monsieur Charest, la maison du forgeron Létourneau, le magasin de chapeaux d'Angélique Lemelin, tous ces bâtiments ont été détruits par les Anglais, abandonnés à tous les vents par leurs propriétaires. De la belle maison du marchand Grenet, il ne reste qu'un toit et quatre murs troués comme une passoire. La pluie y pénètre comme si le ciel s'apitoyait lui aussi sur leur malheur. Plein d'appréhension, Guillaume grimpe les trois marches qui mènent à l'entrée. La porte n'est pas fermée à clé. Il la pousse et entre.

— Maman ! appelle-t-il, même s'il sait d'avance que personne ne lui répondra. Jeanne, Maman ?

L'état de la salle commune est consternant. Les pièces de la belle vaisselle de faïence de sa mère sont éparpillées sur le plancher, entières ou en morceaux, sous un voile de poussière. Le vase en porcelaine française est aussi fracassé ; les marguerites que Jeanne y avait mises ont été piétinées, sans doute par sa mère et sa sœur dans leur empressement à quitter les lieux. Le garde-manger est vide, sauf pour le saloir, beaucoup trop lourd, et le casier à pommes de terre. Même le piège à souris est vide.

Guillaume se rend dans la chambre. Le lit est nu, les tiroirs de la commode sont ouverts. Il court jusqu'à l'armoire : vide elle aussi ! Pas même une chemise de rechange ou une paire de bas secs laissés pour lui. Sous le lit… plus de coffre. Est-il en sécurité avec sa mère ou est-ce que les pillards seraient passés par ici ? Le gamin serre les lèvres pour contenir sa peine. Mais son émotion est à son comble et, s'affalant de désespoir sur le lit, il laisse les sanglots le secouer. Un bon moment s'écoule avant qu'il se calme et, entre deux reniflements, il écoute le bruit des bombardements et le clapotis de l'eau qui dégoutte quelque part dans la maison. Il doit repartir à la recherche de sa mère et de Jeanne. Il doit les retrouver avant…

Un sifflement ; une explosion. Guillaume sent son corps quitter le matelas pendant une fraction de seconde et il hurle de terreur. La secousse est si puissante qu'elle fait éclater deux des carreaux de la fenêtre et propulse des éclats de bois partout dans la chambre. Un nuage se déploie aussitôt et recouvre tout d'une fine poussière blanche. Guillaume s'étouffe et tousse. Sur ses lèvres, il reconnaît le goût fade de la farine, ce qu'il trouve un peu bizarre.

Il lève ses yeux rouges vers le plafond. Il entrevoit le logement des Grenet à travers les planches déchiquetées. Le marchand gardait sans doute des sacs de farine dans son grenier. Il se demande où est allé se ficher ce foutu boulet anglais. Le mur qui sépare la chambre de la salle commune est fracassé. Le boulet a atterri dans le poêle de fer, qui s'est tordu sous l'impact. Guillaume arrive à en arracher la porte avec le tisonnier et il tire vers lui le lourd boulet, qui tombe sur le plancher dans un boum assourdi. Avec ses pieds, il le fait rouler jusqu'à la porte et le pousse en hurlant de rage sur les marches, où il rebondit jusque dans la rue.

Il l'a échappé belle ! Il regarde une dernière fois les restes de leur logis. Cela ne lui sert à rien de s'attarder ici ; il doit reprendre ses recherches. Il retourne dans la rue après avoir bien refermé la porte.

Les boulets ne cessent de pleuvoir sur la ville. Guillaume ne sait pas quelle heure il est. Il a sommeil, mais il sait qu'il ne trouvera le repos que lorsqu'il aura retrouvé sa mère. Ses pieds traînent dans la boue qui retient ses chaussures et il trébuche sur les débris des maisons qui s'accumulent un peu partout. Même l'église Notre-Dame-des-Victoires n'a pas été épargnée. Le père Baudouin essaie de convaincre les paroissiens qui s'y étaient abrités de trouver refuge dans la Haute-Ville. Guillaume s'informe de sa mère et de Jeanne auprès du prêtre. Le père Baudouin ne les a pas vues. Peut-être sont-elles encore à l'Hôtel-Dieu ? Guillaume hoche la tête. Il ira vérifier. Il croise un chien égaré, puis un cochon affolé crie. Dans la côte de la Montagne, un chariot chargé de meubles est laissé en plan devant un pan de mur écroulé qui obstrue la rue. Çà et là, des gens bravent l'incessant pilonnage qui a presque rasé la Basse-Ville et reviennent quérir dans leurs demeures quelque objet oublié qui leur est cher. Le reste est abandonné aux pilleurs, ces ombres qu'il voit rôder parmi les ruines.

Sans s'être arrêtée, la pluie a considérablement diminué. Mais il y a longtemps que Guillaume ne sent plus l'eau ruisseler sur son visage et dans son cou. Tous les dix pas, il touche le pistolet qu'il garde coincé dans sa ceinture pour s'assurer qu'il est encore là. Les rues qu'il parcourt sont presque désertes. Il évite les nombreux soldats en patrouille. Il va maintenant où le mènent ses jambes. À l'Hôtel-Dieu, sœur Flavie lui assure que sa mère a quitté l'établissement avec Jeanne un peu avant le début des bombardements et qu'elles n'y sont pas revenues. Il devine qu'elles ne sont pas chez les Ursulines non plus, car les religieuses ont déserté leur couvent. Guillaume est désespéré.

Il s'abrite de la pluie dans l'entrée d'une maison et se laisse choir sur le seuil. Il est las du bruit des bombes et de ses semelles clapoteuses. Il a froid dans ses vêtements qui lui collent au corps, la boue le recouvre jusqu'aux genoux et la farine forme des grumeaux de colle dans ses cheveux. Les genoux repliés sous le menton, il contemple la façade de la grande maison de l'autre côté de la rue. Il se sent tellement engourdi par la fatigue qu'il a l'impression de flotter dans un rêve et ses paupières se ferment d'elles-mêmes. Il a juste envie de s'allonger sur un matelas moelleux entre des draps secs. Il aurait dû rester avec Émeline, à l'abri et au chaud dans sa prison. Surtout, il n'aurait pas dû désobéir à sa mère.

Un couinement lui parvient faiblement. Une ombre frôle le bout de sa chaussure et le fait tressaillir : un rat. La vermine lui fait repenser à Charles Giffard, avec ses yeux noirs et sournois. La colère qu'il a ressentie en comprenant que l'ami de son père était celui qui l'avait injustement fait accuser se remet à gronder et enfle son cœur de rage. Giffard doit être dénoncé. Il doit payer pour ce qu'il a fait. Mais comment prouver que Giffard est le véritable coupable si personne ne le croit ? Il a besoin d'une preuve concrète.

Une lueur passe dans une des fenêtres de la maison d'en face. Pendant un moment, c'est le vide complet dans la tête de Guillaume. Puis il fronce les sourcils. Il s'aperçoit d'un coup qu'il se trouve devant la maison de son père. Celle dans laquelle Jeanne et lui sont nés. Giffard y serait-il ? Guillaume se redresse et vérifie pour la énième fois qu'il a toujours le pistolet. Il ne sait pas trop quoi faire. Le menacer et l'obliger à tout lui avouer ? Giffard le jetterait vite fait hors de sa maison, comme on repousse une punaise hors de son lit. Il songe à un sort pire encore en se rappelant l'épée brillante et tranchante du capitaine dans la grange.

Et si c'était sa mère qui s'est réfugiée là ? Giffard lui a souvent offert l'asile de sa demeure. Fort de cette conclusion, il traverse la rue d'un pas décidé. Il soulève le heurtoir de fer, mais laisse son geste en suspens. Et si c'était seulement Giffard, finalement ? L'indécision le torture. Il ferme les yeux. La tête lui tourne légèrement et il vacille sur ses jambes épuisées. Il existe un moyen sûr de savoir qui est dans la maison. Il connaît bien la cour arrière.

Guillaume cherche la porte dans le noir. Quelle chance, c'est déverrouillé ! La maison est silencieuse. Les sens en alerte,

Guillaume avance à l'aveuglette dans la cuisine. Son genou heurte un banc. Ses mains reconnaissent un buffet à deux corps. Il redessine mentalement le plan de la maison pour se situer et se dirige vers la droite pour passer à la salle à manger, d'où il pourra gagner le reste des pièces du rez-de-chaussée.

Un bruit résonne à l'étage et Guillaume s'immobilise. Il ferait mieux de se préparer, juste au cas. Son pistolet bien en main, il passe dans le corridor qui mène au salon et se rend jusqu'au pied de l'escalier. Il attend que l'occupant se manifeste. Mais les minutes s'écoulent et plus rien ne se passe. La personne qui se trouve là-haut doit s'être mise au lit. Devrait-il monter pour vérifier ? Une déflagration fait trembler les murs. Guillaume n'a plus envie de retourner dehors.

Il entend un grincement qui ressemble au croassement d'un crapaud. Il prend peur et se dirige instinctivement vers le salon, qu'il explore à tâtons. Il heurte un meuble et son pistolet lui échappe dans un bruit sourd. Les yeux grands ouverts dans le noir, il se réfugie derrière le canapé. Une lueur jaune fait briller les deux vases de porcelaine aux motifs de chinoiseries sur la cheminée. Une ombre se déplace sur le mur du salon… le salon de Giffard. Le sang lui martèle les tempes.

— Mais qu'est-ce qu'on a ici ? siffle une voix rauque au-dessus de lui. On se la coule douce pendant que le maître n'y est pas ?

Guillaume se pétrifie. À la voix, il sait tout de suite qu'il ne s'agit pas de Giffard. Un bras se glisse autour de son cou, l'enserre et le force à se mettre sur ses pieds. Un objet dur et froid se pose exactement à l'endroit où il entend son cœur battre dans sa tête.

— Monsieur… s'étrangle Guillaume, terrifié. S'il vous plaît… ne… tirez pas. S'il vous plaît !

Une forte odeur de transpiration agrémentée d'une touche de parfum floral se dégage de son assaillant.

— Dis-moi ce que tu fais ici, sale petit marmot, sinon je te troue la cervelle ! menace l'inconnu.

— Rien, s'agite Guillaume, rien, je vous le jure ! Je voulais juste… juste trouver une place pour dormir.

La pression se relâche autour du cou de Guillaume, le pistolet quitte sa tempe et il peut respirer plus librement. Lentement, il se retourne pour faire face à un uniforme des officiers des Compagnies franches de la Marine qui a certainement connu de meilleurs jours. Sous le tricorne, un sombre faciès se plisse de circonspection. Les traits réguliers de l'individu seraient agréables sans la mine patibulaire qui les durcit. En dépit de la chevelure noire dans un état lamentable qui s'échappe du catogan de soie, de la poussière et de la boue qui le souille, Guillaume devine en lui le genre d'homme que les élégantes dames se plaisent à avoir à leur bras.

— On joue à faire la guerre ? se moque l'officier en apercevant le hausse-col qui brille au cou du gamin. Quel âge as-tu ?

— J'aurai bientôt douze ans, monsieur.

— Hum…

L'homme recule pour jauger le gamin d'un œil avisé. Il pose le pied sur le pistolet de Guillaume et plisse les paupières.

— Que pensais-tu faire avec ça, le marmot ? demande-t-il plus sérieusement.

Guillaume se précipite pour récupérer son bien. Mais le soldat agit plus promptement.

— Je… Il est à moi !

Un coin de la bouche de l'homme se retrousse narquoisement pendant qu'il examine de plus près la pièce d'armurerie.

— Plus maintenant, le marmot !

— C'est à mon père ! se fâche Guillaume en cherchant à reprendre possession de l'arme. Rendez-moi ce pistolet, espèce de…

Il ravale juste à temps le nom de « canaille ».

— Ton père sait-il que tu joues à la guerre avec son pistolet ?

— Non… il… il est mort.

— Je suis désolé de l'entendre. Dans ce cas, on peut présumer que le pistolet n'est plus vraiment à lui. Maintenant, tu vas gentiment me dire ce que tu faisais avec cette arme, et peut-être que je te la rendrai.

— Je… je cherchais de quoi manger, ment Guillaume.

— Eh bien, fait l'homme en ricanant, moi aussi. C'est ce qui m'a amené en bas, tu vois.

Il ricane encore et fait passer les deux armes dans sa ceinture avant de prendre le bougeoir, de tourner les talons et de se diriger vers la cuisine. Un peu dérouté, Guillaume le regarde s'éloigner, puis lui emboîte le pas.

La Canaille, comme Guillaume baptise le soldat dans sa tête, se met en quête de nourriture. Cinq minutes plus tard, il a rassemblé sur la table un reste de pain de froment, du poulet froid et un pichet de bière d'épinette. Un festin !

La Canaille avale quelques bonnes gorgées de bière à même le pichet avant d'en offrir à Guillaume, qui refuse.

— Tu es certain ? Elle n'est pas si mal, la p'tite bière. Un peu fade, mais quand on n'a rien d'autre pour se mouiller le gosier… J'avoue que j'aurais plutôt envie d'un bon p'tit coup de tafia. Ou d'autre chose de costaud. Peut-être que le propriétaire des lieux cache des bouteilles de cognac quelque part… Qu'est-ce que tu en penses ?

L'officier se remet à fouiller le buffet.

— C'est vous qui étiez en haut ? demande Guillaume.

La Canaille tourne vers lui un œil averti.

— Ainsi, on me suivait, le marmot ?

— Euh… non. Je me trouvais par hasard devant la maison, j'ai vu de la lumière et… et j'ai cru que…

— Que quoi ?

Les paupières de l'homme se plissent suspicieusement.

— Qu'il s'agissait de… monsieur Giffard…

— Monsieur Giffard ? s'exclame la Canaille avec étonnement. Tiens, tiens… on connaît ce bon vieux capitaine Giffard ?

Manifestement intéressé, l'officier abandonne ses recherches et revient vers lui. Brusquement conscient de son erreur, Guillaume n'ose plus ouvrir la bouche.

— Réponds quand on te cause, le marmot ! Alors, tu le connais ou pas ?

— Un peu, comme tout le monde. Pas plus.

— Ouais… Comme tout le monde, grommelle la Canaille.

L'officier se courbe vers le gamin, le nez presque collé au sien et le scrute d'un regard soupçonneux. L'infect parfum qui l'enveloppe prend Guillaume à la gorge. Il se retient de respirer et fixe le visage qui prend des allures de gargouille à la lueur de la chandelle. Ce qui l'impressionne, ce sont les yeux. Ils sont très pâles et cerclés d'un trait plus sombre, et quand ils le fixent ainsi, Guillaume a le sentiment qu'ils vont le percer jusqu'à l'âme.

— Tu es bien certain qu'il n'est pas de la famille ? Un oncle ou un cousin ou quelque chose du genre ?

Est-ce qu'on pouvait considérer un faux ami comme un membre de la famille ?

— Non ! répond catégoriquement Guillaume. Il n'est pas de la famille.

— Tu peux le jurer ?

— Je le jure sur la tête de mon père.

— De ton père ? Je ne connais pas ton père, et ce n'est pas assez convaincant, observe la Canaille en esquissant une moue dubitative. Mets ta main sur la table.

— Pourquoi ?

— Mets ta main sur la table, je te dis, et ne fais pas d'histoires.

Guillaume obéit sans comprendre où veut en venir la Canaille. Ce dernier glisse hors de sa botte un long couteau de chasse. Une impression de danger pousse Guillaume à retirer sa main. L'officier est plus rapide que lui et le rattrape par le poignet, qu'il broie entre ses doigts. La main se retrouve de nouveau à plat sur la table, à la merci de la lame du couteau.

— Tu mets ta main à couper que tu dis la vérité, le marmot ?

— Ne faites pas ça ! geint le garçon en tortillant son poignet dans la serre du vilain larron. Ne me coupez pas la main ! Je vous en supplie !

Un rire cynique résonne dans la cuisine.

— Si tu dis la vérité, je ne la couperai pas, ta main. Alors ?

L'expression chargée d'angoisse, Guillaume dévisage la Canaille, qui attend, son couteau prêt à s'exécuter.

— Je... je suis prêt à mettre ma main à couper... que monsieur Giffard n'est pas de ma famille.

La bouche de l'homme s'ourle d'un sourire satisfait, et il relâche le poignet du gamin.

— Tu vois, je ne l'ai pas coupée, ta menotte. Je suppose qu'il vaudrait mieux qu'il ne soit pas de la famille, Giffard, pour que tu rentres en voleur chez lui avec un pistolet pour lui chiper sa bouffe. Ta mère n'a pas de quoi te nourrir ? C'est elle qui t'envoie marauder comme ça la nuit ?

— Ma mère... je ne sais pas où elle est. Et je n'ai plus de chez-moi, avoue Guillaume d'un air accablé.

L'officier le considère en silence.

— Ouais... Les billes de fer des Goddams[1] sont tombées dessus, c'est ça ? Alors, toi tu as un toit troué et moi, c'est mon chapeau, déclare-t-il en exhibant son tricorne perforé de part en part. Et quand il pleut, tous les deux on se fait mouiller comme de misérables vers de terre.

Un clin d'œil accompagne la dernière boutade.

— Allons, bon ! Si on se faisait une ripaille pour oublier tout ça ? Je commence à avoir un petit creux.

---

1. Nom que les Français donnaient aux Anglais parce qu'ils juraient souvent en disant *God damn (nom de Dieu !)*.

VII

Qui cherche trouve

Chargé d'une partie des victuailles, Guillaume suit la Canaille dans l'escalier.

— Qu'est-ce qu'on vient faire en haut? demande-t-il, intrigué.

— J'ai quelque chose à trouver et je n'ai pas toute la nuit pour le faire. Giffard peut rentrer n'importe quand.

L'officier se rend dans l'ancienne chambre des parents de Guillaume, qui est maintenant celle de Giffard. Cela fait presque deux ans que le garçon n'a pas revu cette pièce, comme tout le reste de la maison, et les souvenirs affluent comme une marée, le noyant d'images d'un temps plus heureux.

Un fouillis jonche le couvre-lit et le tapis. Ce sont les papiers personnels de Giffard. Le capitaine est un homme discipliné. Il n'aurait jamais laissé sa chambre dans un tel état. Voilà donc ce que faisait la Canaille avant de descendre. Pourquoi voudrait-il voler les lettres du capitaine? Ce sont plutôt les bijoux et l'argenterie qu'on vole, d'habitude. Quelle valeur peut bien avoir la correspondance de Charles Giffard aux yeux de cet officier? Et puis, en premier lieu, pourquoi un homme visiblement nanti aurait-il besoin de voler?

— Tu entres ou pas, le marmot? l'interroge la Canaille en se retournant vers lui.

Guillaume grimace. Cela l'agace que l'officier l'appelle constamment le marmot. Il n'est plus un enfant depuis... enfin, il ne pense plus en être un.

— Tu en veux un morceau ?

— Oui… répond Guillaume.

Le gamin dépose le pichet et le pain sur un gros coffre de chêne installé au pied du lit et plante machinalement ses dents dans la cuisse de poulet que lui tend la Canaille.

Après avoir mordu dans sa part de viande, la Canaille se met aussitôt à vider le troisième tiroir d'un semainier. Les mouchoirs, bas et cravates s'accumulent en un monticule sur le parquet. Il passe au quatrième en marmonnant des choses pas trop jolies. Guillaume le regarde faire, perplexe, tout en continuant de gruger son os.

— Qu'est-ce que vous cherchez, au juste ?

— Un message que m'a volé ce satané capitaine Giffard.

— Et qu'est-ce qu'il contient, ce message ?

— Rien qui t'intéresse, le marmot, maugrée la Canaille en refermant le tiroir.

Il ouvre le suivant et furète dedans quelques secondes avant d'en sortir un coffret de bois blond, qu'il ouvre. Il en retire une jolie montre en or émaillé et sertie de pierres brillantes qui chatoient comme des étoiles dans un ciel d'été. Sans un mot, il la fait disparaître dans la poche de son justaucorps.

— Si vous me disiez ce qui se trouve sur ce bout de papier, je pourrais peut-être vous aider. Je sais lire, vous savez.

— C'est écrit dans la langue de Shakespeare, le marmot. Tu n'y comprendras rien.

— La langue de Shakespeare, c'est l'anglais, c'est ça ?

Le visage de l'officier se tourne vers lui, ombrageux.

— C'est ça, le fin finaud. Tu vas sans doute m'annoncer que tu sais aussi lire l'anglais ?

— Je reconnais certains mots comme *water* et *dog* et…

— Tu ne trouveras pas ces mots-là dans le message.

— Vous ne l'aimez pas beaucoup, le capitaine, observe encore Guillaume. Pourquoi ?

La Canaille pousse un soupir d'exaspération.

— Parce qu'il se mêle de ce qui ne le regarde pas. Je n'aime pas les gens qui viennent fourrer leur nez dans mes affaires.

Voilà pourquoi. Ça te suffit? Maintenant, laisse-moi travailler tranquille.

Guillaume hausse les épaules et se tait. Il tend le bras pour prendre le pichet de bière et stoppe net son geste quand une enveloppe capte son attention. L'écriture lui est familière. Il dépose son os sur le coffre et prend l'enveloppe. Son sang fait deux tours quand il comprend à qui appartient cette élégante calligraphie. Le plancher frémit sous ses pieds: une bombe s'est écrasée tout près, leur rappelant qu'ils pourraient être la prochaine cible. La secousse passée, fébrile, il ouvre l'enveloppe et en retire une feuille qu'il déplie d'une main tremblante. C'est une lettre de son père adressée à Charles Giffard.

Mon cher Charles,
Quand tu liras cette lettre...

Pendant que Guillaume parcourt les mots écrits par la main de son père, la Canaille en est au sixième tiroir. Les chemises et les bas volent pour rejoindre les mouchoirs et les cravates sur le sol. Guillaume entend presque la voix de Michel Renaud prononcer les mots qu'il lit: *à toi de démasquer le coupable... occupe-toi de Catherine et des enfants pour moi... la honte est trop lourde à porter... je te fais confiance... tu as toujours été là quand j'ai eu besoin de toi... tu mérites mieux Catherine que moi... à toi de démasquer le coupable... à toi de démasquer le coupable. Le coupable: Damien Saint-Amant.*

Saint-Amant. C'est le nom qu'a employé Stobo quand il s'est adressé à Giffard dans la grange. Un pseudonyme employé pour dissimuler sa véritable identité... Guillaume replie la feuille, la replace dans son enveloppe et la fait discrètement glisser dans sa poche. Il a enfin une preuve que Giffard est l'espion. Il doit la montrer à sa mère. Son père ne savait certainement pas que ce Saint-Amant n'est en fait nul autre que Giffard. S'il l'avait su, le capitaine... Oh!

— Un os qui ne passe pas, le marmot?

Guillaume cligne des yeux. La Canaille le dévisage d'un air inquiet.

—Tu es bien pâle, tout d'un coup.

—J'ai sommeil, je crois.

—Tu n'as qu'à t'allonger sur le lit.

Comme un automate, Guillaume s'allonge. Les papiers se froissent sous son corps et collent à ses vêtements mouillés. Charles Giffard serait-il allé jusqu'à assassiner le lieutenant Michel Renaud? Sa main effleure la poche où se trouve la lettre de son père et ses lèvres se mettent à trembler.

—Je vous le ferai payer, Saint-Amant… murmure-t-il pour lui-même.

—Qu'est-ce que tu as dit, le marmot?

—Rien, je pensais...

Un obus siffle plus fort que les autres. Guillaume serre très fort les paupières, les dents et les poings dans l'attente que le plafond s'effondre sur eux. Un formidable fracas ébranle la maison jusque dans ses fondations, suivi d'un silence de mort. Quand Guillaume ouvre les yeux, le visage de la Canaille apparaît dans son champ de vision.

—Comment connais-tu mon nom?

—La Canaille? réplique le garçon sans réfléchir.

Un froncement de sourcils lui indique que l'officier n'entend pas à rigoler avec son identité.

—Je ne connais pas votre nom, monsieur.

—Si, tu viens tout juste de le prononcer.

—La Canaille? fait encore Guillaume, incrédule.

—Ne fais pas l'imbécile, le marmot.

—Je ne m'appelle pas le marmot, rétorque enfin Guillaume, irrité. J'ai un nom comme tout le monde et c'est Guillaume.

—Comme moi, je ne m'appelle pas la Canaille. Et je te ferai remarquer que tu t'adresses à un officier. Je suis Saint-Amant, Damien Saint-Amant, enseigne en second et en pied des Compagnies franches de la Marine de notre bon roi Louis. Maintenant, je veux que tu me dises comment tu le sais.

Sidéré, Guillaume ouvre la bouche. L'officier serait Damien… le prisonnier évadé ? Damien… Saint-Amant ?

— Je… Je ne le savais pas, c'est que…

Lentement, il s'assoit sur le lit. Le corps du soldat toujours penché au-dessus de lui le domine, sa main caressant la crosse de son pistolet. Guillaume regarde avec regret celui de son père, également coincé dans la ceinture de l'officier. Puis il lève les yeux vers le visage de Saint-Amant. Ce dernier le scrute de ses étranges yeux clairs. Ses traits sont encore plus sinistres que tout à l'heure, et Guillaume pense que c'est à cela que doivent ressembler les farfadets qu'on dit voir rôder parfois sur l'île d'Orléans.

— Tu l'as prononcé, pourtant, le marmot, persifle l'officier en empoignant le col de la chemise du gamin, qu'il soulève du matelas. Maintenant, tu vas me dire comment tu connais mon nom.

— Je l'ai entendu dire par des soldats, raconte Guillaume en bafouillant, tant ses lèvres tremblent. Ils parlaient d'un prisonnier… qui s'est échappé… Je repensais à ça, c'est tout. Comment aurais-je pu savoir que c'était vous ? Vous ne m'avez jamais dit comment vous vous appelez avant maintenant.

— C'est juste, concède Saint-Amant en le relâchant.

Guillaume retombe mollement sur le matelas en poussant un gémissement. Il respire par saccades et ne bouge plus. Il en est incapable : la peur le paralyse. Toutes ses idées se retournent dans sa tête et il n'arrive pas à réfléchir correctement. Saint-Amant fait quelques pas et lâche deux ou trois obscénités. Les secondes s'écoulent. La vie revient graduellement dans les membres de Guillaume et il parvient enfin à remuer les bras. En déployant plus d'effort, il réussit à se rasseoir. Appuyé contre le semainier, le soldat épie chacun de ses gestes d'un air méfiant. Ses doigts pianotent nerveusement sur le dessus du meuble. Le mouvement cesse d'un coup.

— Trois hommes seulement étaient au courant de mon arrestation. Le caporal Dufour, le sergent Gagné et… le capitaine Giffard.

Un mauvais pressentiment envahit Guillaume. Il se lève et esquisse un geste vers la porte. Il suit le mouvement des doigts de Saint-Amant qui s'enroulent autour de la crosse de son pistolet.

— Petit Jésus, Papa, venez-moi en aide… souffle-t-il dans une prière qui, il l'espère, sera entendue.

La bouche de l'officier se tord en un rictus démoniaque.

— Invoquer les morts attire toujours des ennuis, le marmot. Tu ne sais pas ça ? Ne t'énerve pas, je veux juste te poser quelques questions. À propos de Giffard, tu m'as menti ?

— Non.

— C'est un ami, alors ?

Le silence du gamin répond à la question, et Saint-Amant commence à comprendre à qui il a affaire. Il lorgne le hausse-col. C'est une parure d'officier.

— Ton père, il était soldat, hein ? Comment s'appelait-il ?

Le garçon exécute deux autres pas à reculons. Sans quitter des yeux le pistolet de Saint-Amant, ses mains tâtent le vide derrière lui, effleurent le chambranle, s'y agrippent. Il revoit soudain le visage crispé de Charles Giffard quand il l'a traité de traître devant la foule. La froideur qu'a affichée le capitaine n'était en fait qu'un masque destiné à cacher ses véritables émotions. Charles Giffard, Guillaume l'apprend trop tard, n'est pas un traître. Jamais il n'a abandonné son père. À la peur se mêle la colère, la fureur. Toutes ces émotions remuent dans le ventre de Guillaume et forment une chose froide qui le glace jusqu'aux os.

— Pourquoi ne veux-tu pas me dire le nom de ton père, Guillaume ? De quoi as-tu peur, le marmot ?

— Il s'appelait Michel Renaud, et je n'ai pas peur ! hurle Guillaume. Je ne suis pas un marmot, je ne suis pas un poltron et je n'ai pas peur des traîtres !

Il n'a que le temps de voir un éclair meurtrier passer dans les yeux de Saint-Amant et il détale comme le lièvre devant le chasseur. La détonation percute ses tympans ; la balle fait éclater le bois de la porte derrière lui. Guillaume dévale l'escalier. Un martèlement le poursuit. Il se jette sur la poignée de la porte de l'entrée principale. À son grand désarroi, il la trouve fermée à clé.

Une opaque obscurité les avale. Comme des aveugles, Guillaume et Saint-Amant se déplacent dans les pièces du rez-de-chaussée en se guidant de leurs mains, de leurs pieds, de leur flair. Mais Guillaume a l'avantage de connaître les moindres coins et recoins de cette maison dans laquelle il a grandi. Les lames du parquet grincent. Une langue de feu rouge éclaire momentanément le corridor et trahit la position de l'officier. La balle fracasse des pendants de verre du chandelier, qui oscille en cliquetant. Le dos plaqué contre la porte du cellier, Guillaume retient sa respiration. Il ne peut pas atteindre la sortie arrière sans risquer que Saint-Amant le repère. Sa vision s'embue, son esprit s'embrouille. Il ne sait plus où aller. Il est piégé.

Il effleure le bouton de la targette de fer qui tient la porte du cellier fermée. Le cellier… Une idée germe dans son cerveau. Il fait doucement glisser la coulisse et sent le battant se relâcher dans son dos. Tout aussi lentement, il l'entrouvre. Le parquet grince tandis que Saint-Amant s'approche de l'angle du mur. Il doit faire vite…

Poussé comme par un ressort, Guillaume se précipite à l'intérieur du cellier en priant le ciel que Giffard n'ait pas eu l'idée de le réaménager. Avec ses mains, il retrouve rapidement l'emplacement de la boîte à sel et du saloir. Il s'accroupit et rampe sous les étagères. Il tâtonne frénétiquement le mur. Elle est là, pourtant. Il le sait. Il la connaît du temps qu'il jouait à cache-cache avec son père et sa petite sœur Jeanne. La grille d'aération doit être là, quelque part…

Un faible couinement lui apprend que Saint-Amant est entré dans le cellier. S'il pouvait seulement trouver cette foutue grille ! Avant que… Voilà ! Il la parcourt du bout des doigts. C'est bien elle. Il donne un violent coup de pied dedans. La petite trappe cède dans un craquement.

—Je sais que tu es là, Guillaume Renaud, murmure sinistrement Saint-Amant dans le noir. Tu ne peux plus m'échapper, maintenant. Pourquoi est-ce que je ne t'entends plus prier le petit Jésus ?

Guillaume se glisse dans le trou en rampant. L'espace est plus petit que dans ses souvenirs. Il craint de rester coincé. Ses hanches parviennent à passer de justesse. Le temps d'y penser, il est derrière le fauteuil du petit boudoir. Il s'empresse de replacer la grille et court ensuite jusque dans le corridor pour refermer la porte du cellier et glisser la coulisse de la targette pour la verrouiller, emprisonnant Saint-Amant à l'intérieur. L'officier ne met pas longtemps à comprendre ce qui lui arrive et il jure comme un grenadier. La porte vibre sous l'impact de ses poings et de ses pieds. Pour plus de sûreté, Guillaume pousse le lourd banc de chêne devant la porte.

Le souffle court, il reste là, sans bouger. Il sent un poids énorme quitter son ventre et un rire gonfler ses poumons et sa gorge. Il rit. Il pleure. Il a réussi. Et les menaces du traître Saint-Amant ne lui font plus peur.

VIII

L'ami Giffard

Une déflagration secoue Guillaume, et il croit qu'on vient de sonner la diane[1]. Ou est-ce l'angélus[2] ? Il ne sait plus. Lentement, il remue sa langue dans sa bouche. Elle est toute pâteuse, comme si elle était pleine de gruau. Ses paupières papillonnent. Une lumière grise l'accueille dans une sorte de brouillard. Pendant un moment, il fixe une paire de bottes à travers un rideau de cheveux emmêlés. Des galettes de boue séchée recouvrent le cuir lisse. Des voix lui parviennent, feutrées, comme étouffées par des murs. Plus près de lui, il entend aussi des chuchotements. Les bottes bougent. Tiens, c'est curieux, ça ! Guillaume soulève un peu plus ses paupières. Il distingue le justaucorps gris pâle aux retroussis bleus distinctifs des Compagnies franches de la Marine. La maison tremble de nouveau, et les pendants de verre du chandelier tintent doucement comme un petit carillon. Une main s'approche de son visage. Les boutons dorés des manchettes brillent. C'est alors que, comme un coup de masse sur une cloche, tous les évènements des dernières heures reviennent à Guillaume.

Le garçon se redresse d'un coup et pousse un cri.

---

1. Batterie de tambour ou sonnerie de clairon ou de trompette qui annonçait le réveil des soldats et des marins.
2. Sonnerie des cloches qui invitait la population, le matin, le midi et le soir, à prier les mystères de l'Incarnation et de l'Annonciation.

— Ça va, ça va, mon garçon, le rassure l'officier.

La main repousse la mèche de cheveux qui lui barre les yeux, et Guillaume, tout haletant de peur, reconnaît le capitaine Giffard. Oui, Charles Giffard... il se souvient. Il est dans sa maison. L'homme se tient à distance. Mais Guillaume peut lire l'inquiétude dans son regard.

— Que fais-tu ici ? demande le capitaine. Et, par tous les diables, pourquoi as-tu mis tout sens dessus dessous ?

— Monsieur Giffard, murmure timidement Guillaume en essayant d'éviter les yeux noirs. Je ne voulais pas venir voler... Je vous le jure. Je cherchais seulement Maman.

— Ta maman et Jeanne sont en sûreté à l'Hôpital général. Je les ai conduites là-bas peu de temps après le début des bombardements.

Guillaume a envie de pleurer tant il est soulagé.

— Et Émeline ?

— Elle est avec ses parents. Guillaume, pourquoi t'es-tu enfui ? Pourquoi n'es-tu pas resté avec ton amie à l'abri du palais comme je l'avais ordonné ? Ta mère est morte d'inquiétude. Je t'aurais conduit auprès d'elle si tu n'avais pas fui comme tu l'as fait.

— Je... je...

Giffard secoue tristement la tête et soupire.

— Je pense qu'il est temps que je t'explique certaines choses, Guillaume.

Les larmes brouillent la vue de Guillaume, ce qui le met en colère. Il ne veut pas pleurer devant monsieur Giffard. Mais il n'arrive pas à se retenir.

— Je suis désolé, monsieur. Pour tout. Je suis désolé. Je sais maintenant. Vous n'êtes pas un espion. Ni un traître. Je sais que c'est Saint-Amant qui a piégé Papa. Pas vous. Il est là, dans le cellier. Je l'ai emprisonné.

Guillaume regarde vers le cellier. L'échafaudage de meubles en bloque toujours l'accès. Est-ce que Saint-Amant s'y trouve encore ? Il se souvient que l'officier s'est longtemps agité dans le réduit pour tenter d'en sortir ; Guillaume a utilisé tous les meubles qu'il était capable de déplacer pour renforcer les barricades devant la porte et la trappe.

Giffard s'approche du garçon et pose sa main sur son épaule.

—Guillaume... de quoi parles-tu?

—De Damien Saint-Amant, répond le garçon entre deux sanglots. Il est dans le cellier.

—Par tous les diables!

Giffard se redresse d'un bond et lance des ordres à travers les pièces silencieuses. Deux soldats surgissent de la cuisine, un autre arrive du salon, mousquet en bandoulière, sur le pied de guerre. Ils s'activent sur-le-champ à dégager la porte du cellier. Guillaume entend la voix de Saint-Amant, éraillée par le sommeil, s'élever dans le raffut qui règne maintenant dans la maison. On neutralise le prisonnier sans trop de difficulté et, à la pointe de la baïonnette, on le pousse hors du réduit, les poings liés dans le dos. Le regard pénétrant de Saint-Amant se pose sur Guillaume quand il passe devant lui. Le garçon affiche une mine effrayée. Giffard se dresse entre eux et plonge ses yeux noirs dans le gris de ceux du mécréant.

—Nous y voilà, Saint-Amant, l'apostrophe-t-il durement, maintenant je vous tiens. Cela m'aura pris deux années pour vous piéger, mais grâce à Dieu, j'y suis parvenu. Et c'est votre cupidité qui vous aura perdu une fois pour toutes. Le capitaine Stobo vous avait bien jaugé. Malheureusement pour moi, il a réussi à s'enfuir. Mais je me console en imaginant la tête qu'il a dû faire quand il a découvert que mes informations n'étaient en fait qu'une bonne vieille recette de tourte aux perdreaux de ma mère. Quant à vous, je remets votre sort entre les mains de la justice. Emmenez-le, gronde-t-il pour finir en s'adressant à ses hommes.

Les soldats évacuent le corridor, qui redevient silencieux. Giffard frotte ses paupières avec lassitude.

—Enfin, murmure-t-il, tout ça est terminé.

Le capitaine revient vers Guillaume et s'accroupit devant lui. Le garçon a assisté à toute la scène sans dire un mot.

—Je suis fier de toi, Guillaume Renaud. Tu es bien le fils de ton père. Tu es un vrai Renaud comme lui et comme lui tu seras un homme honorable. Je suppose que je te dois quelques explications.

— L'espion dans la ruelle… Je croyais que c'était vous.

— Celui que tu as vu était bien Saint-Amant, Guillaume. Mais je ne me trouvais pas bien loin de lui. Je fais suivre ce vaurien depuis un an. Tu vois, je soupçonnais que Stobo finirait par essayer d'entrer en contact avec lui. L'Anglais a suffisamment parcouru les rues de Québec lors de son séjour forcé ici pour en dresser un plan détaillé. Ne manquaient plus que quelques renseignements secrets concernant les faiblesses de notre système de défense. Renseignements que Saint-Amant lui fournirait sans hésiter sous la menace de se voir dénoncé en ce qui concerne l'affaire du fort Duquesne. Saint-Amant a été mis aux arrêts quelques minutes seulement après son entretien avec l'agent anglais. Il avait encore sur lui le message de Stobo. Malheureusement, hier soir, il a faussé compagnie à ses geôliers à la faveur des bombardements. J'avais promis à ton père de faire tomber le masque du vrai coupable. Il soupçonnait Saint-Amant, qui était alors caporal sous ses ordres au fort Duquesne. Mais nous n'avions aucune preuve de son méfait. Et Stobo, sans doute pour préserver son précieux contact dans les murs de Québec, a tout simplement raconté au tribunal que c'est ton père qui avait collaboré pour faire passer ses lettres. La cour martiale n'a pas cru au témoignage de Stobo. Mais le mal était fait.

— C'est pourquoi vous vous êtes fait passer pour Saint-Amant auprès de Stobo ? demande Guillaume, subjugué.

— Oui, je comptais sur le couvert de la noirceur pour qu'il ne découvre rien de la supercherie. Il me fallait avoir la preuve de la bouche de Stobo que c'était bien Saint-Amant qui avait fait passer les plans du fort Duquesne. Émeline et toi avez bien failli tout gâcher.

— J'en suis désolé, monsieur Giffard.

— Hum… L'important est que vous soyez sains et saufs. Je regrette seulement que tu aies été mêlé à tout ça, Guillaume. Je regrette aussi de ne pas avoir pu découvrir la vérité avant que…

La voix de Giffard se brise. Il ferme brièvement les paupières pour prendre sur lui et poursuit :

— Ton père me manque beaucoup, tu sais. À ton âge, nous étions les meilleurs amis...

— À la vie, à la mort ? complète Guillaume.

— Oui, des amis « à la vie, à la mort ! ».

Les yeux noirs se mouillent. Guillaume contemple avec émotion ces yeux qu'il voit pleurer pour la première fois le malheur de Michel Renaud. À bien y regarder, ils ne sont pas noirs, mais bruns. D'un brun onctueux comme le plus crémeux des chocolats chauds. Guillaume ne l'avait jamais remarqué. Honteux, il sait que c'est parce qu'il n'avait jamais pris le temps de les observer vraiment.

Le soleil fait briller les couleurs qui tourbillonnent autour de Guillaume. La brise tiède fait voler les rubans dans les boucles d'Émeline et de Jeanne, et les robes des dames chatoient comme des corolles de fleurs dans un étonnant jardin. Les gens se pressent auprès de Catherine, la félicitent, l'embrassent. À l'ombre de son grand chapeau de paille, elle sourit comme Guillaume ne l'a pas vue faire depuis bien longtemps. Sa mère a retrouvé le goût du bonheur. Il la voit tourner sur elle-même et il a l'impression qu'elle va s'envoler. Heureusement que la main de Charles la retient au sol. Charles aussi est souriant et élégant. Le couple se regarde tendrement et s'embrasse sous les applaudissements de la foule qui s'est rassemblée sur le parvis de l'église de Charlesbourg, dans laquelle le curé de la paroisse vient de bénir leur union.

Oui, en ce matin du 1er août, Charles Giffard est officiellement devenu le beau-père de Guillaume. « Et si on commençait par être des amis ? » lui avait-il suggéré dans la carriole qui les conduisait à l'église. « Je ne veux pas remplacer ton père, mon garçon. Comme dans celui de ta mère, personne ne pourra jamais le remplacer dans ton cœur. Mais dans la vie, nous avons tous besoin de véritables amis. » Encore un peu intimidé par cet homme mystérieux, Guillaume a acquiescé d'un signe de la tête. Puis ils ont scellé leur entente par une virile poignée de main.

Les épaules de Guillaume se redressent, et un sourire content s'accroche à ses oreilles. Aujourd'hui, il sait qu'il peut compter sur l'amitié de Charles aussi bien que sur celle d'Émeline. Ils sont des amis « à la vie, à la mort ! ».

L'expression du bonheur transpire sur les visages qui l'entourent. Il laisse les rires l'imprégner d'un sentiment apaisant. Cela lui fait le même effet qu'un « je t'aime » glissé au milieu d'une sévère réprimande. Car hors du cadre de cet émouvant tableau gronde toujours la guerre. Ils en sont au trente-septième jour de siège. Toutes les nuits depuis trois semaines, les Anglais lancent leurs « billes de fer et de feu » sur Québec. Une bombe a provoqué un terrible incendie qui a ravagé la Basse-Ville, réduisant à rien ce qui subsistait encore. Puis, ça a été au tour de la Haute-Ville de s'embraser. Le clocher de la cathédrale Notre-Dame s'est effondré, et ses cloches ont fondu en un seul amas de fer difforme. Même la belle maison des Renaud-Giffard, dans la rue Saint-Louis, n'a pas été épargnée. Il semble que les Anglais ont des ressources inépuisables de boulets et de bombes incendiaires.

L'ennemi a tenté un débarquement à la Pointe-aux-Trembles, près de la seigneurie de Neuville. Hier, ils ont essayé de prendre la côte de Beaupré. Le capitaine Giffard a été légèrement blessé à la cuisse lors des combats. Il boite de la jambe droite, mais il garde un bon moral. Jusqu'ici, Dieu est du bord de la Nouvelle-France... c'est du moins ce qu'il dit.

Jeanne claironne à qui veut l'entendre que son nouveau papa est un héros. Un héros tout comme son grand frère, Guillaume. Enfin, il paraît que c'est ce que les gens racontent à propos du jeune Renaud. On dit qu'il a réussi à lui tout seul à attraper un vilain qui s'apprêtait à faire passer à l'ennemi des renseignements secrets concernant l'armée française. Qu'il s'est battu dans un farouche corps à corps avec Saint-Amant, qu'il a réussi à l'assommer d'un coup de la crosse du pistolet de Michel Renaud et qu'il a ensuite traîné le mécréant inconscient jusque dans un cellier pour l'y enfermer à double tour jusqu'à l'arrivée des soldats. D'autres préfèrent la version qui veut que Guillaume ait voulu venger l'honneur de son père, le lieutenant Renaud, en provoquant Saint-Amant en duel, et qu'il ait forcé le traître jusque dans le cellier à la pointe de son épée. Quoi qu'il en soit, tous le proclament héros sans peur. Mais au fond de lui, Guillaume se moque bien de toutes ces histoires. Lui seul sait combien la peur lui a rongé le ventre cette nuit-là. La peur, il l'a appris, est une bête terrible qui dévore tout par-dedans. L'unique et véritable exploit de Guillaume est d'avoir dompté cette bête-là. Le fils du lieutenant Renaud n'est pas un poltron. Où qu'il soit dans ce ciel si bleu, il sait que son père le regarde avec fierté. Grâce au courage de Guillaume, Michel Renaud a recouvré son honneur aux yeux de tous. Dans le cœur de son fils, il ne l'avait jamais perdu.

Deuxième partie

Il faut sauver Giffard !

Québec, le 13 septembre 1759

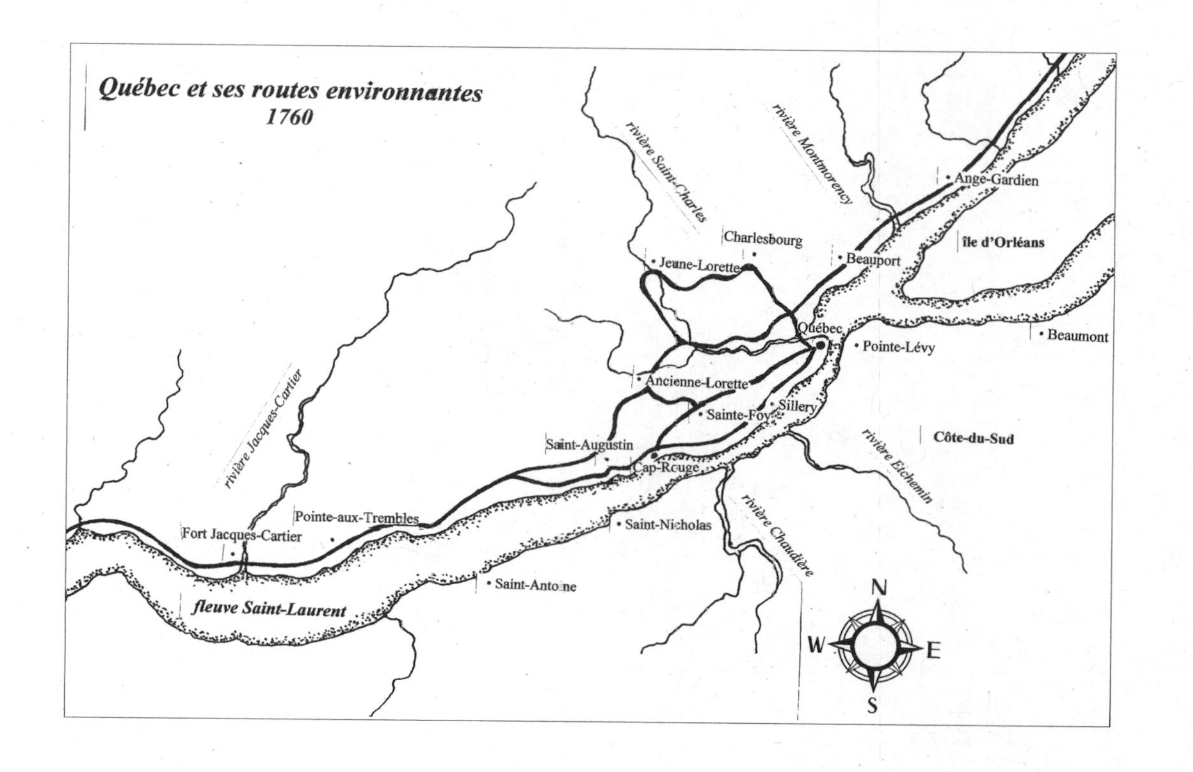

Québec et ses routes environnantes
1760
rivière Saint-Charles
rivière Montmorency
Ange-Gardien
île d'Orléans
Charlesbourg
Beauport
Jeune-Lorette
Québec
Beaumont
Pointe-Lévy
Ancienne-Lorette
Sillery
Sainte-Foy
Côte-du-Sud
rivière Etchemin
rivière Jacques-Cartier
Saint-Augustin
Cap-Rouge
Pointe-aux-Trembles
Fort Jacques-Cartier
Saint-Nicholas
rivière Chaudière
Saint-Antoine
fleuve Saint-Laurent
N
W
E
S

I

Que commence la bastringue du diable !

A-t-il rêvé cette caresse sur sa joue ? Guillaume lève lentement une paupière. Dans la nuit qui remplit sa chambre d'obscurité, il croit voir une ombre s'éloigner. Avec un craquement de bois, la porte se referme doucement. Il écoute : des murmures, des froissements d'étoffes dans le couloir. Guillaume sait que ce sont ses parents qui se racontent leurs éprouvantes dernières heures ; sa mère, Catherine, œuvre à l'hôpital, où elle offre gracieusement son aide aux nombreux blessés qu'apporte la guerre ; Charles, son beau-père, capitaine dans l'armée coloniale de la Nouvelle-France, vit pratiquement vingt-quatre heures sur vingt-quatre dans les tranchées de Beauport.

Les voix se taisent. Un moment plus tard, les pas de Charles s'éloignent dans l'escalier. La porte d'entrée de la maison grince doucement, comme le lit dans l'autre pièce. Catherine s'est recouchée et son soupir froisse le silence. C'est comme ça depuis plusieurs jours. Charles Giffard ne rentre plus qu'au petit matin pour embrasser sa femme et repartir aussitôt. Il ne fait plus que rarement honneur de sa présence à la table familiale au petit-déjeuner. Il semble que ce sera le même scénario aujourd'hui.

Déçu, Guillaume se lève et se précipite vers la fenêtre laissée entrouverte pour rafraîchir la chambre. Une fine bruine recouvre l'extérieur de la vitre et l'appui est détrempé. La lueur de la lanterne tenue par le soldat qui attend dans la rue Saint-Louis avec la monture de Charles fait reluire les pièces métalliques du harnais et des uniformes. Les sabots du cheval martèlent la chaussée ramollie par la pluie des derniers jours : Charles s'en va reprendre le commandement de sa compagnie. Guillaume l'écoute s'éloigner jusqu'à ce que le silence retombe dans la rue. Il s'aperçoit alors que les canons anglais ne tonnent plus.

Toutes les nuits depuis maintenant soixante-trois jours, fidèles à leurs postes, du couvre-feu jusqu'à l'aube, les artilleurs anglais manœuvrent leurs terrifiants engins. Devant le danger, pendant les trois semaines qui ont suivi leur retour dans la maison de la rue Saint-Louis, Charles Giffard et sa nouvelle petite famille ont dormi dans les pièces du rez-de-chaussée. Toutefois, constatant que les risques qu'un projectile ne les atteigne étaient très faibles, la famille a graduellement repris possession des chambres au premier. La chance a voulu qu'un seul projectile atterrisse dans leur cour et vienne se loger sous les racines du vieil érable que le père de Guillaume, Michel Renaud, avait l'habitude d'entailler tous les printemps. L'entaillage des érables est une vieille pratique indienne ; il permet de récolter la sève, qui sera ensuite bouillie pour en faire un succulent sirop.

Penser à la nourriture réveille son estomac, qui se met à gargouiller bruyamment. Guillaume a soudain envie d'un bon bol de lait chaud sucré et d'une tartine à la confiture de fraises.

Il quitte la fenêtre et s'empresse de s'habiller en faisant le moins de bruit possible. Sa mère, qui l'a entendu sortir de sa chambre, l'interpelle. Elle se tient debout dans l'embrasure de la porte de sa chambre, une chandelle à la main. Il la trouve très pâle et fatiguée. Il ne comprend pas toujours le comportement des grands. Pourquoi sa mère s'obstine-t-elle à cuisiner pour les malades de l'Hôtel-Dieu tandis qu'ici, c'est Françoise, la nouvelle servante, qui le fait ? Avant son mariage, sa mère cuisinait toujours pour sa sœur et lui. Ce n'est pas que Françoise ne sache pas apprêter les mets, mais il préférait les petits plats que leur mitonnait sa mère.

— J'ai une petite faim, Maman, explique Guillaume tout bas pour ne pas réveiller sa sœur Jeanne qui partage le lit de Catherine depuis une semaine.

— Un peu de lait et un seul biscuit sec, lui murmure-t-elle sur un ton autoritaire.

— Oui, Maman. Tu veux que je t'en apporte un ?

Elle hésite, fait non de la tête et retourne se coucher.

Songeur, Guillaume descend à la cuisine. Sa mère ne mange plus beaucoup depuis quelques jours. Elle dit qu'elle n'a pas faim et elle se plaint souvent de nausées. Guillaume sait maintenant qu'on a parfois mal au cœur quand on a trop faim. Il croit que sa mère se prive de nourriture pour leur en laisser plus, à Jeanne et à lui. C'est que les réserves familiales sont presque vides. Et le temps que des vivres leur parviennent de Montréal, l'intendant Bigot a encore fait réduire les rations déjà bien maigres des habitants.

Quand Françoise se lèvera pour préparer le petit-déjeuner, il n'aura droit qu'à un œuf poché et à un bout du pain de la veille agrémenté d'un peu de miel. Et encore de la soupe aux pois pour le déjeuner, avec un peu de lard si Charles a pu leur en dénicher un morceau. Il a tellement envie d'un morceau de viande bien juteux ! Comme ceux, succulents, de la fricassée de bœuf. La chair grasse et savoureuse de l'anguille cuite à l'étuvée ferait son bonheur aussi... Il y a longtemps qu'il n'a pas mangé de l'anguille, car plus personne ne s'occupe des fascines[1] et des coffres qui servent à sa capture. Les pêcheurs ont abandonné leur noble emploi pour respecter l'ordre qui exige que tout homme valide de seize à soixante ans se porte volontaire dans la milice. Résultat : c'est sur les femmes que retombe la tâche de tirer de la terre de quoi nourrir la colonie.

Une idée vient de traverser l'esprit de Guillaume. Pourquoi n'irait-il pas à la pêche ? Tout en finissant d'avaler son lait, il imagine le bonheur de sa mère d'avoir du poisson frais pour le dîner. Elle ne pourra pas refuser de goûter à si précieux cadeau. S'il a de la chance, il pourrait attraper deux ou même trois perchaudes. Ou

---

1. Constructions de branchages destinées à guider les anguilles, à marée haute, vers les coffres dans lesquels elles seront piégées.

mieux, des dorés jaunes. Ce serait vraiment chouette. Françoise les saupoudrera d'un peu de farine et... Oh! Il oubliait qu'il ne reste plus de farine. Bah! Elle les fera griller tels quels dans l'huile jusqu'à ce qu'ils soient bien croustillants.

Guillaume enfouit son biscuit dans la poche de sa veste. Content de son idée, il sort sans bruit dans la cour arrière et se dirige vers la remise pour récupérer son attirail de pêche. Il sait que sa mère va se rendormir pour ne se réveiller que lorsque Françoise viendra chercher Jeanne pour l'habiller et la faire manger. Cela lui donne une heure ou deux avant de revenir à la maison sans inquiéter personne.

Les gouttelettes d'eau en suspens dans l'air mouillent ses joues et font briller l'herbe dans la lueur de sa lanterne. Un bruit lui parvient de la cour des Gauthier: quelqu'un vient d'entrer dans les latrines. Il s'approche de la clôture de bois qui sépare les deux cours et attend que la personne en ressorte, ce qui ne prend que quelques minutes, puis il imite le roucoulement d'une tourterelle.

— C'est toi, Guillaume? fait la voix d'Émeline dans l'obscurité.

Guillaume esquisse un sourire satisfait. Il espérait que ce soit elle.

— Oui, c'est moi.

— Tu es bien matinal, aujourd'hui.

— Je m'en vais à la pêche. Tu as envie de m'accompagner?

— À la pêche? s'étonne Émeline.

Elle s'approche et glisse un regard entre deux planches.

— Quelle idée de vouloir aller à la pêche ce matin!

— Je veux faire une surprise à Maman. Et puis, quand il pleut, c'est le meilleur temps pour attraper le poisson.

— C'est aussi le meilleur temps pour attraper un rhume, si tu veux mon avis.

— Ce n'est qu'une faible bruine. Allez, viens! On se partagera les poissons.

— Je n'ai pas vraiment envie de...

— J'installerai les vers à l'hameçon pour toi, lui lance Guillaume pour la décider.

Ses orteils remuant dans l'herbe mouillée, Émeline hésite. Elle aime bien aller à la pêche avec son ami. Mais elle préfère y aller quand le soleil est de la partie. Quoique la quiétude d'un petit matin gris lui plaise encore assez...

— D'accord.

— Je prépare l'équipement et je t'attends devant chez toi, chuchote Guillaume, tout heureux.

Quinze minutes plus tard, décemment habillée et protégée de l'humidité par un épais châle, Émeline rejoint son ami dans la rue encore déserte. Ils se mettent en route sans tarder. L'aube a commencé à pâlir le ciel, mais la clarté de la lanterne leur est encore nécessaire pour éviter de mettre les pieds dans les détritus qui jonchent la chaussée.

À la porte du Palais, les deux enfants profitent de l'inattention de la sentinelle occupée à discuter avec une équipe d'éboueurs. Le gros bœuf attelé au tombereau malodorant leur lance un regard tranquille au passage. Maintenant hors des murs de la ville, ils empruntent la route de Saint-Vallier, qui longe le quartier populaire de Saint-Roch, puis les marécages d'où s'élève le coassement de quelques grenouilles.

Le ciel a pris une teinte laiteuse et on entend le ploc! ploc! de l'eau qui dégoutte des feuilles. La grisaille du paysage les enveloppe d'une paix réconfortante. Tout en croquant chacun dans leur moitié de la pomme qu'Émeline a apportée, les deux amis se dirigent vers la rivière Saint-Charles. Le gazouillis des oiseaux fait une musique agréable et, pour les accompagner, Guillaume se met à fredonner une comptine en vogue depuis le début du siège:

— C'est le général Flipe qu'est parti de l'Angleterre[2],
Avec trente-six voiles et plus de mille hommes faits.

---

2. *Le général Flipe*, premier chant de victoire répertorié en Nouvelle-France. En 1690, la France et l'Angleterre sont en guerre. Le général William Phips est devant la ville de Québec et somme le gouverneur Frontenac de se rendre. Ce dernier fit cette réplique bien connue à l'émissaire anglais: « Dites à votre maître que je vais lui répondre par la bouche de mes canons. »

Croyait par sa vaillance prendre la ville de Québec.
A mis la chaloupe à terre avec un beau générau.
C'est pour avertir la ville de se rendre au plus tôt:
Avant qu'il soye un deux heures j'allons lui livrer l'assaut.
C'est le général de ville z'appelle mon franc canon!
— *Va-t-en dire à l'ambassade: Recule-toi mon général!* entonne avec lui Émeline.
Va lui dire que ma réponse, c'est au bout de mes canons... Ha! Ha! Ha!

—C'est à croire qu'ils nous attendaient! s'exclame Guillaume en sortant fièrement de l'eau sa première prise.

Le fil hameçonné n'a été lancé que depuis cinq minutes. La récolte s'annonce fructueuse. Abritée de la bruine sous un gros arbre et frissonnante sous son châle, Émeline regarde avec dégoût son ami installer un nouveau ver bien charnu sur l'hameçon. Elle grimace. Une détonation suspend leurs gestes. Une flopée de canards qui se baignaient non loin s'agitent en cancanant. Quelques oiseaux s'envolent pour se reposer un peu plus loin sur la rivière. Pendant un bref moment, les deux pêcheurs se regardent sans rien dire. L'écho prolonge le bruit comme un roulement de tempête. Mais tous deux savent que ce n'est pas le tonnerre qu'ils ont entendu.

Guillaume regarde vers la paroi rocheuse de la côte Sainte-Geneviève. De là où ils sont, ils ne peuvent pas voir le haut de la ville.

—Peut-être que...

Une seconde détonation, plus forte que la première, lui coupe la parole. Il lance un regard vers Émeline, qui ne bouge plus. La bouche ouverte, tout comme lui, elle affiche un air angoissé.

—Peut-être que ce ne sont que des soldats qui s'amusent à tirer sur des oiseaux, finit-il par dire, incertain de ce qu'il avance.

—On ne tire pas sur les oiseaux avec un canon, fait observer son amie.

Les mouvements des Anglais au cours des dernières semaines confondent les Français quant à leurs prochaines intentions. Leurs navires vont et viennent sur le fleuve, de Québec à la Pointe-aux-Trembles. On a craint un débarquement en amont de Québec, mais rien ne s'est produit. L'ennemi s'est tenu tranquille. Toute l'armée française est sur les dents. C'est d'ailleurs pour cela que Charles ne rentre plus dormir à la maison. Des nouvelles racontent que les rangers, ces miliciens américains qui se sont ralliés aux Britanniques, ont pillé puis incendié plusieurs villages le long du fleuve et on craint le pire pour Québec. Quel sort leur réservent les Anglais ? La ville n'est déjà plus qu'un tas de ruines noircies et les habitants qui ne l'ont pas désertée sont épuisés par la peur et la faim. Il a entendu Charles dire à sa mère que c'est à Beauport que le général Montcalm craint de voir débarquer les Anglais. Or les détonations sont parvenues du côté opposé de la ville, ce qui exclut cette possibilité. Mais alors, pourquoi le canon tonne-t-il ?

— Tu crois que les Anglais ont décidé de bombarder la ville de jour ? interroge-t-il.

Émeline hausse les épaules.

— Ce sont nos provisions qui arrivent de Montréal ! claironne-t-il soudain en levant les bras au ciel. Charles a dit que des navires étaient partis de Montréal et qu'ils arriveraient bientôt, peut-être même aujourd'hui ! De la farine, du lard, du beurre, des saucissons, du fromage, des pois et… tout le reste ! Youpi ! Émeline, on va enfin manger à notre faim !

Sans attendre la réaction de son amie, Guillaume rassemble l'équipement de pêche. Enfin de la nourriture ! L'état des réserves de provisions de bouche de la ville est désastreux. Même l'argent de Charles n'arrive plus que rarement à leur procurer un morceau de viande fraîche. Si lui, Guillaume Renaud, commence parfois à ressentir la faim, il imagine très bien ce que doivent vivre depuis des semaines des plus pauvres que lui.

Se ralliant à sa conclusion, Émeline l'aide à plier bagage. L'excitation les fait bouger rapidement. Ils gravissent le chemin qui mène au faubourg Saint-Jean. Des habitants sont sortis de leurs maisons, curieux de connaître l'origine de cette pétarade matinale. Guillaume et Émeline franchissent la distance qui les sépare de l'habitation la plus proche. Le fermier est debout, immobile, un seau rempli d'eau suspendu au bout de son bras. Il regarde en direction du fleuve, qu'on ne peut pas voir. Tenant sous son bras un nourrisson en pleurs, sa femme sort de la maison et vient le rejoindre. Les frimousses encore froissées par le sommeil, leurs enfants suivent.

— Ils sont là ! leur annonce Guillaume. Ils sont là !

— Qui sont là ? demande la femme.

Guillaume ne prend pas le temps de lui répondre. Son pauvre poisson resté accroché au bout de son fil lui battant furieusement les reins, il s'élance et coupe à travers le champ pour rejoindre plus rapidement le chemin. Dans les cours environnantes, les chiens jappent et les cochons grognent. Un coq chante et quelques vaches meuglent paresseusement.

— Youpi ! Youpi ! crie Guillaume.

Comme poudre au vent, il veut répandre son bonheur autour de lui. Émeline sur ses talons, il contourne la vieille grange des Vaillant et court à perdre haleine sur la route dans l'espoir de voir arriver ce convoi de ravitaillement si ardemment attendu et qu'acclament maintenant les canons français de la batterie de Samos, à Sillery. Plus loin, des miliciens et une poignée d'Indiens émergent des buissons qui frangent la route. Sans remarquer Guillaume et Émeline, ils s'élancent dans les champs de l'autre côté et s'y éparpillent. Ils se joignent à la liesse en tirant des coups de feu. Tout le monde célèbre ! Ça ne peut être que ça !

Guillaume émerge enfin du bois touffu et la vastitude accidentée des hauteurs d'Abraham s'offre enfin à son regard. Dans la lueur blafarde de l'aube, les champs de blé et de maïs prêts à être moissonnés ondoient comme une mer houleuse. Guillaume et Émeline distinguent les silhouettes de quelques bâtiments agricoles et des moulins aux vergues dénudées. Ils suivent l'un des sillons creusés par le passage des miliciens. À bout de souffle, le cœur en débandade, Guillaume s'arrête au sommet d'un monticule pour s'allouer un moment de repos. Émeline manque de se heurter à lui et, toute haletante, elle se cramponne à sa veste pour ne pas tomber à la renverse. Sous son béguin, sa figure est cramoisie à cause de l'effort et ses cheveux sont gominés sur son front par la bruine qui s'intensifie.

Ils peuvent maintenant apercevoir le campement des miliciens de Vergor, qui surveillent l'anse du Foulon. Il y a du mouvement et Guillaume plisse les paupières dans l'espoir de mieux capter ce qui se passe. Des gens s'assemblent près des falaises.

— Les voilà ! crie Guillaume en reprenant sa course effrénée.

On célèbre l'arrivée des provisions et il veut participer à la fête. Pendant que le blé mûr qui lui monte à mi-cuisse l'oblige à lever plus haut les jambes, il rêve d'énormes gâteaux aux épices avec de la crème. Beaucoup de crème. Guillaume veut manger un délicieux ragoût de pattes de porc avec de gros morceaux de viande sur les os.

Des coups de feu résonnent encore dans la plaine. Émeline et lui voient des dizaines, peut-être des centaines d'hommes faire leur apparition sur la crête. Où sont les chariots pour le transport des provisions ? Où sont les provisions ?

Saisie par un doute naissant, Émeline scrute d'un œil circonspect cet inhabituel remue-ménage. Il lui semble soudain curieux que tout ce monde soit vêtu de rouge.

Un cheval fait brusquement irruption des rangs de maïs qui bordent le chemin de Sillery. La monture arrive vers eux à bride abattue, fendant le champ de blé qui s'ouvre comme la mer Rouge devant Moïse. Sans s'arrêter, le cavalier, un milicien, leur hurle quelque chose. Puis il éperonne son cheval, qui file tout droit en direction de la porte Saint-Jean, soulevant des gerbes de boue derrière lui. La bruine s'est changée en pluie fine.

La consternation réprime brusquement le soubresaut de joie qui avait fait bondir le cœur de Guillaume. Ce que vient de leur annoncer le milicien le remplit de stupeur autant que d'incrédulité.

— Torrieu de… de… vieux pet de sœur ! laisse-t-il échapper. Ils sont là !

« Ils » n'indique plus les secours, mais les Anglais. Muette de stupéfaction, Émeline s'accroche à lui. Guillaume se tourne vers son amie. Chassé par ce qu'il vient d'apprendre, son sourire a laissé place à un air alarmé.

— Il faut rentrer à la maison, Émeline, déclare-t-il.

Les Vestes rouges et leurs canons envahissent la plaine d'Abraham et bientôt va se jouer la plus terrifiante des bastringues…

II

Une mauvaise nouvelle n'arrive jamais seule

Alors que dehors rugit la cacophonie de la guerre, dans la maison des Gauthier, tout est étrangement silencieux. Dès les premiers coups de canon, Catherine, Jeanne, Guillaume et Françoise se sont réfugiés chez leurs voisins. Le soleil s'est timidement montré vers le milieu de l'avant-midi, mais sous la couverture de fumée qui recouvre le champ de bataille et que le vent pousse au-dessus de la ville, le salon reste sombre. Le poisson a été oublié sur la table de la cuisine. L'appétit a déserté les estomacs trop crispés. Pour le moment, on ne pense plus qu'à ce qui se déroule de l'autre côté des remparts. Agenouillée, les mains jointes, la mère d'Émeline récite des prières pour le salut de la France. Elle prie avec ardeur. C'est à croire qu'elle pense que s'Il l'entend, Dieu gardera solides les remparts de la ville.

Jeanne, suspendue au cou de sa mère, roule des yeux terrifiés à chaque coup de canon qui résonne. Catherine demeure stoïque, mais ses jointures blanches sur son chapelet trahissent son angoisse. Pierre, le petit frère d'Émeline, garde le nez collé à la fenêtre. Leur père et Julien, le frère aîné, sont allés aux nouvelles. Sa petite sœur Marie blottie contre elle, Émeline est assise à côté de Guillaume. Elle pianote nerveusement des doigts sur sa jupe. Guillaume pense à son beau-père. Il s'inquiète pour lui. Comme si elle devinait l'objet de ses craintes, Émeline lui prend une main et la serre fort dans la sienne.

— Ils arrivent ! s'écrie Pierre tout à coup.

Presque simultanément, la porte s'ouvre avec fracas. Julien apparaît, le visage bouleversé, suivi de monsieur Gauthier. Devant les regards interrogateurs qui le prennent d'assaut, monsieur Gauthier ouvre la bouche, mais aucun son n'arrive à franchir ses lèvres. Un jeune homme portant des mocassins, des mitasses[1] de cuir frangé, décorés de motifs indiens, et une tunique de toile rouge sombre entre à son tour. C'est Marcel Laliberté, un cousin d'Émeline. Un Indien l'accompagne. Il porte aussi des mocassins et des mitasses, mais le haut de son corps n'est couvert que d'un pagne de peau d'orignal, qui laisse nu un puissant torse mataché[2] de vermillon et de noir. Sur le sommet de son crâne lisse, une poignée de longs cheveux noirs est rassemblée en une queue de cheval et pend sur le côté de son visage, aussi peinturluré de vermillon et de noir. Sous cette allure féroce, Guillaume a peine à reconnaître Paul Ahonase, l'ami wendat[3] de Marcel. Devant la mine effrayée des enfants, les bras croisés sur sa large poitrine tatouée, l'Indien reste près de la porte.

— La France est en déroute. L'armée de Montcalm se replie, annonce brusquement Julien.

L'atterrante nouvelle détourne l'attention des gens de la présence de l'Indien. Un lourd silence s'ensuit. Les enfants tournent les yeux vers leurs parents et attendent leurs réactions. Mais rien ne vient les rassurer.

— C'est quoi une déroute, Maman ? demande alors Jeanne.

— C'est prendre la fuite, intervient Julien sur un ton acide qui lui vaut un regard réprobateur de la part de son père.

---

1. Jambières de peau animale.
2. Mot amérindien qui signifie « peint ».
3. Les Français de l'époque appelaient les Amérindiens de la nation wendate les Hurons à cause de la coiffure des hommes qui rappelait la hure des sangliers. Wendat veut dire « gens de l'île ».

Les mots « prendre la fuite » résonnent dans la tête de Guillaume. Il n'y croit pas. L'armée du roi de France, qui a autrefois si bravement combattu les Iroquois et qui a plus d'une fois repoussé ces mêmes Anglais, ne peut pas aujourd'hui prendre si lâchement la fuite devant l'ennemi. Il regarde sa mère. Il la trouve soudain très pâle et il remarque que ses cils sont mouillés.

— Tu n'es pas drôle, Julien ! déclare Émeline avec colère. C'est des menteries que tu dis là ! Les soldats français ont le cœur à la bonne place ! Jamais ils n'abandonneraient leurs compatriotes d'Amérique comme les peureux que tu nous décris là !

— C'est pourtant ce qui est arrivé ! affirme Marcel Laliberté. L'armée française a pris la fuite devant les Anglais. Et notre général Montcalm a été gravement blessé. On l'a fait porter chez Arnoux, le chirurgien du roi.

Le cousin d'Émeline a toujours fasciné Guillaume. Marcel Laliberté est né et a passé sa petite enfance dans la mission jésuite qui jouxte le fort Pontchartrain[4]. Son père, le frère de madame Gauthier, y pratiquait le commerce des fourrures. Le père de Marcel a disparu lors d'une excursion dans la région des Grands Lacs, l'hiver qui a suivi la mort de sa femme, la mère de Marcel, qui était une jeune Indienne chippewa. Marcel n'avait que dix ans. Ce sont les Gauthier qui l'ont pris en charge et élevé comme leur propre fils. Ils lui ont offert une éducation correcte et une position enviable dans les affaires de monsieur Gauthier. Mais le goût de l'aventure courait déjà dans le sang de Marcel.

Le jeune homme vit maintenant chez les Sauvages et il connaît bien leurs us et coutumes. On raconte même qu'il courtise une jeune Sauvagesse du village wendat. Ses innombrables histoires de coureurs des bois et d'Indiens subjuguent Guillaume. Il y a trois semaines, avec quelques amis indiens et miliciens, il a réussi à se faufiler dans un campement ennemi. Les Anglais qui terrorisent la Côte-de-Beauport avaient fait plusieurs prisonniers, dont

---

4. Pontchartrain était le nom d'origine du fort Détroit. C'est le site de l'actuelle ville américaine de Detroit, dans l'État du Michigan.

des femmes et des enfants, et volé de grandes quantités de vivres dans les maisons des habitants avant d'y mettre le feu. Marcel et ses amis ont réussi à reprendre une bonne partie de ces vivres et à délivrer plusieurs prisonniers.

Après s'être désaltéré d'une longue gorgée de bière que lui a servie madame Gauthier, Marcel Laliberté leur apprend tous les détails de la terrible bataille à laquelle il a participé avec son ami Paul Ahonase. Le désordre règne maintenant au sein de l'armée française, qui compte, à ce que l'on dit, de nombreux morts et blessés. Les auditeurs sont consternés à un point tel que même l'annonce de la mort du général anglais James Wolfe ne réussit pas à les réjouir et à les faire sortir de leur commotion.

—Où ils sont, les Anglais ? demande Jeanne.

—Ils creusent des tranchées devant la ville et montent un campement.

—Ils vont dormir là ?

—Je le crains, ma p'tite demoiselle.

La fillette se renfrogne. Elle ne saisit pas toutes les implications de cette guerre, mais ce n'est manifestement pas une bonne chose que des Anglais passent la nuit si près des murs de la ville.

—Quand vont-ils partir ? demande-t-elle candidement.

—Je ne peux pas répondre à ça, avoue tristement Marcel.

Devinant que le sort de son nouvel époux perturbe davantage sa voisine que celui de la colonie, madame Gauthier entoure de ses bras les épaules de Catherine dans le but de la réconforter.

—Est-ce que vous savez… pour… Charles ? demande la mère de Guillaume, l'appréhension modulant sa voix.

—Je ne sais pas où il est, le capitaine Giffard, madame. Je suis désolé…

Plus de neuf heures se sont écoulées depuis le repli des troupes françaises. On a signalé quelques escarmouches entre les Anglais et les miliciens, mais rien de sérieux. Même si les combats ont pris fin pour la journée, le grondement des artilleries française et anglaise qui se répondent rappelle que la guerre n'est pas encore finie. Attablé devant un bol fumant de soupe aux choux que leur a servi Françoise, Guillaume observe sa mère tourner en rond dans la cuisine. Elle n'a pas mangé depuis le petit-déjeuner. Il sait que c'est son inquiétude pour Charles qui la ronge. Mais son teint maladif le préoccupe grandement. Pourquoi son beau-père n'envoie-t-il pas un mot pour les rassurer ?

« Il faut faire quelque chose », se dit-il. Il pense à partir lui-même à sa recherche quand quelqu'un frappe à la porte. Tout le monde se précipite. Catherine ouvre. C'est leur voisin, monsieur Gauthier. Derrière lui, dans l'obscurité, un officier des Compagnies franches de la Marine couvert de boue.

— Charles, vous voilà enfin ! Que Dieu soit béni ! Vous... Ah !

— Madame, fait le soldat en s'inclinant respectueusement.

La vague d'immense bonheur qui a sur le coup inondé Catherine se retire pour laisser place à un désarroi complet. Elle reste sans voix devant le visiteur qu'éclaire soudainement la chandelle de Françoise. Ce n'est pas Giffard. L'officier se précipite à son secours quand il la voit s'effondrer. Monsieur Gauthier l'aide à porter la femme éplorée jusqu'au canapé, où elle s'allonge.

Du corridor où ils se sont serrés l'un contre l'autre, Guillaume et Jeanne suivent la scène. Françoise fait respirer des sels volatils à Catherine. Lorsqu'elle a suffisamment recouvré ses esprits, l'officier se présente.

— Je suis le lieutenant Alexis Fortin, officier sous les ordres du capitaine Giffard, et j'arrive du campement de Beauport, explique-t-il d'une voix basse. Nous essayons de remettre un peu d'ordre parmi les troupes. Elles ont été fortement éprouvées ces dernières heures. Nous venons de recevoir un ordre du gouverneur Vaudreuil : nous devons nous préparer à partir pour la rivière Jacques-Cartier.

Fortin parcourt des yeux les occupants de la maison, qui attendent la suite avec fébrilité. Il évite de s'attarder sur l'épouse de son supérieur. Elle s'est redressée sur son siège et fixe l'émissaire avec espoir. Elle attend qu'il la rassure sur le sort de Charles. Mais Fortin baisse la tête.

— Pourquoi mon mari n'est pas lui-même venu nous annoncer cette nouvelle ? demande Catherine, crispée.

L'expression de Fortin se fait plus grave.

— Nous avons reçu le rapport comme quoi il aurait été fait prisonnier, madame.

Guillaume anticipe le pire. Il regarde sa mère : elle fait des efforts titanesques pour rester calme devant le soldat. Il se passe un long moment de silence avant que le lieutenant Fortin ne se remette à parler.

— Un groupe de Highlanders[5] a attaqué notre régiment et nous a poursuivis jusqu'à la rivière Saint-Charles. Le cheval du capitaine a chuté, l'entraînant au sol avec lui. Il était trop tard pour lui porter secours. Les Écossais l'avaient déjà rejoint.

— Où est mon papa ? interroge Jeanne, blottie dans les bras de sa mère.

— Est-ce qu'il est… blessé ? s'enquiert Catherine avec une placidité étonnante dans ces circonstances.

— Nous ne le savons pas, déclare l'officier.

— Ils vont le tuer ?

La question de Guillaume fait tourner les têtes vers lui.

— Non, les rassure Fortin tant bien que mal, les Anglais n'exécutent pas les prisonniers, encore moins ceux qui sont officiers. Mais le capitaine risque d'être déporté en France ou transporté en Angleterre, où il sera mis en prison.

Le lieutenant est désolé d'avoir à leur faire part de cette éventualité. Mais il sait que rien ne sert de mentir.

Catherine accueille cette nouvelle avec le calme qu'elle s'efforce d'afficher devant ses enfants depuis le début des combats.

---

5. Les Highlanders sont les peuplades qui vivaient dans les régions montagneuses du nord de l'Écosse, qu'on appelle les Highlands ou, en français, les Hautes Terres. Les Highlanders, comme les Irlandais, sont d'origine celte et parlaient autrefois le gaélique.

— Prisonnier des Anglais... murmure-t-elle. Que Dieu le protège.

Cette nuit-là, Guillaume entend sa mère pleurer pour la première fois depuis la mort de son vrai père. Il voudrait tant aller la consoler, mais il a trop envie de pleurer lui aussi. Il a peur de ce qui va leur arriver. Il est en colère contre les Anglais, contre la guerre qui lui a arraché son père et qui va peut-être maintenant lui voler son beau-père.

Au petit matin, madame Gauthier, qui a appris la triste nouvelle de la bouche de son mari, arrive en compagnie d'Émeline et de Marie pour soutenir sa voisine. Inconsolable, Catherine refuse de quitter son lit. Elle souffre de violentes nausées qui ne font qu'aggraver son mal.

— C'est-y pas injuste, marmonne Françoise en faisant irruption dans la cuisine avec un seau et des serviettes sales. Il faudrait pas que Madame perde le bébé en plus de... Oh!

À la vue des enfants, elle se tait et sort rapidement dans la cour pour vider le contenu du seau et le remplir de l'eau propre du puits. Guillaume et Émeline, qui disputent une partie d'échecs, se dévisagent, perplexes. Jeanne a cessé de jouer à la poupée avec Marie et regarde son frère.

— Quel bébé? interroge-t-elle.

— Je ne sais pas, Jeanne. Faut le demander à Françoise.

L'enfant ne se prive pas de suivre ce conseil lorsque revient la jeune femme. Consciente d'avoir trop parlé, la servante pousse un soupir d'impatience.

— Eh bien... le bébé que les Sauvages apporteront dans quelques mois, explique-t-elle sur un ton bourru.

— Comme celui des Pellerin? fait la fillette avec un sourire.

Françoise s'empresse de remonter à l'étage pour éviter de lui répondre.

Guillaume fronce les sourcils.

— Je ne savais pas que Maman avait demandé aux Sauvages de lui apporter un nouveau bébé, observe-t-il.

— Tu crois que c'est à Paul Ahonase qu'elle l'a demandé ? chuchote Émeline.

Guillaume réfléchit tandis que Jeanne explique à sa poupée qu'elle va bientôt avoir une nouvelle amie.

— Je ne vois pas à qui d'autre, conclut-il. Je me demande où les Sauvages prennent tous ces bébés qu'ils apportent aux familles.

— Maman dit qu'ils ont de grands potagers de choux et que c'est sous leurs feuilles qu'ils poussent.

— Pourquoi nos mamans ne les font pas pousser elles-mêmes ? remarque Guillaume, intrigué.

— Sans doute parce que nos potagers ne sont pas assez grands et peut-être aussi parce qu'elles veulent garder la surprise pour nos papas.

Cette mention de leurs pères replonge Guillaume dans les préoccupations qui l'ont tenu réveillé pendant une bonne partie de la nuit. Il se penche sur l'échiquier et fait bouger sa tour.

— Tu crois que les Anglais vont envoyer monsieur Giffard en Angleterre ? demande-t-il à son amie, qui joue un pion.

— Comment le savoir ?

Guillaume fait mine d'étudier le jeu.

— C'est loin, l'Angleterre. Tu te souviens de madame Lacroix, qui a perdu son mari en mer juste avant que les Sauvages lui apportent son bébé, l'été dernier ? Elle est tombée malade. Maman dit qu'elle avait la mélancolie[6]. C'est grave, la mélancolie, souligne-t-il. Elle en est morte. Si monsieur Giffard est envoyé en Angleterre, il y restera certainement assez longtemps pour que le bébé ait le temps de pousser chez les Sauvages. Peut-être même qu'il n'en reviendra jamais. Maman sera malheureuse comme madame Lacroix.

— Ta maman ne peut pas tout simplement annuler la commande ?

Guillaume réfléchit.

---

6. Autrefois, mélancolie était synonyme de dépression et prenait le sens d'abattement mental profond.

— Ce sera bientôt l'hiver. Le bébé doit déjà avoir été semé, non ? suppute-t-il.

— Hum… fait Émeline, tout aussi songeuse.

— Je ne veux pas que Maman attrape la mélancolie. Il faut faire quelque chose.

— Mais qu'est-ce qu'on peut faire, Guillaume ?

Plongé dans ses réflexions, il ne répond pas. Son expression reste neutre pendant un moment. Puis ses sourcils se froncent tandis qu'Émeline l'observe d'un air soupçonneux.

— À quoi tu penses, Guillaume ?

— À rien.

— Tu as une idée, je le sais. C'est quoi ? insiste-t-elle.

— Je te dis que je ne pense à rien.

Cependant, Émeline connaît trop bien Guillaume pour le croire sur parole. Son ami bouge une pièce sur l'échiquier et déclare :

— Échec et mat !

— Zut !

III

La conviction au cœur

L'odeur poignante de la fumée confirme la rumeur selon laquelle les Anglais brûlent tous les bâtiments qui se dressent entre eux et les remparts. L'armée française s'est mise en route pour rejoindre la rivière Jacques-Cartier et il ne reste que très peu de soldats pour défendre Québec, presque plus de munitions et encore moins de nourriture. Devant l'ampleur de la menace, à l'instar de bien d'autres habitants, les Gauthier ont décidé de quitter la ville. François, le frère de monsieur Gauthier, et son épouse, Louise, habitent une fermette dans la paroisse de L'Ange-Gardien. Une partie des bâtiments a été sauvée des flammes par des paysans lors du raid destructeur des Anglais sur la Côte-de-Beauport, il y a quelques semaines. Ils iront s'installer là-bas. Ainsi, tout le monde s'épaulera à travers les épreuves qui les affligent.

Madame Gauthier a offert à sa voisine de venir avec eux, mais Catherine a refusé, prétextant vouloir être à la maison quand on lui apportera des nouvelles de son mari. Elle n'a toutefois pas d'objection à laisser Guillaume y aller. Elle les rejoindra avec Jeanne quand elle sera certaine que Charles est sain et sauf.

Juché comme un coq sur un coffre hissé par monsieur Gauthier à l'arrière du chariot, son baluchon sur les genoux, Guillaume fait un dernier au revoir à sa mère, qui a trouvé la force de sortir pour assister au départ. Il lui a promis d'être sage et d'obéir aux

Gauthier. Il est triste, mais il essaie de sourire pour ne pas accabler davantage sa mère, qui elle, ne sait plus cacher son désarroi.

Marcel fait claquer son fouet sur la croupe des deux énormes bœufs. Lui et son ami indien ont accepté de faire le voyage avec les Gauthier jusqu'à L'Ange-Gardien, au cas où ils rencontreraient des déserteurs anglais. On dit qu'ils fourmillent dans l'arrière-pays, à l'affût de nourriture ou de toute autre chose à voler. Ensuite, Marcel repartira avec Paul Ahonase pour le village wendat de la mission de la Jeune-Lorette[1] érigé sur les rives de la rivière Saint-Charles et où l'attend anxieusement Marie Okonhsa, la fiancée de Marcel.

Le véhicule s'ébranle et produit de longs grincements sous le poids de son chargement. Lorsque sa mère et sa sœur ne peuvent plus le voir, Guillaume ne peut s'empêcher de laisser couler quelques larmes, mais il les essuie aussitôt.

L'affliction se lit sur le visage de tous ceux qu'ils rencontrent en chemin. Le général Montcalm a rendu l'âme à cinq heures du matin et son corps a été enterré dans le trou creusé par un obus, dans la chapelle du couvent des Ursulines. Sur la Grande Place, en face des débris de la cathédrale, des soldats s'activent à mettre les drapeaux en berne. Qui commandera ce qui reste de l'armée française ? Qu'adviendra-t-il d'eux si l'armée se démembre, faute de chef capable de remonter le moral des troupes ? Les obligera-t-on à abjurer leur foi catholique et à épouser celle de l'ennemi, faisant d'eux des hérétiques aux yeux de Dieu ? Depuis que l'anglicanisme est la religion officielle de l'Angleterre, la pratique du catholicisme est interdite sur les territoires qui sont sous son contrôle. Il serait donc logique que les Anglais l'interdisent aussi en Amérique. Plus que jamais, la colonie est en mauvaise posture. La France est en train d'abandonner la Nouvelle-France aux mains des Anglais.

Le chariot cahote doucement. Dans les environs de Beauport, l'équipée doit s'arrêter pour déplacer une pièce d'artillerie légère

1. Aujourd'hui le village wendat de Wendake.

abandonnée. Des sacs de farine éventrés en bordure de la route ont été vidés de leur contenu. Ils sont tout près des installations de défense françaises désertées; les provisions laissées derrière par les soldats français ont sans doute été emportées par les gens des environs. Les habitants de Québec n'en souffriront que davantage.

Paul Ahonase suit le véhicule à pied. Il ramasse, ici une cartouchière vide, là une chaussure orpheline. Il y a des mousquets brisés, des écuelles en étain défoncées, des chapeaux biscornus et même quelques havresacs piétinés. Il examine minutieusement les objets abandonnés par les soldats dans leur fuite et garde ce qui peut encore être utile; il lance ses trésors à Guillaume, qui en fait un tas entre ses pieds. L'Indien récupère entre autres une cocarde sur un tricorne informe.

— Ça, c'est pour toi, Renaud, dit-il en esquissant un sourire qui se veut engageant.

La cocarde, autrefois blanche, atterrit sur les cuisses de Guillaume. Il l'épingle sur son propre tricorne et rend son sourire à l'Indien.

Le trajet jusqu'à L'Ange-Gardien est désolant. Les ruines qui jalonnent le chemin sont d'affligeants souvenirs du passage des Anglais. Les cicatrices de la guerre dévisagent le pays. Personne n'ose parler, de peur de réveiller les âmes de ceux qui ont laissé ici leur vie.

Arrivé au gué de la rivière du Sault-de-la-Montmorency[2], monsieur Gauthier fait arrêter le chariot. La mère d'Émeline récite une prière pour l'âme du défunt Louis Tessier. On raconte qu'en apprenant la mort de son fiancé, Mathilde, la jeune femme que Louis devait épouser avant la fin de l'été, avait enfilé la robe blanche prévue pour le matin de ses noces et s'était jetée du haut de la chute pour rejoindre son amoureux dans la mort. Cette navrante histoire s'était déroulée deux semaines auparavant, et déjà des gens disaient avoir aperçu la silhouette d'une dame habillée de blanc qui se promenait près de la chute, ses longs

2. Aujourd'hui la rivière Montmorency.

cheveux flottant au vent. Il s'agirait du fantôme de Mathilde qui cherche son amant perdu. Les histoires de fantômes font toujours frissonner Guillaume.

Ils atteignent la fermette un peu après le coucher du soleil. La maison montre encore des marques de l'incendie qui a failli la raser. La toiture a été réparée avec les bardeaux encore utilisables récupérés sur les autres bâtiments qui n'ont pas résisté au feu. Mais dans l'ensemble, elle est en bon état. L'oncle Gauthier et son épouse accueillent leur parentèle avec effusion. Tandis que monsieur Gauthier, Marcel, Paul et Julien s'affairent à décharger le chariot, madame Gauthier et sa belle-sœur s'occupent de faire souper les enfants et de les préparer pour la nuit.

Guillaume est allongé sur un baudet[3] installé à côté du lit que partage Émeline avec Marie et Pierre. Pierre pleure parce qu'il a peur que les Anglais démolissent leur maison de Québec. Il vient seulement de se rendre compte qu'il a oublié sa précieuse collection de soldats de plomb dans sa chambre. Marie, qui n'aime pas dormir ailleurs que chez elle, est sur le point d'éclater en sanglots elle aussi. Pour les calmer, Émeline et Guillaume leur racontent à tour de rôle des *Fables* de La Fontaine. Guillaume, pour imiter la grenouille qui explose après avoir trop enflé dans l'espoir de devenir aussi grosse que le bœuf, fait un bruit de pétard avec sa bouche. Ils rient aux larmes.

Avant que la lune n'ait complété la moitié de son parcours dans le ciel, la maison est devenue silencieuse. Exténué par l'agitation des dernières heures et par le long trajet, tout le monde s'est rapidement endormi. Tout le monde, sauf Guillaume, qui fixe le noir de la nuit. Il se sent triste et s'ennuie de sa mère. C'est la première fois qu'il dort seul loin de chez lui. Écoutant le chant des grillons, il s'acharne à rester éveillé. Les yeux dans le vague, il caresse le hausse-col de son père Michel qu'il porte à son cou. À l'aube, Marcel Laliberté partira pour la Jeune-Lorette. Guillaume sait maintenant comment il va s'y prendre pour aider sa mère et il

3. Lit de fortune à sangles, pliant.

souhaite ardemment que le cousin d'Émeline accepte de participer à son plan. Il guette les premières lueurs du jour : il ne veut pas rater le départ de Marcel.

Pour passer le temps, il sort sa petite boîte à trésors qu'il a apportée avec lui. Il la secoue doucement et entend le cliquetis des objets qui y sont cachés. Les rayons de lune l'éclairent suffisamment pour lui permettre de voir ce qu'il y a à l'intérieur : un bouton doré provenant d'un uniforme ayant appartenu à son père ; la rose séchée que lui a donnée Émeline le jour de l'enterrement ; des fragments de verre colorés ramassés parmi les décombres de l'église de Notre-Dame-des-Victoires… Il en choisit un au hasard et le place devant la lune. L'astre prend la teinte d'un joli rubis. Guillaume se demande si on remplacera les magnifiques vitraux quand on reconstruira l'église. Il aimait les admirer pendant la messe. Cela rendait le sermon du curé Baudouin moins ennuyant.

Guillaume soupire et range tout son trésor dans la boîte, qu'il referme soigneusement avant de la cacher sous son oreiller. Il écoute la respiration régulière d'Émeline, de Marie et de Pierre. Ses paupières sont si lourdes…

Des bois environnants s'élève le hululement d'une chouette. Guillaume ouvre les yeux d'un coup. Un peu confus, son regard, aussi rond que celui du rapace nocturne, erre dans la pièce qu'éclaire la lueur blafarde de l'aube. Se rappelant soudain que Marcel doit quitter la ferme avant le lever du soleil, il enfile ses vêtements à la hâte. Il se sermonne de s'être endormi malgré lui et s'efforce de ne pas faire de bruit en descendant au rez-de-chaussée. Marcel s'est installé avec l'Indien dans une petite pièce servant de débarras derrière la cuisine. À son grand désespoir, Guillaume la découvre vide. Marcel et son ami Paul Ahonase sont déjà partis. Voyant sa seule chance de sauver son beau-père de la déportation s'enfuir avec eux, il prend panique. Il doit absolument retrouver Marcel. Comme le Wendat et lui se déplacent à pied, ils ne doivent pas être trop loin. Si Guillaume se dépêche, il arrivera peut-être à les rattraper.

Sans plus se préoccuper de préserver le sommeil de ceux qui dorment encore, Guillaume sort en courant de la maison. Ses talons claquent sur le perron de bois comme si le garçon voulait réveiller le monde entier pour qu'il lui vienne en aide. Ses pas précipités martèlent frénétiquement la route de terre qui forme un pâle ruban dans la pénombre du petit matin. À la croisée des chemins, Guillaume s'arrête pour souffler un peu. Une main l'agrippe et le fait sursauter.

— C'est moi ! le rassure Émeline, tout aussi essoufflée que lui.

Ses doigts occupés à resserrer les lacets de son corselet, elle le dévisage avec curiosité et inquiétude. Entre deux halètements, le chant des grillons a laissé place au gai pépiement des oiseaux.

— Mais où vas-tu donc comme ça ? Encore à la pêche ?

— Ils sont partis, gémit Guillaume, impatient de reprendre sa course.

— Ils... tu parles des Anglais ? Comment peux-tu savoir si...

— Non, l'interrompt Guillaume, je parle de ton cousin et de l'Indien. Ils sont partis avant que j'aie eu le temps de...

Il se tait et pince les lèvres. Il n'a pas envie d'expliquer son plan à Émeline. Ça prendrait trop de temps, et du temps, il n'en a pas à perdre.

— Une autre fois, lui lance-t-il en s'éloignant.

— Hé ! lui crie Émeline, éberluée. Attends-moi !

Le volant de son béguin flotte autour de son visage, comme les boucles folles de sa chevelure qu'elle n'a pas eu le loisir de coiffer avant de descendre sur la trace de son ami. Elle avait remarqué que Guillaume rêvassait depuis leur départ de Québec. Elle devine que son ami mijote quelque chose, mais quoi ? En l'entendant se lever si tôt, pressentant qu'il allait mettre à exécution ce qu'il avait concocté, elle a eu la présence d'esprit de le suivre. Guillaume ne reste jamais en place. Il bouillonne comme une marmite fermée qu'il faut soulager en soulevant un coin du couvercle.

— Pourquoi dois-tu parler à Marcel ? Quelle est l'urgence ?

— Émeline ! s'exaspère Guillaume.

Il poursuit son chemin sans plus s'occuper de sa présence, ce qui la vexe. Tout en essayant de mettre de l'ordre dans sa tenue vestimentaire, elle trotte derrière lui, l'appelant, lui posant des questions auxquelles seuls les croassements lugubres des corneilles répondent. Une brume légère couvre les champs comme un voile vaporeux, nimbé de la douce lumière du soleil qui vient de passer la ligne d'horizon. Quelques mouettes les accompagnent en poussant leurs cris nasillards. Ils surprennent un renard en train de s'abreuver à l'eau d'un ruisselet. Effarouchée, la bête s'enfuit et, en quelques coups de pattes, s'éclipse dans un boisé de vinaigriers. Momentanément subjugué par la vision, Guillaume s'immobilise, ce qui permet à Émeline de le rejoindre. Elle saisit sa main et la tient serrée, de peur qu'il ne lui échappe de nouveau.

— Qu'est-ce qui se passe, Guillaume ? demande-t-elle.

Mais Guillaume n'ouvre pas la bouche. Ils marchent d'un pas rapide depuis maintenant plusieurs minutes : Marcel Laliberté et son compagnon wendat demeurent invisibles. Émeline constate l'émoi qui agite de plus en plus son ami et serre fortement sa main comme pour lui insuffler le courage qui lui manque. Guillaume la regarde, désemparé.

— Ils sont les seuls à pouvoir m'aider, arrive-t-il finalement à articuler dans un trémolo mal contrôlé.

— Mais pour faire quoi ?

— Délivrer Charles Giffard.

Émeline considère Guillaume avec étonnement. Elle n'aurait pas été surprise d'entendre son ami lui dire qu'il veut retourner à Québec auprès de sa mère et de sa sœur. Mais son projet de délivrer son beau-père des Anglais lui semble tout à fait irréalisable, même avec l'aide de son cousin. Elle sourit néanmoins. C'est bien là son cher Guillaume. Son ambition n'a d'égale que sa témérité. Elle n'ose toutefois pas le lui dire. Main dans la main, ils reprennent leur marche. Elle se dit que si la faim ne raisonne pas Guillaume au bout d'une lieue, Marcel lui fera comprendre l'impossibilité de son plan. Si jamais ils arrivent à le rejoindre…

Ils avancent ainsi sur le chemin du Roi qui longe les hautes falaises de la Côte-de-Beauport, en parlant de choses et d'autres et en admirant la grande île d'Orléans, que la fin de l'été pare de belles teintes chaudes sous le soleil. La faim finit par les tenailler. Pourtant Guillaume, reconnu pour sa légendaire gourmandise, ne se plaint pas. Contrairement à ce qu'a présagé Émeline, la volonté de Guillaume s'affermit au fur et à mesure que passe le temps. Cela doit faire environ une heure qu'ils progressent et Marcel demeure désespérément invisible.

Un grondement sourd leur indique qu'ils ne sont plus très loin du grand sault de la Montmorency. Ils sont maintenant trop loin de la maison pour rentrer avant l'heure du petit-déjeuner.

— Nous ne les retrouverons jamais, Guillaume, annonce-t-elle. Retournons chez mon oncle. Tante Louise a sans doute déjà commencé à préparer les crêpes.

Mais Guillaume refuse d'abandonner. Émeline lâche sa main et adopte un ton plus sérieux.

— Guillaume, il faut vraiment rentrer. On doit déjà s'inquiéter de nous.

— Eh bien, rentre si tu veux, moi je continue, s'entête son ami sans s'arrêter.

Les bras croisés, elle le regarde s'éloigner et disparaître dans le boisé qui borde la rivière.

— Guillaume ! Attends ! crie Émeline.

Guillaume ne l'attend pas. Le terrible vacarme de la chute couvre ses appels. Exaspérée, elle lui emboîte le pas et se dit qu'elle aurait mieux fait de rester couchée. Ainsi, son estomac ne lui reprocherait pas par de gros grognements mécontents de le négliger et elle ne se ferait pas gronder à son retour. Invariablement, c'est ce qui se produit chaque fois qu'elle se laisse entraîner dans les frasques de Guillaume. Elle a envie de se mettre en colère contre lui, mais elle n'y arrive pas.

Elle pénètre à son tour dans le bois et suit le sentier qui mène tout droit aux berges de la rivière. L'eau tumultueuse tourbillonne autour des rochers qui affleurent à sa surface. Elle déduit rapidement que Guillaume n'a pas traversé la rivière à cet endroit. Il a dû en remonter le cours jusqu'au premier gué. Émeline répète ses appels.

Comme prévu, Guillaume l'attend au gué. Le niveau de l'eau y est plus bas, mais le courant est encore fort à cause des dernières pluies. Des roches de toutes tailles ont été placées dans le lit de façon à former un pont plus ou moins sûr.

— On ferait mieux de rentrer, suggère Émeline. Ce serait plus sage.

— Je suis certain qu'ils ne doivent pas être très loin.

Guillaume étudie ses chances de franchir la rivière. Il faut être d'une extrême prudence pour y parvenir. Il retire ses chaussures et ses bas et les confie à son amie. Puis il met précautionneusement un premier pied sur une grosse roche grise qui émerge des flots écumants.

— Guillaume, c'est trop dangereux, l'avertit Émeline.

De cet appui, Guillaume saute aisément sur une deuxième roche. La prochaine étape est plus délicate. La roche suivante est trop éloignée pour qu'on puisse l'atteindre sans se mouiller les mollets. L'eau glacée fait des remous autour de ses jambes et les galets lui chatouillent la plante des pieds.

Guillaume se retourne vers Émeline, qui le regarde, l'air terrifié. Elle serre très fort contre sa poitrine les bas et les chaussures du garçon intrépide.

— Tu viens ou pas ?

— J'ai peur de l'eau, Guillaume. Tu sais bien que je ne sais pas nager.

— Moi non plus, et alors ? L'eau n'est pas profonde et on ne fait que traverser. Il suffit d'être pru...

Soudain, une forme blanche remue à l'orée du bois et disparaît silencieusement dans le feuillage. La dame blanche ! La suicidée du grand sault de la Montmorency ! Guillaume est tétanisé. Un grand frisson lui parcourt l'échine, son pied glisse sur une pierre. Il s'engloutit dans l'eau jusqu'aux oreilles. Son tricorne part à la dérive. Le choc de la température lui coupe le souffle et, se sentant à son tour emporté par le courant, il se débat frénétiquement pour se raccrocher à l'une des grosses roches qui l'entourent. En vain. Toutes les parois sont lisses et ses doigts ripent dessus comme sur du verre mouillé. Les hurlements d'Émeline lui parviennent à travers les gargouillements de l'eau et de ses propres cris. L'eau pénètre ses narines et sa bouche, et l'entraîne comme un navire en naufrage. Il se heurte aux écueils, s'y écorche la peau. Il va se noyer… Sa mère sera certainement en colère contre lui pour avoir désobéi à monsieur Gauthier.

— Guillaume ! Guillaume ! entend-il comme dans un rêve.

Il tousse et recrache de l'eau. Mais il en avale encore plus à la respiration suivante. C'est peine perdue, la rivière l'emporte et, s'il ne s'y noie pas, il plongera dans les cataractes dont il entend les pétrifiants grondements approcher. Et là, il n'aura plus aucune chance.

Ses poumons lui font mal et sa vue s'embrouille. Les appels persistent dans le lointain, s'estompent jusqu'à ne devenir qu'un bourdonnement de mouche. Le tonnerre de la chute remplit maintenant toute sa tête et l'eau, ses poumons. Guillaume se débat dans un ultime effort pour respirer, mais il n'y arrive pas. Il suffoque ! Il meurt ! Il ne veut pas … enfin, pas avant d'avoir réussi à délivrer monsieur Giffard.

Des griffes lacèrent soudain ses bras, l'empoignent : quelque chose empêche la force du courant de l'emporter plus loin. À travers les bouillons, il distingue une forme blanche et vague qui se déploie au-dessus de lui, tel un nuage. On le saisit et le soulève. Il se sent d'un coup si léger… comme porté par le nuage qui l'enveloppe et, curieusement, il n'a plus peur. Puis il plonge dans le noir, inconscient.

IV

Sur le sentier des guerriers

Une magistrale claque entre les omoplates oblige Guillaume à respirer et il est pris d'une violente quinte de toux. Ses poumons rendent leur eau et l'air arrive enfin à les gonfler. Mais c'est très douloureux. Quand il reprend ses esprits, le ciel est vert et le sol est bleu. Il se balance lentement, suspendu tête en bas à une branche par une corde qui lui entaille la peau des chevilles. Au fur et à mesure que le sang recommence à circuler normalement dans ses veines, sa peau livide ne tarde pas à rosir. Un visage lui apparaît sporadiquement, au gré de son va-et-vient. La peau est tannée et usée comme du vieux cuir. Les yeux qui brillent dans leurs minces fentes le fixent avec intérêt. Un sourire édenté, un brin moqueur, se forme.

— Petit homme ne pas nager comme petit *namas*[1], mais comme *senis*[2], déclare le personnage d'une voix caverneuse. Rivière avale petits cailloux qui coulent au fond.

Les branches d'un arbuste s'écartent pour laisser passer deux autres Indiens abénaquis, beaucoup plus jeunes. Le vieil homme se redresse lentement pour les accueillir et se met à leur parler dans une langue qui est inconnue de Guillaume. À plusieurs reprises, il montre Guillaume du doigt et les deux autres hochent la tête. Guillaume observe d'un œil circonspect les nouveaux

1. Poisson, en langue abénaquise.
2. Petit caillou.

arrivants. Coiffés d'une bande de cheveux hérissés à la huronne et le visage peint de couleurs bariolées, les deux jeunes guerriers ont l'allure féroce de ces démons de l'enfer qui illustrent le grand catéchisme. Au contraire, avec sa longue chevelure blanche comme neige et sa peau parcheminée comme la couverture de la vieille Bible du petit séminaire, le vieil homme a l'air d'un sage.

Le plus grand des jeunes vient vers lui et retire un long couteau d'une gaine qu'il porte à son cou. Les yeux de Guillaume s'arrondissent. N'a-t-il été sauvé de la noyade que pour mieux se faire scalper ? Il gigote comme un ver au bout de son fil. Il veut crier au secours, mais il ne réussit qu'à recracher un dernier filet d'eau. Les deux jeunes l'agrippent et le soulèvent tandis qu'il se démène pour se libérer. Ils arrivent rapidement à le neutraliser. Ils coupent la corde, le relâchent, et le jeune garçon retrouve la sécurité du sol, indemne.

— Guillaume !

Hors d'haleine, Émeline surgit du sentier. Ses mains sont crispées sur les effets que Guillaume lui a confiés. Visiblement bouleversée, les joues mouillées, elle s'immobilise brusquement devant les trois Indiens penchés au-dessus d'un Guillaume complètement détrempé et visiblement désemparé. Les individus s'écartent ; Émeline laisse tomber les chaussures et les bas et se précipite vers son ami.

— Tu n'as rien, Guillaume ? Tu vas bien, dis ?

— Autant que peut bien aller un presque noyé, répond en boutade le plus jeune des inconnus avec un sourire goguenard.

Les deux autres Sauvages se mettent à ricaner, mais Émeline n'a pas le cœur à rire. Elle serre plutôt les lèvres pour se retenir de pleurer. Elle a eu si peur…

— Imbécile ! éructe-t-elle en dirigeant vers Guillaume un index réprobateur. Tu as bien failli te noyer pour vrai ! Une chance que ces gens se trouvaient dans les parages et qu'ils ont eu la bonté de te tirer de là. Tu n'étais plus qu'à deux pas du grand sault.

« Du grand *saut* vers une mort certaine », pense Guillaume. Devant le regard réprobateur de son amie, Guillaume fait mine d'examiner son corps. Hormis quelques contusions et coupures pas trop graves qui l'élancent, il semble être en bon état.

— Tu pourrais au moins leur dire merci, le tance encore Émeline à voix basse.

Un peu embarrassé, Guillaume remercie les trois inconnus.

— Petit Caillou pris dans tas de branchages sur bord de rivière quand je arriver ici, réplique le vieil Indien.

Guillaume fronce les sourcils. Il ne comprend pas ce qui s'est passé. Tout ce dont il se souvient avant d'avoir sombré dans l'inconscient, c'est d'avoir senti des griffes s'accrocher à lui et s'enfoncer dans sa peau, puis d'avoir vu cette forme blanche et vaporeuse au-dessus de lui. L'Indien est beaucoup trop vieux ; il n'a certainement pas la force nécessaire pour l'avoir extirpé seul de sa fâcheuse position. Alors...

— J'ai pourtant cru que... il y avait... marmonne-t-il, troublé.

— Il y avait quoi ? fait Émeline.

Un frisson secoue Guillaume. Il est certain que c'est le fantôme de Mathilde qui l'a sauvé de la mort, mais il n'ose pas le dire.

— Je ne sais pas... je ne me souviens plus, répond-il en hochant la tête pour éluder la question.

Émeline l'observe un instant. Guillaume est visiblement secoué par ce qui vient de lui arriver.

— Je me nomme Kasko, annonce le plus vieux des jeunes hommes. Voici mon frère Mikowa, et mon grand-père Awasos. Quel est votre nom ? Et que faisiez-vous ici ?

— Je m'appelle Guillaume Renaud. Elle, c'est mon amie, Émeline Gauthier. Je voulais rejoindre un ami, Marcel Laliberté. Mais je pense qu'il doit être bien loin, maintenant, et que je n'ai plus aucune chance de le rattraper avant qu'il atteigne la Jeune-Lorette.

En entendant le nom du cousin d'Émeline, Kasko émet un son bizarre.

— Je connais ce Laliberté, déclare l'Indien. Que lui veux-tu de si important pour risquer aussi bêtement ta vie ?

— Mon pè... Mon beau-père, je veux dire, est prisonnier des Anglais. Il risque d'être expatrié en Angleterre. Ma mère a commandé un bébé chez vous. Si monsieur Giffard ne revient pas avant que le bébé arrive, elle attrapera la mélancolie. C'est une grave maladie qui fait mourir. Je sais que Marcel Laliberté a déjà aidé des prisonniers à s'échapper d'un campement ennemi.

Les deux frères se concertent du regard en silence. Un sourire se dessine sur leurs lèvres. Ils ne peuvent pas s'empêcher de pouffer de rire.

— Je dis la vérité, s'offusque Guillaume.

— Je suis certain que tu dis la vérité, le rassure Kasko. Bon, reprend-il en empruntant un ton plus sérieux, je suis désolé d'apprendre que ton beau-père est prisonnier des Vestes rouges. Ils ont fait beaucoup de prisonniers parmi les habitants. Mais je crains qu'il soit impossible de les délivrer tous.

— Monsieur Giffard n'est pas un habitant, il est capitaine dans l'armée, précise un peu présomptueusement Guillaume en bombant le torse.

L'intérêt d'Awasos vient d'être piqué. Il plisse ses paupières déjà toutes fripées par l'âge.

— Capitaine Charles Giffard ? Grand Ours ?

— Le capitaine Giffard, oui, c'est ce que j'ai dit, confirme Guillaume. Pourquoi l'appelez-vous Grand Ours ?

L'expression du vieil Indien devient nostalgique.

— Ah ! Grand Ours frère éternel à moi. Un jour lui sauver la vie d'Awasos. Mais ça c'est longue histoire, Petit Caillou.

— Je crains qu'il nous faille partir, annonce Émeline. Nous devons rentrer chez nous et…

— Non ! l'arrête Awasos en levant la main. Petit Caillou ne pas partir. Moi aider lui. Moi avoir dette de vie envers Grand Ours.

— Vraiment ? s'exclame Guillaume, emballé au point d'en oublier momentanément sa mésaventure et ses élancements. Marcel est en route pour la Jeune-Lorette. Vous voulez bien m'aider à…

Il s'interrompt. Ni Awasos ni ses petits-fils ne pourraient arriver à rattraper Marcel et Paul Ahonase plus rapidement que lui : comme lui, ils voyagent à pied. De plus, le vieillard n'arriverait pas à soutenir leur rythme bien longtemps. Son excitation retombe à plat.

— Oh... c'est bien gentil, mais...

Awasos devine ses préoccupations et cherche à le tranquilliser.

— Petit Caillou venir avec nous. Une nuit ou deux et il retrouvera Laliberté.

Cela implique qu'il ne rentrera pas chez l'oncle d'Émeline avant quelques jours. Il se tourne vers son amie.

— Tu dois expliquer à ton père que je suis en sécurité, lui dit-il.

Émeline regarde les Indiens ; son regard révèle qu'elle ne pense pas comme lui.

— C'est insensé, Guillaume. Tu ne peux pas partir avec ces gens, chuchote-t-elle. Tu ne les connais pas. Qui sait de quel côté ils sont ? Tu y as pensé ?

Disant cela, elle le toise gravement. La mine de Guillaume redevient maussade.

— Grande famille des Abénaquis se battre contre les Anglais qui volent leurs terres, déclare Awasos, l'air brusquement féroce.

Le vieil homme semble trouver réponse à tout et cela agace grandement Émeline, qui désire seulement retourner chez son oncle avec Guillaume. Elle fixe son ami sans rien dire, espérant qu'il renonce à cette folle idée.

— Tu vois, ils sont de notre bord ! s'écrie Guillaume, au grand désespoir d'Émeline.

— Guillaume ! Tu n'y penses pas ? Finalement, je préfère rentrer toute seule.

Sur ce, elle fait volte-face et remonte le sentier par lequel elle est arrivée. Guillaume la regarde partir, incertain de l'attitude à adopter. Il se sent vraiment misérable de laisser son amie s'en aller sans lui, mais d'un autre côté... Il se redresse, non sans grimacer de douleur, et se met à sa poursuite.

— Émeline, dit-il en la rejoignant, tu dois comprendre.

Émeline s'arrête de marcher, mais ne se retourne pas.

— Je croyais que nous étions des amis « à la vie, à la mort ! » lui rappelle-t-elle, seulement pour aggraver son sentiment de culpabilité.

— Nous le sommes, affirme Guillaume après un moment. C'est pourquoi tu dois comprendre. Il s'agit de délivrer monsieur Giffard et…

— Pourquoi appelles-tu toujours monsieur Giffard « monsieur Giffard », et non « papa », comme Jeanne ? lui lance Émeline en pivotant pour lui faire face.

L'expression de désolation qu'elle découvre sur le visage de son ami lui fait regretter son trait.

— Parce qu'il n'est pas mon père, répond-il placidement. C'est mon beau-père et un grand ami.

Émeline se mord les lèvres. Elle contemple la triste dégaine de Guillaume. L'eau dégouline encore abondamment de ses vêtements et son visage est couvert d'ecchymoses. Sa culotte et sa chemise sont déchirées à maints endroits, il manque un bouton à son gilet et il a perdu son chapeau. Par chance, ses bas et ses chaussures sont secs.

— Tu fais confiance à ces Sauvages ?

Guillaume sait bien qu'il ne doit pas faire aveuglément confiance aux gens qu'il ne connaît pas. Sa mère ne cesse de le lui répéter, surtout depuis sa mésaventure avec l'espion Saint-Amant. Il ne connaît pas ces Indiens. Mais il ne veut pas laisser sa mère mourir de mélancolie. Il doit absolument ramener Giffard auprès d'elle. Et pour y arriver, il serait prêt à vendre son âme au diable et à embarquer dans sa chasse-galerie.

— Si monsieur Giffard considère Awasos comme son ami, je peux aussi le considérer comme tel, déclare-t-il avec assurance. Et puis, nous ne faisons que nous rendre à la Jeune-Lorette. J'y rejoindrai Marcel et je reviendrai avec lui.

Émeline hésite. Suivre ces Sauvages lui semble hardi. Mais elle comprend le désir de Guillaume. Elle glisse sa main dans celle de son ami et la serre très fort.

— D'accord, je dirai à mon père que tu es avec Marcel. Comme ça, il ne s'inquiétera pas trop. Souhaitons seulement que ta mère n'arrive pas avant ton retour.

— Cela prendra une ou deux nuits, selon Awasos.

— À ton retour, tu me raconteras pourquoi Awasos appelle monsieur Giffard « Grand Ours ».

Elle ricane pour alléger l'atmosphère.

— Sans faute, lui promet-il.

— Sois prudent, murmure-t-elle en lui plaquant un baiser sur la bouche avant de se sauver en courant.

Paralysé par la surprise, Guillaume regarde les branches des vinaigriers se refermer sur Émeline. Les rayons du soleil à travers le feuillage éclaboussent la végétation de petits points lumineux dansants. Le cri d'un geai bleu sur une branche du bouleau qui le surplombe finit par le faire réagir. Guillaume se demande s'il a pris la bonne décision. S'il arrivait malheur à Émeline sur le chemin du retour ? Non, il ne lui arrivera rien, se dit-il en posant le bout de ses doigts à l'endroit où la bouche de son amie l'a touché. Le souvenir encore tout piquant du baiser le rend heureux. C'est la première fois qu'il embrasse une fille sur la bouche. C'est génial !

Armés de leurs longs mousquets, les trois Indiens attendent Guillaume sur le bord de la rivière bouillonnante. D'un geste de la main, Mikowa l'invite à marcher à ses côtés. Après une longue randonnée, la ville de Québec, si triste, si solitaire au sommet de son rocher, leur apparaît enfin comme la couronne de France ternie en ce pays. Guillaume n'a pas quitté sa ville depuis plus de vingt-quatre heures, mais il a l'impression de s'être absenté depuis des jours. Du haut du plateau de Beauport, il contemple ce qui reste de Québec. Elle est aussi grise que la nappe de fumée qui la chapeaute. Où sont passés tous les clochers ? Disparus. Tout comme les pigeons qui avaient l'habitude de s'y percher. La vie a déserté Québec. Guillaume se demande si les Anglais campent toujours dans la plaine, au pied des remparts. Puis l'idée qu'ils aient pris possession de la capitale le fait frémir. Qu'adviendra-t-il de sa mère et de sa sœur ? Il a envie de les retrouver. Il aimerait passer les embrasser.

Ils doublent les bâtiments de la Canardière. À l'une des fenêtres, un battant va et vient dans un grincement que la brise porte jusqu'à eux. C'est l'ancêtre de Charles Giffard qui a construit cet ancien abri de chasse aux alentours de 1620. Il s'appelait Robert Giffard de Moncel, il était chirurgien de la Marine, et il a été le premier seigneur de Beauport. « Le prochain seigneur de cet endroit sera-t-il un Anglais ? » se demande Guillaume, amer.

— Jeune-Lorette par là ! déclare Awasos en désignant un sentier qui va vers l'ouest.

Le groupe quitte la route et s'aventure dans le bois qui borde la rivière. Les chaussures de Guillaume s'enfoncent dans la vase, les ronces déchirent ses bas et la faim lui donne des crampes à l'estomac. De plus, les moustiques le narguent. Il imagine Émeline en train de se régaler des crêpes de sarrasin à la mélasse que leur a promises sa tante. Mais devant le silence respectueux de ses compagnons, il retient ses plaintes.

Ce n'est qu'une fois arrivés sur le bord de la rivière Saint-Charles, au bout d'un champ en jachère, qu'ils prennent le temps de se sustenter. Un orme vénérable les invite à se protéger de la chaleur qui leur tape sur la nuque. Les vêtements de Guillaume n'ont séché de l'eau de la rivière que pour se retremper de sueur. Il regrette son tricorne emporté par le courant de la Montmorency.

Mikowa s'est assis près de lui. Les breloques de métal doré et les perles de verre qui ornent ses lobes d'oreille et sa chevelure font une musique agréable quand il bouge. C'est la première fois que Guillaume peut contempler d'aussi près des Indiens. Bien sûr, il en voit régulièrement à Québec, mais à la demande de sa mère, il s'est toujours abstenu de s'en approcher.

Le jeune Indien remarque l'intérêt de Guillaume pour les tatouages qui marquent la peau cuivrée de sa poitrine nue. Il y a des symboles géométriques, mais aussi un loup et un soleil rayonnant. Guillaume sait comment on fait les tatouages. C'est le vieux Millette Jambe-de-Bois, un compagnon de Marcel Laliberté, qui le lui a expliqué. Il s'est fait tatouer les deux avant-bras par une Indienne choctaw alors qu'il servait comme cuisinier à la garnison du fort de Chartres, en Louisiane[3]. L'Indienne avait d'abord tracé le motif en perçant la peau à l'aide d'une aiguille, puis elle avait fait pénétrer dans les perforations un mélange composé de graisse d'ours et de poudre de charbon. Les particules de pigment s'infiltraient sous la peau et formaient une image indélébile.

— *Môlsem*. C'est le loup, mon totem animal, souligne Mikowa.

Il soulève l'étui du couteau, suspendu par une lanière de cuir nouée autour de son cou, pour permettre à Guillaume de mieux le voir.

— *Môlsem*, répète maladroitement Guillaume dans l'idiome de l'Indien. C'est quoi, un totem ?

— Un guide. Un maître spirituel. Le mien, c'est le loup. Le grand cerf guide mon frère et le faucon, mon grand-père. Nous avons tous des totems différents. Ils viennent nous parler dans nos rêves pour nous conseiller. Parfois, ils se montrent à nous et accompagnent nos pas dans les moments dangereux. Par respect pour eux, nous ne devons jamais chasser nos animaux totems.

— Ils sont un peu comme les anges, observe Guillaume. Maman m'a dit que les anges du ciel nous protègent et nous guident.

— Si on veut, réplique Mikowa, un sourire aux lèvres.

Il présente à Guillaume sa part du goûter. Elle se compose de bannique[4] et de bandelettes de viande de chevreuil séchée que tous mastiquent fastidieusement en la mouillant de quelques gorgées d'eau puisée dans la rivière à l'aide d'une gourde de cuir. Guillaume trouve cette viande sans saveur ; un peu de sel la

---

3. Au temps de la Nouvelle-France, la Louisiane était une possession française. Son territoire couvrait une plus large superficie que ce qu'occupe actuellement l'État du même nom, soit près de la totalité du territoire occupé par les États américains du centre du pays d'aujourd'hui. Après la Conquête de 1759, la France a conservé la partie de la Louisiane située à l'ouest de la rivière Mississippi. La Louisiane a définitivement été cédée aux États-Unis par Napoléon Bonaparte en 1803.

4. Pain plat sans levain.

rendrait plus agréable. Marcel lui a déjà raconté que les Indiens n'aiment pas les mets salés. Ils agrémentent leur nourriture de sucre d'érable, de fruits et de noix trouvés dans les bois.

— C'est du jerky[5], précise Mikowa. Avec le jerky, on prépare le pemmican.

Mikowa lui raconte que ce mets traditionnel est un mélange de viande séchée broyée et de graisse d'ours, auquel sont incorporées des baies sauvages telles que celles de l'amélanchier, des mûres, des bleuets ou des atocas. Le pemmican est fort utile lors des longues expéditions, car il se conserve pendant des mois. Mikowa et les hommes de son village partent souvent pendant des semaines pour chasser. Les Abénaquis sont un peuple de la grande famille des Algonquins. Contrairement aux Iroquois, qui sont sédentaires et vivent de l'agriculture, les Algonquins pratiquent principalement la cueillette, la pêche et la chasse. Ils sont donc nomades et doivent changer de territoire quand les ressources s'épuisent.

— Où est ton village ? demande Guillaume.

— Jusqu'à la mort de mon père, j'habitais le village d'Amesokanti[6], sur le bord de la rivière Kennebec. Avec mon grand-père, nous habitons maintenant près du lac Namaskonkik[7].

— C'est bien loin, le lac Nama... quelque chose ?

Mikowa ricane encore. Quand il rit ainsi, ses yeux deviennent deux minces fentes au-dessus de ses pommettes saillantes. Et quand il parle, ses bras et ses mains dansent dans les airs et expriment d'une autre façon les mots qu'il prononce.

— Le pays des Wôbanakiak[8] est grand. Le lac Namaskonkik est la source de la rivière Kikôntegok, que vous nommez la rivière Chaudière.

---

5. Du terme autochtone d'Amérique du Sud, *charqui*, qui signifie viande séchée.

6. Amesokanti est aujourd'hui devenu la municipalité de Farmington Falls, dans l'État du Maine, aux États-Unis.

7. Mégantic (nom issu de ce terme) : lieu où viennent les poissons.

8. Abénaquis, dans la langue de la nation. Le nom signifie « peuple du matin » ou « Indien qui vient de l'Est ».

Guillaume sait qu'on appelle parfois la nation des Abénaquis « la nation des Loups ». Il vient souvent des Indiens de cette nation à Québec, de la mission Saint-François, pour troquer des fourrures contre divers objets et même de l'eau-de-vie, malgré qu'il soit interdit de vendre de l'alcool aux Sauvages. Les Abénaquis sont depuis toujours les alliés des Français, et un grand nombre d'entre eux se sont joints aux soldats de Québec pour combattre l'envahisseur anglais.

Guillaume et Mikowa devisent amicalement. L'Indien lui parle un peu de son enfance à Amesokanti, et des colons anglais qui s'approprient graduellement leurs terres et les repoussent vers le nord. Selon lui, la guerre entre l'Angleterre et la France ne les aide pas, puisqu'ils vivent en bordure des frontières qu'ont établies les colons américains.

Guillaume apprend que son nouveau compagnon vient d'avoir quinze ans. Il parle un peu l'anglais et encore mieux le français, grâce à un père jésuite qui enseignait à l'école de son village. Il est chrétien, mais il préfère vivre selon la tradition de sa nation. C'est pourquoi il ne porte pas son prénom chrétien, qui est Jean. C'est la première fois qu'il se rend jusqu'à Québec. Lorsqu'ils ont découvert Guillaume inanimé sur le bord de la rivière Montmorency, ils étaient sur le chemin du retour vers le lac Namaskonkik. Ils considèrent la fuite des Français comme un acte de couardise. Si les Français ne désirent plus se battre, alors eux non plus.

— Pas notre guerre, déclare Awasos, qui a écouté leur conversation.

Puis, en se levant, le vieil Indien annonce qu'il est temps de repartir. Pendant que le reste des provisions est rangé dans une besace de cuir que porte Kasko, Guillaume réfléchit à ce qu'a dit le vieil Indien à propos des Français. Il ne veut pas croire que l'armée les a définitivement abandonnés à leur sort.

Au-dessus d'eux, de grands corbeaux noirs voltigent d'une branche à l'autre en croassant. Une fade odeur se mélange aux parfums de la résine des conifères et de l'humus qui flottent dans le sous-bois. Plus ils avancent, plus elle se précise et devient putride.

Kasko, qui ouvre la marche, s'arrête brusquement et fouille des yeux les abords du sentier. Comme celles du chien qui flaire son gibier, ses narines frémissent. Il plisse les paupières, vise un bosquet d'aulnes et s'en approche avec vigilance.

Pressentant un danger, Guillaume tâte la poche de son gilet pour prendre son canif. Il ne le trouve pas. L'aurait-il perdu dans la rivière, tout comme son chapeau ? La panique l'envahit et il palpe éperdument ses vêtements : il l'a peut-être mis dans une autre poche ? Ses doigts rencontrent enfin un petit objet dur caché entre le tissu du gilet et la doublure. Soulagé, Guillaume récupère son canif et le tient serré dans sa main, prêt à s'en servir. Kasko soulève le ramage avec le canon de son mousquet qu'il vient d'armer. Un régiment de mouches s'échappe. La puanteur insoutenable fait reculer Guillaume et Mikowa. Awasos dit quelque chose dans sa langue à Kasko. Guillaume, qui n'a rien compris, lance un regard vers Mikowa et lui demande ce qu'il a dit.

— Sans doute un animal mort, lui répond le jeune Indien.

Tout le monde retient son souffle quand Kasko repousse davantage les branches. Ils découvrent une paire de jambes portant de drôles de bas à carreaux rouges et blancs. Un seul pied est encore chaussé. Au-delà des cuisses, qui sont nues, le corps est dissimulé dans l'ombre du feuillage.

— C'est un sans-culotte[9], conclut Kasko.

Guillaume a mal au cœur. Il sent son estomac se retourner.

— *Nha !* Voilà un ennemi de moins, déclare méchamment Mikowa.

Kasko laisse retomber les branches du buisson.

— *Kamoji !* fait-il en formant une moue qui exprime très bien son dégoût. Les corbeaux se chargeront de lui.

— Lui va nourrir Keewakw, réplique Awasos.

Sans plus se soucier du cadavre, ils reprennent la route.

---

9. Les soldats écossais en Amérique du Nord, à cause du kilt qu'ils portaient, avaient hérité du sobriquet « sans-culotte ».

Ils marchent depuis un moment quand Guillaume finit par briser le silence qui les accompagne.

— Qui c'est, Keewakw ? demande-t-il à Mikowa.

— C'est un géant qui habitait les forêts au temps de l'âge ancien du monde. Il mange les hommes qu'il trouve sur son chemin. Mon grand-père dit qu'il hante encore les forêts quand il a faim.

— Tu l'as déjà vu ?

Mikowa secoue la tête pour dire non. Mais devant l'air incrédule de son compagnon, il décide d'ajouter des détails pour le convaincre de l'existence de cet être surnaturel.

— Grand-père l'a déjà vu. Il dit que Keewakw a les dents du loup et les yeux du hibou. Que sa peau est celle du serpent et que ses griffes sont aussi acérées que celles du carcajou. Il s'est battu une fois avec le monstre. Là, tu vois ? fait-il en désignant une cicatrice sur le mollet droit du vieil homme qui marche à quelques pas devant eux. C'est la marque des dents de Keewakw.

La blessure est affreuse à voir et Guillaume imagine la douleur qu'a dû endurer Awasos. Il lance furtivement un œil par-dessus son épaule. Les bois sont encore bien éclairés et tranquilles, mais, au fur et à mesure que progresse la journée, les recoins d'ombre se multiplient. Dans l'esprit de Guillaume apparaît l'image de ce démon qui dirige la chasse-galerie : un être hideux, recouvert de poils et d'écailles, aux crocs aussi longs et pointus que ses griffes et qui dévore l'âme des hommes prêts à la vendre. N'était-il pas prêt à vendre la sienne pour ramener son beau-père, tout à l'heure ? Pendant que son regard apeuré scrute chaque recoin sombre des sous-bois, un courant glacé lui parcourt le dos. Il lui tarde soudain de retrouver la sécurité des champs.

Le soleil décline lentement devant eux. Depuis des heures, le groupe progresse lentement, tantôt entre les arbres touffus, tantôt sur des berges herbeuses ou sablonneuses. Quand ils ont à franchir un ruisseau, Kasko fait grimper Guillaume sur son dos. Le cours de la rivière Saint-Charles, qu'ils longent par bouts, trace un chemin sinueux comme un long serpent d'argent dans ce coin de pays que Guillaume n'a encore jamais exploré.

Ses pieds endoloris le font boitiller. Guillaume n'est pas habitué à de si longues excursions. Chaque pas le fait souffrir et il prend du retard sur les autres. Awasos accepte de s'arrêter quelques minutes. Guillaume s'installe sur un rocher bordant la rivière pour soulager ses pieds blessés dans l'eau glacée. Pendant ce temps, Mikowa et son frère en profitent pour remplir les gourdes et ramasser des faînes et des glands qu'ils grignoteront plus tard.

— Sommes-nous encore loin ? demande Guillaume à Awasos qui prend place sur un autre rocher près de lui.

L'Indien détache la pipe qui pendait à son cou. Il prend le temps de la bourrer de tabac et l'allume.

— Non, plus très loin, le rassure-t-il enfin.

— Tant mieux, parce que mes chaussures me...

— *Sh't!*

Le vieil homme lui ordonne de se taire. De son index, il lui indique la rive opposée. Une biche et son faon s'abreuvent à l'eau de la rivière. Les rires de Mikowa alertent la mère. Deux secondes plus tard, les deux cervidés se sont évanouis dans la nature, laissant Guillaume pantois d'admiration. Il a rarement la chance de contempler une vision si magnifique. Awasos lui sourit.

— Petite récompense de Kchi Niwaskw[10] pour grand courage de Petit Caillou. Grand Ours être fier de toi.

— Pourquoi l'appelez-vous ainsi ?

L'homme lève son regard sombre vers le ciel. Ses paupières se plissent dans la lumière vive du soleil et il laisse languir le garçon quelques secondes avant de commencer son récit. Awasos n'est pas bavard comme son petit-fils, Mikowa. Chaque mot qu'il prononce est pesé.

— Awasos être éclaireur pour lieutenant Giffard. Nous surveiller arrivée des Vestes rouges qui viennent vers fort Duquesne quand Awasos arrive face à face avec ours très en colère. Ours frapper Awasos...

10. Grand Esprit, dieu suprême des Abénaquis.

L'Indien mime l'attaque du grand mammifère avec tant de force que Guillaume en recule sur son rocher.

— Il frappe encore et...

— Mais pourquoi ne pas l'avoir abattu ? demande Guillaume, intrigué par l'inaction de l'Indien face à un tel danger.

Les Abénaquis sont pourtant reconnus pour être de redoutables chasseurs.

— Ours être maître spirituel d'Awasos et Awasos pas tuer totem à lui. Mais lieutenant Giffard arriver et crier très fort et tirer un coup de son mousquet. Pas blesser ours, mais faire peur à lui. Depuis, Awasos baptiser père à toi Grand Ours.

— Monsieur Giffard n'est pas mon père, mais mon beau-père, soulève Guillaume.

Au-dessus de son nez en bec d'aigle, le regard presque indiscernable de l'Indien sonde celui du garçon. Le vieil homme se tient droit et ses gestes sont aussi sûrs qu'à vingt ans. La fierté le nimbe d'une aura qui impose le respect.

— Hum... Alors, qui est père de Petit Caillou ?

— Il s'appelait Michel Renaud.

— Ça, parure d'officier, dit Awasos en désignant le hausse-col suspendu au cou du garçon.

— Oui, c'était à mon père. Comme monsieur Giffard, il était lieutenant dans les Compagnies franches de la Marine. Mais... il est mort il y a deux ans.

Pendant qu'une pâleur soudaine se répand sur le visage d'Awasos, le silence se fait et on n'entend plus que le clapotis de l'eau contre les écueils et le chant flûté d'une grive solitaire. La brise fait bruire les branches des grands chênes derrière eux. L'Indien se détourne et souffle un rond de fumée blanche, qui s'élargit en ondulant doucement autour de sa tête. Il remue sur son siège, l'air inconfortable. À travers la fumée qui se dissipe, il lance un regard en direction de son interlocuteur.

— Awasos connaître aussi lieutenant Renaud.

— Vraiment ? fait Guillaume en soulevant des sourcils étonnés. Vous vous êtes battus aux côtés de mon père ?

— *O'hôô*, affirme l'Indien d'un mouvement de la tête. À la Monongahéla.

Awasos se perd dans ses rêveries. Le fils du lieutenant Renaud ? Qu'en fera-t-il ? Pourquoi kchi Niwaskw lui enfonce-t-il cette épine dans le cœur ? Ses doigts, aussi noueux et tordus que les branches d'un noisetier, caressent le petit réticule qui pend à sa ceinture. La douleur de l'orgueil humilié le brûle comme le dard d'une guêpe. Elle est aussi vive que lors des évènements qui viennent de lui revenir en mémoire : la découverte des lettres de l'espion anglais Robert Stobo sur le corps du général anglais Braddock, tué dans une bataille. Pourtant, la sagesse lui dicte de taire tout cela. Rien ne sert de remuer la boue qui a séché. L'enfant est innocent et il est maintenant le fils de son frère Grand Ours.

Le cri strident d'un martin-pêcheur ranime le vieil homme. Pour chasser ses sombres pensées, il secoue sa longue chevelure aussi blanche que les oies qui volent dans un ciel de printemps. Il ne dévoilera pas au jeune Renaud le secret qu'il détient au sujet de son père naturel. Mais si kchi Niwaskw l'a mis sur sa voie, il doit être temps de lui rendre ce qui lui appartient. En laissant s'envoler les *wôbteguas*[11] qu'il garde prisonniers, il libérera enfin son esprit de la colère et il pourra dès lors commencer à se préparer pour le grand voyage vers le pays des morts.

Awasos dénoue le petit réticule qu'il caressait un instant plus tôt. Il en vide le contenu dans le creux de sa paume, marquée d'autant de sillons qu'une profonde vallée de ruisselets asséchés. Guillaume contemple les trois objets qui y tombent : trois gracieuses oies aux ailes déployées taillées dans de la pierre stéatite[12] polie.

— Padiskôn, fils à moi, faire beaux objets avec bois et pierre.

— C'est votre fils qui a fait ça ?

— *O'hôô*. Lui habile avec mains.

11. Oies sauvages.

12. La pierre stéatite est ce que l'on appelle plus communément la pierre de savon.

— Padiskôn, reprend Guillaume plus doucement, c'est le père de Mikowa et de Kasko ?

La mâchoire du vieil homme est si tendue que Guillaume est certain qu'il va l'entendre craquer. Il tend sa paume vers Guillaume et, d'un geste de la tête, lui fait signe de prendre les oies.

— Pour Petit Wôbtegua.

— Qui est Petit Wôbtegua ? interroge Guillaume en prenant la plus grosse des sculptures pour l'admirer.

Le vieil homme pointe son index sur la poitrine du garçon.

— Petit Wôbtegua est petite oie sauvage qui cherche chemin dans ciel infini. Épouse de lieutenant Renaud est comme mère l'oie qui guide et protège ses petits. Padiskôn fait commerce avec lieutenant Renaud. Lui voulait obtenir *wôbteguas* de pierre. Moi les trouver sur Padiskôn après... mort.

— Je suis désolé, compatit sincèrement Guillaume.

Le vieil homme serre les lèvres et prend une grande respiration. Il dépose sur le rocher de Guillaume les deux oiselets supposés les représenter, Jeanne et lui. Guillaume les prend et recompose la petite famille de volatiles. Son père aimait tant admirer les grands chevrons d'oies blanches dans le ciel au printemps et à l'automne... Guillaume se souvient de ce dernier pique-nique sur le cap Diamant, juste avant que son père ne parte pour le fort Duquesne. C'était au début du mois d'avril 1755. Une époque un peu hâtive pour pique-niquer, mais Jeanne et lui avaient tant insisté qu'il avait cédé. Cela avait été une journée merveilleuse, malgré le froid qui engourdissait leurs doigts. Plusieurs envolées d'oies avaient traversé l'azur au-dessus d'eux, interrompant leur goûter avec leur bruyant cacardement. Michel Renaud avait alors demandé à sa femme et aux enfants de fermer les yeux et de se tenir la main.

— Envolons-nous comme eux, avait-il suggéré comme jeu. Vous sentez vos pieds quitter le sol ?

— Voyons, Papa, vous savez bien qu'on ne peut pas voler, avait répliqué Guillaume en riant.

Son père l'avait regardé le plus sérieusement du monde et lui avait répondu :

— Dans ta tête, tu peux tout faire, mon petit homme. Il suffit de l'imaginer.

— Même m'envoler jusque dans le pays des Anglais avec vous ?

Les doigts de Michel avaient serré très fort ceux de son fils. Il n'avait jamais répondu à cette question, mais Guillaume savait que son père avait compris le chagrin que lui causait son départ. Et ces petites oies sculptées, c'était toute sa famille que son père aurait imaginé conserver près de lui lors des longues campagnes militaires.

— Vous les avez portées sur vous pendant tout ce temps ? s'extasie Guillaume d'une voix empreinte d'émotion.

Awasos frappe si rudement sa pipe contre le rocher pour la vider qu'elle se brise. Il grogne de mécontentement, se lève et donne à Guillaume le réticule qui avait contenu les oies.

— Souvenir de fils à moi. Maintenant souvenir de père à toi.

Les larmes mouillent les yeux de Guillaume.

— Comment dit-on merci dans la langue des Abénaquis ?

— C'est temps de repartir, répond l'Indien sur un ton bourru avant de s'éloigner.

À travers ses larmes, Guillaume regarde le vieil Indien rejoindre ses petits-fils. Il met sur le compte de la douleur ravivée l'attitude brusquement refroidie d'Awasos. Il devrait lui rendre les oies, mais il n'en a pas envie. Après tout, elles avaient été commandées par son père et Awasos les lui a données de son plein gré. Marcel lui a déjà expliqué que retourner un cadeau offert par un Indien équivaut à l'insulter.

Guillaume essuie ses yeux et se prépare à suivre ses compagnons. Pour se rassurer, il se dit qu'Awasos retrouvera certainement sa bonne humeur avant d'arriver au village wendat. Avant de placer son nouveau trésor dans le petit réticule de cuir, il l'admire une dernière fois. « Petit Wôbtegua est petite oie sauvage qui cherche chemin dans ciel infini. » Quelque chose remue dans le cœur de Guillaume. Et s'il faisait de l'oie sauvage son totem à lui ?

V

Commotion en la demeure

Tous les yeux se tournent vers Émeline lorsqu'elle fait son entrée dans la cuisine qui fleure bon la nourriture. Sa mère laisse échapper un cri de soulagement. Le pot de crème qu'elle s'apprêtait à déposer sur la table se fracasse sur le plancher entre ses pieds. Le bruit fait fuir le gros chat noir et blanc qui se prélassait au soleil sur le bord de la fenêtre.

— Pour l'amour de Dieu ! Où étais-tu ?

— Je suis allée faire une promenade avec Guillaume, se risque Émeline en tordant ses mains sous son tablier. Il a pleuré toute la nuit. Sa mère lui manque.

— Le bébé ! se moque Julien, la bouche pleine de crêpes. On est partis hier !

Le regard que lui jette Émeline suffit à le faire taire.

— Où est Guillaume, maintenant ? demande tante Louise.

« Ça passe ou ça casse », se dit Émeline.

— Il a suivi Marcel et Paul Ahonase qui retournaient à Québec. Il a décidé de rentrer chez lui.

— Sans nous avertir ? s'offusque madame Gauthier. Voilà qui est bien impoli et totalement inconsidéré de sa part. Et s'ils rencontraient des soldats anglais sur leur route ? Marcel est un bon garçon, mais de là à lui confier un enfant de onze ans…

— Presque douze ans, rectifie Émeline.

— Tout de même !

L'air sceptique, Julien dévisage sa sœur. Il essuie la coulisse de mélasse sur son menton.

— Il est parti avec Marcel et son Sauvage, tu dis ?

— Son ami le Sauvage s'appelle Paul, lui rappelle sa sœur, agacée.

— Tout le monde le sait, Meline-Melon !

Il l'appelle souvent ainsi pour l'irriter.

— C'est que Marcel et… Paul sont partis très tôt chasser la perdrix. Ton Guillaume t'a joué un mauvais tour ou bien il avait envie que tu lui fiches la paix pour se retrouver entre hommes seulement.

Le sang quitte le visage d'Émeline. Tous les regards convergent maintenant vers elle.

— Marcel a dit… Il devait partir pour la Jeune-Lorette au lever du soleil !

— Papa l'a fait changer d'avis hier soir en lui louangeant le goût des délicieuses perdrix grillées que cuisine tante Louise.

Pierre glousse ; sa mère le semonce. Le silence revient. Monsieur Gauthier, qui n'a rien dit jusqu'ici, se lève. L'inquiétude se lit sur son visage.

— Tu as vu Guillaume partir avec Marcel, Émeline ?

— Euh…

— Émeline ! tonne madame Gauthier, au bord de la panique.

Des exclamations de joie retentissent dans la cour et détournent l'attention des Gauthier. Pierre court à la fenêtre.

— Les voilà ! annonce-t-il. Ils en ont abattu trois ! Je veux les plumes ! Je peux les avoir ?

Tous les occupants de la cuisine se précipitent vers la porte, qui s'ouvre sur deux chasseurs heureux. Marcel et Paul Ahonase entrent dans la maison. Les volatiles pendent mollement à leur ceinture ; ils présentent fièrement le fruit de leur chasse à la maîtresse des lieux, qui leur promet un festin pour le déjeuner.

— Vous ne repartirez pas le ventre vide !

— Guillaume n'est pas avec vous ? remarque madame Gauthier.

— Guillaume ? Eh bien, suppose Marcel en riant, il doit dormir encore, le paresseux ! Pendant qu'on ratisse la brousse en quête de gibier, lui rêve de rôtis bien juteux ! C'est pas honteux !

Un silence d'enterrement remplit la cuisine. Sur le poêle, la bouilloire crache de la vapeur. Tante Louise la retire. Émeline n'entend plus que son cœur qui bat follement d'appréhension. Sachant que tout le monde la regarde, elle n'ose pas lever les yeux.

— Tu vas nous dire où est Guillaume, Émeline, l'oblige péremptoirement son père.

Elle sait qu'elle n'a plus le choix. Elle dira la vérité. La punition sera terrible.

VI

Un prisonnier en jupette

Après plusieurs minutes de marche, un sourd mugissement se fait entendre et provoque une sensation désagréable dans le ventre de Guillaume. Il reconnaît ce bruit : c'est le fracas de l'eau furieuse qui tombe et roule entre les pierres. Il y a une chute en amont. Il souhaite seulement ne pas avoir à traverser la rivière.

Le sol s'élève en pente et cela harasse Guillaume, qui est déjà à bout de forces. Il trouve exaspérant de voir Mikowa et Kasko bondir comme de jeunes cerfs devant lui. Silencieux, Awasos ferme la marche, toujours aussi solide que les rochers qui les entourent.

Les eaux de la rivière écument et tourbillonnent en creusant de larges marmites dans le roc du canyon. Au détour d'un méandre leur apparaissent enfin la chute et le moulin qui se nourrit de son énergie. On dirait que la rivière se précipite dans le ventre ouvert de la terre pour aller s'y briser. « La chute doit bien avoir près de quinze toises de hauteur », estime Guillaume. Il repense au grand sault de la Montmorency. Dire qu'il a été à deux cheveux… Un frisson le secoue.

— Kabir Kouba[1], annonce Mikowa, voici le sault du Grand Serpent.

Guillaume a entendu parler de Kabir Kouba, la rivière aux mille détours, et de sa légende. Les Wendats, dans leur langue, appelle cette rivière Akiawenrahk, ce qui veut dire « truite ». Selon la

1. Nom algonquin de la rivière Saint-Charles.

légende de Kabir Kouba, le Grand Serpent se réveille quand il n'entend plus l'écho des vieilles traditions wendates. Il se transforme alors en petit homme pour combattre la venue de dieux étrangers en ses terres et pour effacer Yuskeha[2] de la mémoire de son peuple.

C'est son grand-père Louis qui lui a raconté cette légende. Louis Renaud la tient d'un ami wendat à qui il achetait parfois des objets utiles fabriqués à la main, tels que des raquettes, des mocassins et de chaudes mitaines en fourrure pour l'hiver. Quand Guillaume lui a demandé si Yuskeha, le dieu des Wendats, était mieux ou pire que celui des Français, son grand-père lui a fait cette remarque :

— Dieu est Dieu, mon petit Guillaume. Seuls son nom et son image changent d'un peuple à l'autre. Mais il ne peut pas y avoir plusieurs Créateurs, sinon il existerait plus d'un monde, n'est-ce pas ?

C'est logique. Ce qui ne l'est pas, par contre, c'est que les hommes se battent entre eux parce que chacun croit que *son* dieu est l'unique et vrai Dieu.

Le groupe s'engage dans un sentier étroit et abrupt qui gravit la falaise. Encore un dernier effort, se dit Guillaume. Il est récompensé, car au sommet s'érige la bourgade. La Jeune-Lorette se présente aux yeux de Guillaume comme une agglomération de cabanes de bois rudimentaires distribuées sur quelques rues que domine le clocher de la chapelle de Notre-Dame-de-Lorette.

La cloche annonce la fin des vêpres. Comme tiré d'une langueur de fin de journée, le village s'anime tout d'un coup. Les Lorettains surgissent de la chapelle et se dispersent aussitôt. Les femmes portent majoritairement la robe de peau frangée et décorée de motifs colorés. Les hommes agencent le gilet et le justaucorps français avec les mitasses indiennes. Médailles de

2. Le dieu créateur de la nation wendate.

métal doré, coquillages, griffes et dents d'animaux, *wampums*[3]... des ornements de toutes sortes pendent à leurs cheveux, à leurs oreilles et à leur cou. Vêtus à l'image des adultes, les enfants les suivent en cancanant comme des canetons.

Un Wendat se détache de la foule et vient vers eux. Deux autres hommes le suivent, dont un jésuite reconnaissable à sa longue robe noire, à son chapeau rond à larges bords et au crucifix d'argent qui sautille sur sa poitrine à chaque pas.

Après avoir ordonné à Guillaume et à Mikowa de patienter là, Awasos et Kasko vont à leur rencontre. Une minute plus tard, on leur fait signe de venir les rejoindre. Le père Girault, qui assiste le père Richer dans la desserte de la mission, invite les visiteurs au festin préparé pour fêter le retour de quelques guerriers.

—Est-ce que Marcel Laliberté est parmi eux ? s'informe Guillaume, impatient de lui parler enfin.

—Non, mon garçon, lui répond le père Girault. Nous n'avons pas revu Marcel depuis son départ pour rejoindre la milice, il y a plusieurs semaines de ça.

Guillaume est déçu et découragé. Et si Marcel avait décidé de rejoindre directement l'armée à la rivière Jacques-Cartier, sans passer par ici ? La foulée traînante, il suit ses hôtes jusqu'à la grand-place où une foule bigarrée s'assemble.

Un groupe de guerriers et de quelques miliciens blancs se sont réunis au centre de la place. Kasko et Awasos sont parmi eux. Légèrement en retrait, les deux jésuites qui dirigent la mission les ont à l'œil. Ils sont « gardiens » de la vertu des Sauvages. Outre la propagation de la foi catholique, ils ont pour tâche de les protéger des trois vices qui les guettent constamment : l'ivrognerie, la superstition et l'impudicité.

Marchant de long en large, Mikowa maugrée d'être laissé en dehors des discussions. Quant à Guillaume, ses pieds le font encore

3. Collier ou ceinture fabriqué à partir de coquillages blanc et violet employés comme monnaie d'échange ou comme objets sacrés validant une entente, une alliance ou tout autre événement important.

souffrir atrocement. Il profite donc de cette pause pour s'asseoir sur un tronc d'arbre et retirer ses chaussures.

Le cercle de guerriers s'anime et le ton se hausse légèrement sur quelque désaccord. Des mots dans la langue des Wendats se glissent dans les palabres en français, mais le jeune garçon en comprend l'essentiel : il est question d'une échauffourée avec un détachement anglais qui a eu lieu tôt ce matin et qui a fait une victime du côté des Wendats.

Guillaume caresse machinalement le réticule qu'il a noué à sa ceinture. Il suit les contours de la grande oie cachée à l'intérieur et pense à sa mère, qui se morfond à Québec en attendant des nouvelles de Charles Giffard. Cela lui rappelle le bébé et les potagers des Sauvages. Cette pensée le rend sensible aux arômes qui s'élèvent de la grande marmite de cuivre rouge et autour de laquelle s'active une jeune femme. La faim crie dans le ventre de Guillaume comme l'écho d'un appel désespéré dans les profondeurs d'un gouffre sans fond.

Pour patienter, il scrute les alentours. Il aperçoit les champs de maïs dont la moisson vient tout juste de débuter, et ceux de blé et de seigle déjà fauchés. Ici, il y a un talus recouvert de grosses courges colorées ; là, un lot de tournesols qui éclatent d'un jaune lumineux comme autant de petits soleils réunis.

— Où sont les plantations de choux ? demande-t-il candidement à Mikowa.

L'Abénaquis fronce les sourcils, l'air de ne pas comprendre la question.

— Mais oui, tu sais, ceux où on fait pousser les bébés, précise Guillaume.

Le jeune Indien éclate de rire.

— Les bébés ne poussent pas dans les potagers, mon ami.

— Ah non ? s'étonne Guillaume. Mais alors…

— Les bébés poussent dans le ventre des femmes, lui confie Mikowa.

Devant l'air ahuri de Guillaume, l'Indien se sent le devoir d'éclairer son jeune ami sur le sujet.

— L'homme va dans le wigwam avec la femme et ils se couchent ensemble sur la natte…

Pendant qu'il écoute attentivement Mikowa lui expliquer comment l'homme sème le bébé dans le ventre de la femme, Guillaume, le visage rouge de gêne, fait toute une série de grimaces et d'expressions comiques qui font rire Marie Okonhsa. Elle approche avec deux écuelles généreusement garnies.

— Ça alors ! s'écrie Guillaume à la fin du surprenant récit. Je n'aurais jamais imaginé que c'était comme ça… Maman fait ça avec Charles Giffard ?

L'idée est choquante. Il essaie de ne plus penser à cette histoire de bébés.

D'un coup de pied, la jeune femme repousse le gros labrador qui lui tourne autour et sert sa portion à un Guillaume encore tout éberlué.

Marie Okonhsa, c'est la fiancée de Marcel Laliberté. Guillaume trouve que le nom lui va bien : Okonhsa veut dire « marguerite » et elle est jolie comme une fleur d'été. Il comprend maintenant l'origine des étincelles dans les yeux de Laliberté quand il parle d'elle. Marie vit seule avec son frère, Vincent Haronhyatekha. Ce nom signifie « il met le ciel en feu » et il lui vient de son oncle, décédé l'année précédente. C'est la tradition, chez les Wendats, de garder les noms vivants. Chacun doit honorer le sien en menant une vie digne de celui qui le lui a transmis.

— Merci… Qu'est-ce que c'est ? interroge Guillaume en esquissant une moue incertaine devant la bouillie grumeleuse à l'aspect peu ragoûtant.

— De la sagamité. C'est de la semoule de maïs lessivé cuite avec de la graisse de castor et de l'esturgeon fumé.

Sans plus de cérémonie, Mikowa plonge les doigts dans son écuelle et commence à manger. Guillaume le regarde faire, puis voyant qu'on ne lui propose pas de cuillère, il s'empresse de l'imiter. Au diable les bonnes manières !

Quoique ce plat manque encore d'assaisonnements, Guillaume le trouve assez savoureux et son estomac est rapidement rassasié.

Trop occupé à essuyer le fond de son écuelle avec sa langue, il ne remarque pas le labrador qui furète près de ses pieds. Il donne un dernier coup de langue et Mikowa émet un gros rot. Guillaume éclate de rire. Chez les Sauvages, c'est la coutume de roter pour montrer qu'on a bien mangé. Les pensées encore troublées par les explications sur l'origine des bébés, Guillaume dépose son écuelle ; le labrador la renifle avec envie. Même si l'explication de Mikowa lui paraît plus vraisemblable, il préfère la version de sa mère.

Apparemment déçu qu'on ne lui ait rien laissé, le chien émet un grognement et s'occupe à autre chose. Guillaume regarde le labrador s'éloigner en trottant.

— Hé ! crie Guillaume quand il voit l'une de ses chaussures dans sa gueule. Rends-moi ma chaussure !

Oubliant momentanément les détails scandaleux du récit de Mikowa, faisant fi de la douleur que lui causent ses nombreuses ampoules, il se met aussitôt à la poursuite du chien. Celui-ci disparaît dans un appentis. Guillaume le talonne de près. Il fait sombre et il doit attendre que sa vue s'ajuste pour trouver le fuyard. Des planches grincent, des outils tombent au sol dans un tintamarre assourdi. Guillaume se précipite dans cette direction : personne. Le labrador s'est volatilisé.

— Torrieu de face de rat !

Le silence retombe. Guillaume regarde autour de lui. Des quantités d'armatures de bois de frêne et de lanières de babiche sont suspendues aux poutres. Aux murs sont accrochées des raquettes achevées. Guillaume possède une paire de ces instruments qui permettent de marcher sur la neige sans s'y enfoncer. Il s'en sert pour faire le tour de ses collets à lièvre dans les bois de Sillery.

Aux aguets, il avance lentement dans l'atelier. Le voleur doit bien se cacher quelque part… Un halètement l'avertit d'une présence derrière une porte basse.

— Je te tiens, petit chenapan ! gronde Guillaume en ouvrant la porte du réduit. Tu vas me rendre ma chaussure, sinon je…

Le reste de sa menace meurt sur ses lèvres devant ce qu'il découvre : un homme est étendu sur le sol et le dévisage d'un air hagard. Il s'est redressé à demi et grogne comme un vieil ours de mauvaise humeur. Il a dû être réveillé par cette intrusion subite sous son toit. Guillaume s'excuse ; il est sur le point de se retirer quand il remarque les bas qui gainent les mollets de l'homme. Ils sont à carreaux rouge et blanc, comme ceux que portait le cadavre trouvé sur le bord de la rivière. Comme le mort, l'homme devant lui ne porte pas non plus de culotte, mais une espèce de petite jupe si courte qu'elle en est indécente. Un Écossais : un Anglais ! L'ennemi ! Il est de ceux qui ont capturé son beau-père. Une bouffée de haine gonfle la poitrine de Guillaume.

L'homme en jupette bouge un peu.

—*Dinna be scared, lad*[4], murmure-t-il d'une voix enrouée.

Il avale sa salive, s'étouffe et s'éclaircit la gorge avant de reprendre d'une voix plus claire :

— *Willna harm ye. See, canna move wi'out hurting meself*[5].

Guillaume reconnaît ce rustique accent grasseyant. Pressentant le danger, il recule sans quitter l'homme des yeux, trébuche sur un tas de cordes et tombe les fesses dans un large seau de bois rempli d'un liquide nauséabond. La saumure se répand tout autour et remplit sa culotte.

—*Ye hurt, lad ?* Tu es blessé ?

—Heu ? gémit Guillaume.

Il serre les dents sur mille jurons et des larmes lui montent aux yeux. Malgré l'affreux parfum qui lui soulève le cœur, paralysé par la peur, il ne bouge pas. L'homme cherche à se lever, mais n'y parvient pas. Il s'étrangle, tousse et se recouche sur le sol. C'est alors que Guillaume remarque les solides lanières de cuir qui retiennent ses poignets et ses chevilles à des pieux enfoncés dans le sol. Une autre lanière enserre son cou de telle sorte que tout mouvement pour se redresser provoque la strangulation.

4. N'aie pas peur, garçon (en scots, un dialecte écossais).

5. Je ne te ferai pas de mal. Vois, je ne peux pas bouger sans me blesser moi-même.

Constatant qu'il ne risque rien, Guillaume se relève doucement de sa posture humiliante.

L'Écossais le fixe avec curiosité. Guillaume est presque certain de le voir sourire, ce qui le mortifie davantage.

— Vous êtes blessé ? répète le prisonnier, sur un ton où perce l'empathie.

— Non…

— Je suis désolé, je ne voulais pas vous faire peur, continue le prisonnier.

— Je n'ai pas eu peur, bégaie Guillaume en redressant les épaules.

— Quel est votre nom ?

— Je ne donne pas mon nom aux étrangers.

— Moi, je m'appelle Simon Fraser, dit l'Écossais. Je suis capitaine d'une compagnie du 78e régiment des Fraser Highlanders. Mes hommes et moi avons été pris dans une embuscade tendue par les Sauvages pendant une tournée de reconnaissance le long de la rivière Saint-Charles. Un de mes soldats a été tué et j'ai été fait prisonnier. Ce… fâcheux incident, je l'espère, aura permis au reste de mes hommes de s'enfuir. Maintenant que vous connaissez mon identité et que vous savez ce que je fais ici, vous ne pouvez plus me considérer comme un étranger, n'est-ce pas ?

Guillaume hésite encore pendant que leur parvient le tintamarre de la fête qui se déroule dehors. Il est surpris par l'excellent français de l'Écossais. Quelques secondes s'écoulent encore et il décline finalement son identité. L'Écossais le dévisage longuement avant de parler de nouveau.

— J'ai un fils qui a à peu près votre âge, raconte-t-il tristement. Il s'appelle William, comme vous. Vous savez que William est la version anglaise de Guillaume ?

— Je ne savais pas, avoue Guillaume.

— Il vit en Écosse avec sa mère et ses deux frères. Ils doivent avoir beaucoup grandi depuis la dernière fois que je les ai vus. Il y a bien longtemps…

La voix de l'Écossais révèle l'affliction que lui cause l'éloignement de sa famille, ce qui provoque chez Guillaume une onde de sympathie qu'il refoule aussitôt. Il ne doit pas oublier que cet homme est l'ennemi. Qui plus est, un soldat du régiment qui a pourchassé et fait prisonnier son beau-père.

—Alors, continue Fraser en feignant ne pas avoir vu la lueur d'hostilité traverser les yeux bleus du garçon, qu'ont-ils décidé ?

—Décidé ? À quel propos ?

—De ce qu'ils feront de moi. Je sais que les Sauvages sont à discuter de mon sort.

Guillaume ouvre la bouche pour répondre qu'il n'en sait rien quand la porte de l'atelier s'ouvre à toute volée.

—Hé ! Toi ! Que fabriques-tu là ? Tu n'as rien à faire ici, tonne une voix dans l'appentis.

D'autres voix résonnent. Guillaume se retourne pour rencontrer une paire d'yeux noirs à l'air féroce. Avant qu'il n'ait le temps de prononcer une seule syllabe, une solide poigne l'entraîne dehors. Il se retrouve entouré de dizaines d'hommes qui le dévisagent. Leurs visages sont pour la plupart matachés de vermillon et de noir. On le bouscule. On parle fort. Un jésuite intervient et tente de calmer le groupe de guerriers survoltés. C'est le père Richer. Le vieil homme est maigre et courbé comme un vieux pin rabougri qui a subi mille et une tempêtes, mais sa voix porte et bientôt les Wendats se calment.

—Arrêtez tout de suite. Vous oubliez que vous êtes chrétiens ! les sermonne-t-il avec force.

Un guerrier de haute taille se fraie un chemin parmi les hommes et plante sa corpulence presque menaçante devant le jésuite, qui n'hésite pas à déplier sa frêle carcasse pour l'affronter. Le Blanc ne s'en laisse pas imposer.

—Que veux-tu, Jean Teharihulen ?

—Le conseil de guerre vient de statuer que le prisonnier doit mourir et les robes noires n'ont rien à redire sur ses décisions.

Les yeux de Guillaume se remplissent d'horreur.

— Aucun acte de barbarie ne sera commis sur le territoire de cette mission érigée à la gloire de notre bon Dieu créateur, Teharihulen, proclame avec autorité le jésuite.

— Le pays ne s'arrête pas aux frontières de cette mission, mon père, fait le Wendat avec un brin d'ironie.

À ce moment, deux hommes font irruption hors de l'appentis en traînant le prisonnier.

— Ce chien a tué mon frère, fait Teharihulen en pointant l'Écossais du doigt. Comme le veut la coutume, il doit payer de sa vie pour ce qu'il a fait.

— Coutume païenne, décrète le père Richer. Rien ne sera fait à cet homme, sinon qu'il sera tenu captif jusqu'à ce que son sort soit arrêté de façon plus chrétienne. Teharihulen, tu es un chef de guerre que je respecte. Mais ta colère t'aveugle et te détourne de ta foi. La vie du prisonnier n'appartient qu'à Dieu et lui seul décidera.

Les hommes recommencent à disputer le sort de l'ennemi et les pourparlers s'enveniment. Troublé, Guillaume veut s'éloigner de cette bande en colère et visiblement assoiffée de sang. Il se demande si le soldat écossais sera l'ingrédient de choix de la sagamité de demain. Il ne doute pas de ce qui attend l'homme s'il est condamné au poteau de torture. Pour rien au monde il ne veut assister à une telle horreur, que l'Écossais soit ou non celui qui a capturé Giffard. Avant de s'éloigner, il croise le regard du Highlander dont on semble avoir oublié la présence. L'homme le dévisage une dernière fois avant de baisser les paupières. Guillaume ne peut s'empêcher de penser qu'il a trois fils, dont l'un s'appelle William.

— Mais où étais-tu passé ?... Pouah ! fait la voix de Mikowa dans l'oreille de Guillaume. C'est toi qui pues comme ça ?

Marie Okonhsa, Awasos et Kasko sont derrière lui. Le vieil Indien traîne encore un air maussade depuis leur conversation sur le bord de la rivière.

— Je me suis fait voler une chaussure, se plaint Guillaume.

Il explique qu'il poursuivait le chien, qui s'est enfui avec son bien.

Tous les regards se penchent sur les pieds de Guillaume. Embarrassé, il recroqueville le gros orteil qui perce son bas tout crasseux.

—Nous reposer ici jusqu'au prochain lever de soleil, annonce simplement Awasos dans un grognement agacé. Demain nous retourner à Kebek avec Petit Wôbtegua.

—Comment? Pourquoi? Vous aviez dit que vous m'aideriez! s'indigne Guillaume.

—Laliberté pas être venu.

Guillaume est désespéré. Il voit sa chance lui filer entre les doigts comme une poignée de sable.

—Mais vous m'aviez dit... nous pourrions l'attendre un jour de plus? Il a peut-être pris un autre chemin. Il peut avoir été retardé. Et votre dette envers Grand Ours? lui rappelle vivement Guillaume.

Le vieil homme grimace.

—Awasos promis aider trouver Laliberté. Pas délivrer capitaine Giffard. Trop vieux pour ça.

Kasko adresse quelques mots en abénaquis à son grand-père. Ce dernier lance une réplique qui rend Kasko muet de stupeur. Il dévisage Guillaume d'une drôle de manière. Guillaume pourrait presque jurer avoir décelé une lueur de peur dans les yeux sombres de Kasko, ce qui est tout à fait ridicule: le guerrier fait deux fois sa taille et est armé jusqu'aux dents. Quant à Mikowa, il détourne les yeux et ne dit rien.

Mais qu'a bien pu dire Awasos à ses petits-fils?

Les lueurs du feu peignent d'une douce lumière d'ambre l'intérieur de la maison de Marie Okonhsa, où Mikowa et Guillaume ont été invités à passer la nuit. La Wendate, son frère et Brébeuf[6], le vilain

6. En référence au jésuite missionnaire, Jean de Brébeuf, qui évangélisa les nations wendates.

labrador, dorment dans le seul lit de la maison, tandis que Guillaume et Mikowa occupent des nattes déroulées près du poêle. « Brébeuf... Drôle de nom pour un chien dans une mission jésuite ! » a fait observer Guillaume. En riant, Vincent a répondu que devant les jésuites, le chien s'appelle simplement Chien. Ils l'ont secrètement nommé Brébeuf à cause de son pelage noir comme les robes des jésuites.

Le bruit de crécelle du chant des grillons rappelle celui qu'ont fait toute la soirée les *chichigouanes*. Ces instruments de musique sont composés de petits cailloux ou de pois secs placés à l'intérieur de cornes de bœuf ou de carapaces de tortue. Lorsqu'on les secoue, ils donnent le rythme aux danses et aux chants des Sauvages. Après qu'Anastase, le grand chef des Wendats, a dispersé le turbulent rassemblement et qu'il s'est assuré que le prisonnier avait été enfermé sous bonne garde, la fête a repris son cours et les tambours se sont mis à résonner haut et fort au-dessus de la Kabir Kouba pendant qu'Anastase haranguait ses guerriers sur le devoir des chrétiens.

Le prisonnier sera finalement remis aux chefs français, même si Jean Teharihulen s'est opposé avec vigueur à cette décision. Le guerrier, chef de guerre du clan de la Tortue, si grand et si terrible soit-il, n'a pas réussi à faire retourner la décision en sa faveur. Demain, le prisonnier partira avec un contingent de guerriers wendats pour la rivière Jacques-Cartier. Le reste des hommes du village préparera la saison de trappe, qui durera tout l'automne. Guillaume a vu de la malveillance dans le regard noir de Teharihulen avant que ce dernier ne se retire avec six de ses guerriers. Il sent que l'Indien tentera d'assouvir son désir de vengeance en dépit de ce qui a été décidé.

Guillaume est profondément troublé. La conversation qu'il a eue avec le prisonnier lui revient sans cesse. Le capitaine Fraser est leur ennemi, certes. Mais il est aussi un père et un mari aimant. Guillaume n'avait jamais considéré l'ennemi de ce point de vue. Il comprend du même coup que pour les fils du capitaine Fraser, Charles Giffard représente aussi l'ennemi. Vue sous ce nouvel angle, la guerre lui semble maintenant une chose stupide. Des pères qui s'entretuent…

Autre chose tourmente aussi l'esprit de Guillaume : est-ce que Fraser sait ce qui est arrivé à son beau-père ? Il doit savoir où Giffard est tenu captif. Sinon, il voudrait au moins connaître le nom des navires sur lesquels les Anglais gardent leurs prisonniers. Si seulement Marcel était là… Il pourrait interroger l'Écossais.

Guillaume s'agite, se tourne et se retourne sur sa natte. Il resserre sa couverture sous son menton. Sur l'autre natte, Mikowa dort paisiblement. Le cri d'un oiseau nocturne ponctue le mugissement constant de la chute. Le sommeil ne vient pas à Guillaume.

La lune déverse ses flots de lumière sur le village wendat endormi. Furtive, une ombre le traverse en longeant les murs des cabanes. L'absence de clôtures facilite la circulation entre les habitations. Dans la culture des Wendats, la vie privée ne se distingue pas de manière aussi marquée de la vie publique que chez les Européens. Il n'existe donc pas de cours intérieures et la porte d'une maison s'oriente sur l'arrière de celle qui lui fait face.

Le ciel nocturne est un champ d'étoiles qui scintillent comme des lucioles. L'ombre glisse vers l'habitation de Joseph Sondakwa, l'artisan qui fabrique les raquettes. Elle frôle les murs de l'appentis. Enroulé dans une couverture, le gardien installé devant la porte s'est endormi. Son ronflement couvre le léger grincement des gonds. Les mocassins foulent le sol sans faire de bruit. Une obscurité opaque remplit l'atelier ; l'ombre s'y fond comme une goutte de goudron dans la poix.

La clarté de la lune entre dans le réduit par une petite fenêtre. On y voit suffisamment clair pour distinguer le corps étendu sur le sol froid. La respiration de l'Écossais est perceptible par le petit nuage de vapeur qui se forme dans le ruban de lumière bleue. L'ombre hésite : si le prisonnier se réveille en sursaut, il peut crier et alerter tout le village.

« Rouuu rou-rou. Rouuu rou-rou », fait une tourterelle quelque part sur les poutres. L'oiseau bat des ailes ; la respiration du prisonnier s'arrête. Les secondes qui suivent prennent une éternité à s'écouler. Simon Fraser remue. Il sent une présence près de lui et son pouls se met à battre plus rapidement. Il sait que Teharihulen veut sa mort pour apaiser l'esprit de son frère. C'est la coutume chez les Sauvages de verser le sang pour le sang. Curieux, ses yeux fouillent l'obscurité. Il cherche l'éclat d'une lame, l'étincelle d'un regard vengeur. Ses liens lui entaillent les poignets et se resserrent autour de son cou. Si son sort était de mourir au cours de cette guerre, il aurait préféré que cela soit sur le champ d'honneur. Il aurait tant voulu pouvoir écrire une dernière lettre à sa femme…

L'ombre s'approche. Elle dégage une odeur désagréable que Fraser croit reconnaître.

— Guillaume ? chuchote-t-il.

La réponse tarde.

— C'est moi, monsieur.

— *A Thighearna mhór, Uilleam, tha e thu a bhalaich*[7] *!* lâche l'Écossais dans un souffle.

Guillaume se penche sur le prisonnier. Il n'a rien compris de ce qu'il vient de marmonner. Délire-t-il ? Sans doute le froid lui a-t-il engourdi le cerveau.

— Vous allez bien, monsieur ?

— Oui… oui, ça va. Je croyais seulement… ça va, le rassure Fraser.

La tension dans les bras du prisonnier se relâche. Guillaume s'assoit au sol près de lui.

— Pourquoi êtes-vous revenu ? Que voulez-vous de moi, mon garçon ?

— Je veux vous poser une ou deux questions sur mon beau-père.

— Votre beau-père ? répète l'Écossais.

— Il a été fait prisonnier par votre régiment après la bataille sur les hauteurs d'Abraham.

— Abraham… la plaine ? Oui, il y a eu plusieurs prisonniers. Mais je crains de ne pas pouvoir vous aider.

---

7. Grand Dieu, Guillaume, c'est toi mon garçon ! (en gaélique).

— Il s'agit du capitaine Charles Giffard des Compagnies franches de la Marine.

— Giffard, dit Fraser comme pour se remémorer les noms des officiers qui ont été capturés en ce jour glorieux pour l'Angleterre.

Mais le nom n'évoque rien pour lui.

— Je suis désolé, mon garçon, mais je ne peux vraiment pas vous aider.

Déçu, Guillaume serre les lèvres.

— Dites-moi, est-ce que le gardien sait que vous êtes ici ? lui demande Fraser.

— Non, dit Guillaume plus sèchement. Il dormait quand je suis entré.

L'Écossais perçoit la colère et le désespoir dans la voix du jeune Canadien français. Il aurait bien aimé lui être utile, mais il ne sait vraiment rien de ce Giffard.

— Qu'espériez-vous de moi ? l'interroge-t-il après un moment de réflexion.

— Que vous me disiez où mon beau-père est gardé prisonnier.

Fraser se tortille comme un ver épinglé sur une planchette d'étude biologique.

— S'il est vraiment prisonnier de l'armée britannique, il est sur l'un des navires de la flotte anglaise et je ne vois pas comment vous arriveriez à l'en délivrer tout seul. Les navires sont très bien surveillés.

Guillaume se garde bien de lui dévoiler que son plan inclut Marcel Laliberté et Paul Ahonase, deux solides guerriers qui connaissent plus de ruses que les renards eux-mêmes.

— Où avez-vous appris à parler français ? s'informe Guillaume, intrigué par la diction presque parfaite de l'Écossais.

— Mon épouse est française.

Les yeux de Guillaume s'arrondissent de surprise. Le prisonnier cesse de se tortiller et son soupir d'exaspération s'échappe dans un nuage de vapeur.

— Vous voulez bien me gratter le dos, mon ami ? J'ai l'impression que des dizaines de bestioles me dévorent tout cru.

Guillaume n'ose pas toucher le prisonnier, qui est avant tout son ennemi. Mais devant les efforts infructueux que déploie le pauvre homme, il finit par accepter de lui venir en aide et il lui gratte le dos. Une fois soulagé, un sourire chargé d'ironie se dessine sur le visage de Fraser.

— Vous vous demandez peut-être pourquoi je combats la France sous le drapeau de l'Angleterre alors que ma femme est française ?

— En effet, monsieur.

— Ah ! La raison établit les règles et le cœur les défait. Vous ne me croirez peut-être pas, mais comme beaucoup de mes compatriotes qui se sont engagés dans cette armée, je le fais pour sauver ce qui reste d'honneur à mon peuple. Vous devez d'abord comprendre que l'Angleterre et l'Écosse ne se sont pas toujours bien entendues. Il y a treize ans a eu lieu un grand soulèvement dans mon pays. Il y avait d'un côté la couronne d'Angleterre et, de l'autre, les rebelles jacobites[8]. Mon père s'est rangé du côté des rebelles. Ils voulaient remettre sur le trône d'Écosse et d'Angleterre un roi catholique, ce que refusaient les Anglais, qui sont de foi anglicane. Mon père est mort sur le champ de bataille de Culloden[9], où les Anglais ont écrasé les rebelles. Mon frère cadet, ma mère et moi avons dû fuir en France afin de ne pas être faits prisonniers. J'y ai vécu pendant dix ans et je m'y suis marié. Mais l'argent est venu à manquer et il devenait difficile de subvenir convenablement aux besoins de ma femme et de mes enfants. Toutes nos possessions en Écosse avaient été confisquées par la Couronne et nous avions

8. Partisans de la dynastie des Stuart, famille royale catholique déchue après la révolution de 1688 en Angleterre.

9. La bataille de Culloden a eu lieu le 16 avril 1746. Elle opposait l'armée des clans écossais jacobites, partisans de la dynastie des Stuart, à celle du roi d'Angleterre et d'Écosse, George II, issu de la lignée royale de Hanovre. Les jacobites avaient pour mission de replacer sur le trône Charles Édouard Stuart, fils de Jacques VII, roi catholique déchu et exilé en France après avoir été écarté de son trône par les protestants en 1688. L'écrasante défaite des rebelles jacobites a sonné le glas du système clanique des Highlands.

vendu et dépensé presque tout ce que nous avions pu emporter avec nous dans notre exil. La seule option qui se présentait à moi pour recouvrer l'héritage de ma famille et nous assurer un avenir était de demander pardon au roi et de promettre fidélité à la couronne d'Angleterre. Mon épouse et mes enfants vivent maintenant en Écosse, dans le domaine familial des Fraser d'Inverallochy.

Guillaume grelotte. Il trouve déroutante cette conversation dans sa langue avec un Écossais marié à une Française, mais rangé du côté de l'ennemi. Il ne comprend pas le raisonnement des adultes. Ils sont parfois si compliqués.

—Vous devez trouver humiliant d'être obligé de vous battre pour le roi d'Angleterre alors que son armée a condamné votre famille à l'exil. Pourquoi le faites-vous ? Vous ne pourriez pas faire autre chose, comme… je ne sais pas. Il existe bien d'autres métiers que celui de soldat.

—La seule façon pour moi d'obtenir le pardon du roi était de le servir dans son armée.

L'Écossais recommence à gigoter comme un appât au bout d'un hameçon.

—Moi, je n'accepterai jamais de me plier aux ordres du roi d'Angleterre, déclare Guillaume, d'un ton catégorique.

L'homme cesse de bouger, le temps de lui répondre.

—Il arrivera peut-être un jour où vous aurez à le faire, Guillaume. Et si cela doit se faire, n'oubliez jamais que c'est en sauvegardant les traditions de votre peuple que vous conserverez votre honneur. Servir un roi ou un autre, au fond… l'important est le respect des traditions qui font l'identité d'un peuple. Ça, ne laissez jamais aucun roi vous les arracher. Vous voyez, depuis la défaite des clans des Highlands, nous n'avons plus le droit de porter l'habit de nos ancêtres et on n'enseigne plus notre langue dans nos écoles.

—Vous parlez de cette jupe ?

—Ce n'est pas une jupe, mais un kilt. Et seuls les hommes ont le droit de le porter. En gaélique, qui est ma langue natale, on dit le *féile-beag*.

Un froncement de sourcils souligne l'incompréhension de Guillaume.

— Pourquoi portez-vous le kilt si on vous l'interdit ?

— Parce que c'est l'uniforme du régiment. Ces Anglais sont plutôt fin finauds, tu vois. Ils ont décidé de permettre le port des habits ancestraux à mes compatriotes afin de les attirer dans les régiments du roi anglais. Les Highlanders sont depuis toujours d'intrépides guerriers. C'est une ruse sournoise, je l'accorde, et je ne peux m'empêcher de ressentir malgré tout une certaine honte en endossant chaque jour mon uniforme. Préserver les traditions de mon peuple ne devrait pas être un privilège complaisamment reçu, mais un devoir accompli avec fierté. Comme ça doit l'être pour vous.

— Moi, jamais je n'abjurerai ma foi et jamais je ne parlerai l'anglais !

— Apprendre une langue nouvelle n'efface pas de la mémoire celle de notre mère et de notre père. Quant à la foi, je n'ai jamais abjuré la mienne. Je suis toujours catholique.

— Vous ?

— Cela vous surprend ? Il y a beaucoup de catholiques parmi les Écossais, comme parmi les Irlandais, fait remarquer Fraser en frottant vigoureusement son dos contre le sol. Mon ami, pouvez-vous libérer l'une de mes mains afin que je puisse me gratter comme ça me plaît ?

Sans réfléchir, Guillaume sort son canif. Il interrompt son geste juste au moment d'entamer la lanière de cuir.

— Je ne peux pas faire ça, monsieur.

Fraser soupire. Le garçon est plus futé qu'il ne l'avait cru. Il devra employer une autre tactique.

— Écoutez, *a bhalaich*[10]. À cette heure, il y a fort à parier que ma peau ne vaut guère plus que celle de l'orignal qui a servi à fabriquer vos mocassins. Je souffre déjà de penser que demain, inévitablement, ce diable de Teharihulen la découpera pour en faire six paires de raquettes. Délivrez-moi au moins de cette

10. Mon garçon.

torture si insignifiante pour vous mais qui m'empêche de porter mes dernières pensées vers ceux que je ne reverrai plus.

Le regard de Guillaume s'abaisse sur les chaussures souples que lui a données la gentille Marie Okonhsa et il se questionne sur la provenance du cuir qui a servi à les fabriquer.

— Je ne peux pas faire ça, répète Guillaume, inflexible.

Il se met à genoux, annonçant son départ.

— Pour l'amour du Christ ! implore le prisonnier. Laisseriez-vous un chien ainsi ?

L'homme souffle très fort et la vapeur sort de sa bouche et de ses narines comme s'il était un taureau enragé. Pendant un moment, Guillaume se demande si Simon Fraser serait capable de pitié dans la situation inverse. Quoi qu'il en soit, il se dit qu'il n'y a rien de mal à laisser le prisonnier soulager ses démangeaisons. Ses autres liens sont solides. Il fait glisser sa lame sous le cuir et commence à l'entailler. Son poignet enfin libéré, Fraser se gratte furieusement en poussant des soupirs de soulagement.

— Merci, Guillaume Renaud… c'est bien votre nom, n'est-ce pas ?

— Oui, monsieur.

Maintenant tranquille, l'homme hoche la tête. Ses démangeaisons ont miraculeusement cessé. C'est la fin de l'entretien et Guillaume se lève. La main du prisonnier attrape la sienne et la retient.

— Que Dieu bénisse et préserve les âmes comme la vôtre. Votre mansuétude sera certainement récompensée. Vous savez, mon père me disait toujours : mon fils, bons ou mauvais, les gens ne croisent jamais notre route par hasard. C'est le destin qui les a placés sur notre chemin dans un but bien précis. À nous d'en tirer le meilleur parti et Dieu s'occupera du reste.

Devant l'air perplexe du garçon, Fraser ajoute :

— Vous comprendrez un jour. *Oidhche mhath, a bhalaich.* Bonne nuit.

Voir cet homme étendu là, sur la terre froide, comme un gibier en attente d'être dépecé, remplit Guillaume de malaise. Mais que peut-il faire de plus pour lui que ce qu'il a déjà fait ? C'est un prisonnier de guerre et son sort ne le concerne pas.

— Bonne nuit, monsieur, se dépêche de dire Guillaume avant de filer.

Guillaume s'en retourne comme il est venu : sans que personne le voie. Subrepticement, il se glisse dans la maison de Marie et s'étend sur sa natte. Brébeuf lève le museau et émet un grognement sourd avant de retourner à ses songes. Réfugié sous sa couverture, Guillaume grelotte de froid. La natte de son voisin craque. Le regard sondeur de Mikowa brille dans la lueur d'or du feu.

— Où étais-tu parti ? demande le jeune Indien, l'air suspicieux.

— J'avais juste… besoin d'aller faire pipi, ment Guillaume en priant que l'interrogatoire se termine là.

Sa prière est exaucée ; sans ajouter un mot, Mikowa détourne son visage vers le plafond. Après la mystérieuse déclaration d'Awasos, le comportement de Mikowa envers lui s'est refroidi, tout comme celui de Kasko. À plusieurs reprises, il a surpris ce même regard en train de l'étudier. Guillaume est attristé par l'éloignement de celui qu'il considérait comme un nouvel ami. D'autant plus qu'en ce moment, si loin des siens, si désespéré, il aurait plutôt besoin de se sentir réconforté.

— Pourquoi ne me parles-tu plus, Mikowa ?

— Je te parle encore, murmure le jeune Indien. Est-ce que je ne viens pas justement de te parler ?

— Tu sais ce que je veux dire. C'est à cause de ce que t'a dit ton grand-père ?

— Mon grand-père m'a dit que ton père était le lieutenant Renaud, l'homme des *wôbteguas*.

— C'est exact. Awasos m'a dit que nos pères ont combattu ensemble contre les Anglais à la bataille de la rivière Monongahéla.

Mikowa ne dit rien pendant un moment.

— Oui. Mon père était un brave guerrier. Il est mort assassiné après avoir raconté à qui voulait l'entendre qu'il savait qui avait fait passer des informations à l'ennemi au fort Duquesne. Mais il n'a jamais eu la chance de le prouver. Il a été trouvé mort, tué d'une balle au cœur. Mon grand-père a dit que c'est ton père qui a été accusé de la trahison. Or qui d'autre que ton père aurait eu intérêt à ce que mon père ne parle pas ? C'est lui qui était chargé de surveiller l'espion anglais au fort. Il le voyait tous les jours et entrait même dans sa cellule pour discuter avec lui. Personne ne fouillait ton père quand il quittait le prisonnier. Il pouvait très bien avoir sur lui les plans qu'on lui a reproché d'avoir fait passer à l'ennemi, non ?

Guillaume digère lentement l'allégation de Mikowa, qui prend le goût acide d'une condamnation.

— C'est ce qu'a dit Awasos ? Awasos ne sait pas que mon père a été acquitté de son accusation ? Awasos ne sait pas que c'est Damien Saint-Amant, un soldat sous les ordres de mon père, qui a finalement été accusé d'avoir comploté avec Robert Stobo, l'espion anglais ?

— Le soldat Saint-Amant était l'ami de mon père, certifie Mikowa, irrité.

— Saint-Amant a avoué sous serment être le vrai coupable. Il a été pendu, Mikowa, annonce Guillaume. Je l'ai vu expier son crime.

Partagé dans ses sentiments, le jeune Indien tourne les yeux vers Guillaume et le regarde longuement.

— Tu dis la vérité, murmure Mikowa, je le vois dans tes yeux. Les yeux parlent avec les mots du cœur. Je te crois…

Sa voix se brise sous le coup de l'émotion, mais Mikowa arrive à se contrôler. Il se couche sur le dos et ferme les yeux.

— Alors c'est lui qui a tué mon père, conclut-il. J'aurais aimé le voir mourir au bout de sa corde.

Guillaume n'a pourtant ressenti aucun plaisir à voir mourir Saint-Amant, ce fieffé traître, si ce n'est la satisfaction de savoir l'honneur de son père rétabli. Pour le reste, rien ne peut ramener son père dans le monde des vivants. À son tour, il ferme les yeux.

Aux mugissements de la chute Kabir Kouba se mêlent ceux du vent qui se lève. Un volet mal arrimé à l'une des fenêtres se met à claquer, et de la cheminée proviennent de longs et lugubres gémissements. Mikowa se remet à parler.

—Mon grand-père sait comment aider ton beau-père. Il a négocié avec le chef Anastase. Ils échangeront le prisonnier contre le capitaine Giffard. Par malice, je ne voulais pas te le dire. Pardonne-moi, Guillaume.

Guillaume ne répond pas. Le coup d'émotion lui a coupé la parole. Fraser contre Giffard. Un capitaine anglais contre un capitaine français. Quelle merveilleuse idée! Alors que dehors le vent hurle comme un loup sous la lune, un bonheur indescriptible l'inonde.

VII

Quand le diable s'en mêle !

« Flic ! Flac ! Flic ! Flac ! »

Guillaume décolle une paupière pour la refermer aussitôt devant la grosse langue rose qui revient à la charge.

— Brébeuf, arrête, c'est dégoûtant ! grommelle-t-il sourdement.

Guillaume enfouit sa tête sous sa couverture pour décourager le chien. L'animal renifle ses mains, les lèche, puis il s'éloigne en faisant entendre le clic-clac de ses griffes sur le plancher de bois. Guillaume risque le nez hors de son abri ; le labrador s'est couché devant la porte, attendant visiblement que quelqu'un l'ouvre pour le laisser aller faire ses besoins dehors.

Tout le monde dort encore dans la maison. Guillaume a envie de faire de même, mais l'excitation causée par ce que lui a annoncé Mikowa avant de s'endormir lui chatouille de nouveau le ventre et l'empêche de refermer les yeux. Brébeuf l'observe et patiente en battant de la queue contre la porte, l'air de dire : « Tu te décides à venir m'ouvrir ou pas ? »

Guillaume repousse donc sa couverture. Il fait très froid : le feu s'est éteint dans le petit poêle de fonte qui sert autant à chauffer qu'à cuisiner. Péniblement, il se lève. Ses muscles sont endoloris de la longue marche de la veille et ses ecchymoses lui font encore plus mal. Il va ouvrir à Brébeuf avec une démarche de pantin de bois ; le chien se précipite aussitôt dans l'aube brumeuse.

Un frisson secoue Guillaume. L'air glacé s'enroule autour de lui et mord la peau nue de ses fesses. Ses jambes, heureusement, sont couvertes de bonnes mitasses qui le tiennent au chaud. Marie l'a prié de retirer sa culotte qui empestait la maison et lui a offert ces drôles de guêtres de peau d'orignal qui couvrent les jambes des chevilles jusqu'aux cuisses. Même s'il trouve curieux de se promener les fesses à l'air sous sa chemise, il reconnaît le côté pratique des mitasses.

Il se réjouit de porter ce vêtement de coureur des bois. Il se dit que les Écossais devraient porter des mitasses sous leur kilt. Cette réflexion, bien sûr, le ramène à Simon Fraser. Il doit être à moitié gelé, les jambes ainsi nues. S'il n'est pas mort de froid, il doit l'être de peur. Le grand chef Anastase rassurera-t-il le prisonnier sur ce qu'on prévoit faire de lui ? À l'heure qu'il est, ils sont peut-être déjà en route pour le campement français de la rivière Jacques-Cartier.

La curiosité pousse Guillaume à sortir pour en avoir le cœur net. La perspective de voir son beau-père bientôt de retour le remplit de joie et c'est d'un pied léger qu'il se dirige vers l'atelier de Joseph Sondakwa. Une brume épaisse stagne dans les rues et masque le paysage, comme si pendant la nuit le vent avait soufflé le village dans les nuages et l'avait figé au milieu du néant. Autour de lui, tout n'est qu'immobilité et silence. Même les oiseaux sont muets. Si ce n'était le bruit de la chute, il croirait que le temps s'est arrêté.

Il trouve la porte de l'atelier entrouverte ; la sentinelle n'est visible nulle part. Le prisonnier est donc déjà parti, en déduit Guillaume. Mais il décide de vérifier, juste au cas. Une lumière crayeuse éclaire le réduit. Simon Fraser n'est plus là. Guillaume ramasse l'une des lanières qui ont servi à attacher l'Écossais et l'examine : le cuir a été à moitié tranché par une lame, à moitié étiré jusqu'à ce qu'il se rompe. Puis Guillaume voit ses doigts se tacher d'une substance rouge : du sang. Celui de Fraser, sûrement. Guillaume ne peut s'empêcher de ressentir de la pitié pour cet homme.

Des voix résonnent. Un chien jappe. Guillaume se redresse et se dépêche de quitter l'appentis. Mais voilà qu'une silhouette massive bloque l'entrée… qui est aussi la porte de sortie de l'atelier.

— Tiens, tiens! Si c'est pas notre petit drôle qui revient sur les lieux de son crime, lance une voix rauque qu'il reconnaît pour être celle de Teharihulen.

Le visage du Wendat se penche vers lui, le sourire carnassier et méchant comme un diable pressé de se mettre à table. Dans ses prunelles noires, Guillaume voit luire le feu du mal. Mais quelle est cette créature maléfique qui habite Teharihulen? Un loup-garou? Pire, un feu follet? D'instinct, il fait un pas en arrière.

— Eh bien, petit fripon, on est à la solde de l'Anglais ou on a pitié des chiens?

Guillaume comprend qu'on l'a vu entrer ou sortir d'ici pendant la nuit.

— Je n'ai rien fait de mal, se défend-il. Je suis juste venu pour lui parler…

— Petit imbécile! poursuit le Sauvage, l'air mauvais. Tu as aidé le chien d'Anglais à s'enfuir. Le diable t'a acheté! Tu as pactisé avec lui!

— Ce n'est pas moi! clame Guillaume. Je vous le jure, je suis seulement venu pour lui parler, rien de plus…

— Avec ça? fulmine le Wendat en brandissant un petit objet brillant devant ses yeux.

Le cœur de Guillaume s'arrête d'un coup pour reprendre immédiatement un rythme fou. Son canif? Il palpe et fouille ses poches. Son index sort par un gros accroc qui perce celle de droite…

Le voilà dans de sales draps. Une peur panique s'empare de lui. Il doit sortir d'ici avant que ces Sauvages ne lui mettent le grappin dessus et le fassent répondre de sa bêtise. À la vitesse de l'éclair, il plonge entre les jambes de Teharihulen et se faufile entre les deux autres guerriers qui avaient suivi leur chef dans l'atelier. Des doigts lui effleurent l'épaule, une main arrive presque à s'emparer de sa chevelure. Une jambe lui barre le chemin; Guillaume bondit par-dessus comme un lièvre aux abois, mais il atterrit dans les bras d'un autre Sauvage. Il a beau se débattre, rien n'y fait. Il est pris au piège. Les yeux noirs injectés de sang de Teharihulen viennent se planter dans les siens, qui se remplissent de larmes malgré lui.

— Je réservais ce chien de Fraser pour le poteau. La tranquillité de l'esprit de mon frère en dépendait. Et toi, petite larve de mouche de rien du tout, tu l'as aidé à s'évader. Je vais te montrer ce que je fais des larves de mouches dans ton genre.

Ils vont le mettre au poteau !

— Non ! hurle Guillaume en se débattant de plus belle.

Il donne des bras et des jambes. Il frappe et mord. Il est l'oie sauvage qui se débat dans la gueule du loup. Vlan ! un coup de pied. Et vlan ! un coup de dent. L'assaillant gémit de douleur et relâche légèrement sa prise. Guillaume saisit sa chance : il enfonce ses dents dans la main qui le retient encore. Elle finit par céder et le libérer. Toutefois, le Sauvage arrive à le rattraper par son hausse-colet il tire dessus de toutes ses forces. La chaîne se brise.

Les poumons de Guillaume brûlent comme du feu et ses ampoules éclatées sous ses pieds engendrent une douleur qui lui fait monter les larmes aux yeux. Il ne s'arrête pas pour autant et poursuit sa course folle jusqu'en bas de la falaise, qu'il manque de débouler à plus d'une reprise.

Totalement épuisé, il trébuche, roule sous les fougères et heurte durement une roche. Il se retourne sur le dos, prêt à faire face à son poursuivant. Mais seul les branchages des grands pins le surplombent. Guillaume retient son souffle et écoute attentivement. Les cris des guerriers alertant les gens du village lui parviennent étouffés à travers les lambeaux de brume que commence à déchirer une brise légère. Apparemment, personne ne l'a suivi jusqu'ici.

Guillaume s'assoit. Que faire, maintenant ? Revenir au village et demander la protection des jésuites ? Reprendre la route de Québec ? La forêt est encore plongée dans la pénombre. À gauche, à droite, il ne voit que des arbres et les fougères qui couvrent le sol. Son cœur continue de pomper sa frayeur dans tous ses membres et engourdit la douleur de l'effort. Il ne sait pas quelle direction il a empruntée en se sauvant. Voulant à tout prix échapper à la vengeance de Teharihulen, il a même quitté le sentier sans s'en rendre compte. Il ne sait donc pas par où repartir, que ce soit pour rentrer au village ou pour retourner à Québec. Sans le soleil pour le guider, il est perdu. Les sanglots qu'il ravale se pressent dans sa gorge.

Petit à petit, son esprit redevient clair. Il prend conscience de la gravité de la situation. Fraser s'est évadé grâce à lui. Et à cause de lui, il n'y aura pas d'échange possible avec les Anglais et son beau-père va être déporté en Angleterre. Sa mère va attraper la mélancolie et peut-être mourir… à cause de lui. Fraser, le diable qui l'a leurré dans sa chasse-galerie…

Pour comble, il a perdu le hausse-col de son père.

Pendant qu'il se morfond, les oiseaux entonnent une aubade. Leur chant mélodieux n'arrive pourtant pas à apaiser Guillaume. Il fouille du regard les profondeurs des bois dans l'espoir d'apercevoir l'éclaircie d'un sentier. La végétation est dense partout où il pose les yeux. Il se lève et porte sa main à sa ceinture. Il est soulagé de constater que le réticule est toujours là.

— *Wôbtegua*, murmure-t-il, guide mes pas.

Il prend la direction que lui dicte son instinct. Quelques minutes s'écoulent et il comprend que le mugissement continu qu'il entend depuis tantôt est celui de la chute. Un regain d'espoir ressuscite sa volonté. Voilà où il doit aller.

Les branches des arbres s'accrochent à lui et les ronces lui écorchent la peau. Guillaume souffre dans toutes les fibres de son corps. Mais il endure sa peine et continue d'avancer. Il finit par croiser un sentier. Pendant qu'il se demande quelle direction choisir, des voix humaines percent les murmures de la nature. Le seul abri à proximité est la souche d'un arbre déraciné. Poussé par l'urgence, Guillaume s'y dirige. Il contourne l'énorme enchevêtrement de racines nues et de terre et…

— Aaaaah !

Le Sauvage qui le dévisage est aussi surpris que lui, mais Guillaume n'a pas le temps de le remarquer. Il détale entre les arbres. Il entend les branches se briser sous ses mocassins, mais aussi derrière lui. Le Sauvage se rapproche. Sa respiration haletante siffle dans ses oreilles, si proche…

— Guillaume, arrête !

Une force le propulse au sol et lui coupe le souffle. Son assaillant est par-dessus lui. Guillaume étouffe, écrasé sous son poids.

— Je vous en supplie, geint-il, terrifié. Ne me tuez pas… Je vais vous expliquer…

L'homme l'empoigne solidement par la chemise et le fait rouler sur le dos.

— Je n'ai pas l'intention de te tuer, petit coquin, mais j'accepte volontiers tes explications.

Un mélange de soulagement et de surprise emplit Guillaume devant le visage qui lui sourit.

— Marcel ?

Ce dernier coup d'émotion finit de briser sa résistance ; Guillaume laisse éclater ses sanglots. Paul Ahonase reste en retrait et attend que le garçon ait essuyé ses dernières larmes avant de se montrer.

VIII

Le retour de l'oie

Les explications données, la situation éclaircie, Guillaume fait des excuses, bien inutiles, il le reconnaît, aux jésuites et aux chefs wendats. Teharihulen est le seul à ne pas les accepter et il quitte le village en colère. Tout le monde admet qu'il n'y a plus rien à faire pour libérer Charles Giffard. Il ne reste qu'à espérer que la Providence intervienne en sa faveur. Comme l'a souligné le capitaine Fraser, Marcel est d'avis que les navires sont trop bien surveillés et que, dans ces conditions, ce serait risquer inutilement des vies de tenter une évasion. L'essentiel dans toute cette mésaventure est que personne n'ait été blessé.

Il est temps pour Guillaume de rentrer. Les remords le rongent. Les Gauthier, surtout Émeline, selon Marcel, sont malades d'inquiétude et attendent impatiemment son retour. Guillaume accepte d'avance la punition qui l'attend, sans doute bien méritée. Marcel promet un prompt retour à sa belle Marie Okonhsa, et Guillaume en profite, le cœur lourd de tristesse, pour dire au revoir à Mikowa et à Kasko. Quand il se présente devant Awasos, il baisse les yeux. Il sait que Mikowa a raconté la vérité sur Saint-Amant à son grand-père, mais la prestance presque royale qu'affiche l'Abénaquis l'intimide toujours. Le vieil Indien pose sa main sur sa tête pour le forcer à le regarder et il s'adresse à lui de sa voix caverneuse, mais posée.

— *Wôbtegua* s'égare parfois dans vent et tempête, commence-t-il en désignant l'immensité du ciel d'un ample geste des bras.

Mais il retrouve toujours *pebonki*, ajoute-t-il en pointant son index vers le nord. Parce que petite boussole dans *wôbtegua* dirige lui.

Il touche l'épaule de Guillaume et reprend, en fixant sur lui ses minces yeux noirs et intelligents :

— Petit Wôbtegua s'égare aussi parfois. Et lui trouver son chemin, parce que boussole aussi dans Petit Wôbtegua.

Ce disant, il pose sa main toute parcheminée sur le cœur du garçon. Ému, Guillaume hoche la tête pour signifier qu'il a compris. Awasos le gratifie d'une caresse sur la tête et se détourne pour aller rejoindre ses petits-fils.

— Awasos, l'interpelle soudain Guillaume en le voyant s'éloigner. Vous ne m'avez jamais appris… comment on dit merci dans votre langue.

— *Wli wni.*

— *Wli wni*, Awasos.

Un léger sourire flotte sur les lèvres d'Awasos. Puis il s'en va, sa longue chevelure blanche flottant dans son dos comme les ramures frémissantes d'un vieux saule centenaire.

Guillaume garde un souvenir marquant, quoiqu'un peu amer, de son séjour chez les Wendats de la Jeune-Lorette. Il a promis à Marie Okonhsa et à Vincent Haronhyatekha de revenir les visiter quand la guerre sera finie et que Marie sera mariée avec son bien-aimé Marcel. Son retour chez les Gauthier a été accueilli par des larmes de joie et de soulagement. Ensuite seulement sont venus les reproches. Toutefois, après avoir écouté le récit de l'aventure de Guillaume, monsieur Gauthier a jugé que le garçon peinait déjà sous la plus cruelle des punitions : celle de porter le poids de sa propre culpabilité.

Le lendemain de leur arrivée chez les Gauthier leur parvient la consternante nouvelle de la capitulation de Québec. Devant le manque criant de vivres et de munitions, sous la pression croissante exercée par les marchands de la ville qui cherchent à sauver ce qui reste de leurs biens, face à la réalité des nombreuses désertions parmi les soldats encore présents derrière les remparts, le sieur Jean-Baptiste-Nicolas-Roch de Ramezay, commandant de la garnison de la ville, s'est vu contraint de déclarer la reddition. C'est sous un soleil radieux pour les Anglais et accablant pour les Français que s'est déroulée la cérémonie de lecture et de signature des articles de la capitulation.

C'est de la bouche de Denis Garant, un milicien de L'Ange-Gardien, que leur est rapportée la nouvelle. Garant leur raconte aussi le déroulement de l'entrée des régiments vainqueurs dans la ville.

— C'est une parade fière et orgueilleuse qui est entrée dans notre ville, dit-il gravement. Les habitants se sont rassemblés tout le long du trajet, dans la rue Saint-Louis. Sous le drapeau de la Nouvelle-France, qui flottait sur la place d'Armes, attendaient tous nos notables et dignitaires, religieux et officiers. Ah ! Les tristes mines qu'ils avaient. Jamais je n'ai vu jour plus désolant, mes amis. Jamais !

Guillaume imagine les Goddams en veste rouge franchir la porte Saint-Louis, fouler la terre de sa rue, passer devant sa maison. Il devine que sa mère et Jeanne, à la fenêtre du salon, regardent ce long cortège défiler jusqu'au château Saint-Louis[1], où l'ennemi a pris possession des clés de la ville avant de procéder à l'échange des drapeaux. Il voit mal cependant les croix de Saint-Georges et de Saint-André[2] flotter à la place du fleurdelisé[3].

---

1. Le château Saint-Louis était la demeure du gouverneur de la colonie de la Nouvelle-France.

2. Le drapeau britannique (*Union Flag* ou *Union Jack*) tel que nous le connaissons aujourd'hui est composé de trois croix. La croix grecque, rouge sur fond blanc, représente saint Georges, patron des Anglais ; la blanche en X représente saint André, patron des Écossais, et la rouge en X, qui se superpose à celle des Écossais, représente saint Patrick, patron des Irlandais. Cette dernière croix n'est apparue sur le *Union Flag* qu'après 1801, à la suite de l'annexion de l'Irlande à la Grande-Bretagne.

3. La fleur de lys d'or était l'emblème de la royauté française. Sur le drapeau de la Nouvelle-France, on retrouvait trois fleurs de lys d'or sur fond azur. On appelle aussi fleurdelisé le drapeau de la province de Québec. Ses quatre fleurs

—Les canons ont salué le passage des armes, les tambours et les fifres anglais l'ont glorifié, poursuit Garant d'un air lugubre. Quelle chagrinante musique on nous jouait là. Elle ne me donnait point l'envie de danser. Les femmes et les enfants, pauvres créatures, pleuraient toutes les larmes de leur corps qui restaient à pleurer quand les sans-culotte ont escorté le commandant Ramezay chez lui.

Les sans-culotte… le nom pique Guillaume comme l'épine d'un cenellier. La honte le submerge quand il repense au capitaine Simon Fraser. Un diable qui lui a chanté un chant de sirène. Malgré tout, Guillaume sait qu'il ne peut en vouloir qu'à lui-même. Il a agi de son propre gré.

—Saviez-vous que le chevalier de Lévis et ce qui reste de notre armée marchaient vers Québec ce jour-là ? Quel malheur ! Un jour trop tôt pour Ramezay, un jour trop tard pour Lévis ! Faut s'en rendre compte, mes amis, nous v'là des sujets britanniques. Hier, le soleil s'est couché pour la dernière fois en Nouvelle-France… Aujourd'hui, le pays est à bas !

—Certes, Québec est tombée, concède monsieur Gauthier. Mais les Anglais ne possèdent pour tout dire que ses murs, et de bien mauvais murs, je dois le spécifier. Ils ne possèdent pas toute la colonie. Il reste encore Montréal. Et l'armée n'a pas rendu toutes ses armes, il me semble. Il ne faut pas désespérer si rapidement.

Personne n'ose ajouter une remarque optimiste. Tous savent que les murs qui protègent Montréal ne sont en rien comparables à ceux de la forteresse de Québec. Si Québec n'a pas pu résister à l'assaut des Anglais, qu'adviendra-t-il de Montréal, si jamais…

—Que vont faire les Anglais des prisonniers ? demande Guillaume.

—Les Anglais ont commencé à embarquer les soldats de la garnison de Québec sur les navires pour faire de la place dans les

---

de lys blanches sur fond azur représentent nos souches françaises, tandis que la croix grecque blanche représente la foi chrétienne. Il a été inspiré du drapeau de Carillon, qui a accompagné Montcalm au fort Carillon en 1758 et a flotté sur Québec pour la première fois en 1948.

casernes. Il y a fort à parier que les prisonniers seront tous en Angleterre avant le milieu de l'automne. La flotte anglaise ne peut pas risquer de se faire prendre par les glaces dans le fleuve. Quant aux Anglais, termine Garant avec une pointe de profond mépris dans la voix, ils établissent leurs quartiers dans nos murs. Ils logent chez les gens de Québec et s'installent dans leur vie comme des punaises dans leurs paillasses.

Un Anglais dans sa maison ? À sa table ? Dans son lit, même ? Guillaume en a assez entendu. Il se lève et sort de la cuisine sans dire un mot. Émeline le regarde partir et esquisse un geste pour le suivre, mais son père lui fait signe de rester où elle est. Guillaume a besoin d'être seul. Elle soupire. Elle voudrait tant partager ce poids qui oppresse son ami. Pour avoir délibérément menti à ses parents sur les intentions de Guillaume et pour n'avoir pas insisté plus fermement pour qu'il revienne avec elle chez son oncle, elle se croit sincèrement responsable d'une part de ce qui est arrivé. Mais personne ne se soucie de ce qu'elle peut ressentir.

C'est affreusement affamé et grelottant de froid que le capitaine Simon Fraser atteint la porte de la ville de Québec. Cela fait deux longs jours qu'il erre dans les bois le long de la rivière Saint-Charles, se terrant au moindre bruit comme une bête traquée. Deux longues nuits à chercher, à la faveur de l'obscurité, à voler dans les potagers désertiques de quoi remplir son estomac. Puis ce matin, il est tombé sur un détachement de grenadiers occupé à couper du bois près de l'Hôpital général. On lui apprend que Québec est enfin aux Anglais.

Pendant qu'il frappe deux grands coups à la porte du poste de garde, Fraser pense à Guillaume Renaud et devine le dépit qu'a dû ressentir le jeune garçon à l'annonce de la capitulation de sa ville.

— Qui est là ? répond en anglais une voix forte à travers le bois.

— Capitaine Simon Fraser, du 78e régiment des Highlanders, et officier de Sa Majesté le roi d'Angleterre. Laissez-moi entrer, pardi !

Le guichet s'ouvre : deux yeux de poisson globuleux le fixent.

— Oui, tout de suite, monsieur !

Aussitôt, la porte se referme derrière lui. Fraser s'informe où il peut trouver le commandant en chef. « C'est urgent », ajoute-t-il sur un ton autoritaire. On lui annonce que le général James Murray[4] est le nouveau gouverneur de la ville. Un soldat se dépêche de le conduire jusqu'au couvent des Ursulines, où loge Murray.

Sur l'ordre de Murray, l'aide de camp introduit Fraser dans son bureau ; le gouverneur est occupé à prendre son repas du midi en compagnie du lieutenant colonel Howe.

— Capitaine Fraser ? Vous êtes béni des dieux, ma foi ! Nous vous croyions perdu !

Le gouverneur ne cache pas sa surprise de revoir son compatriote écossais en vie. Les délicieux arômes de soupe font saliver le capitaine et son ventre gargouille bruyamment : il a si faim et ce qu'il a à dire ne peut pas attendre. Murray lui offre de partager son repas. Fraser prie pour ne pas être arrivé trop tard…

Les Gauthier ont décidé que le temps est venu de rentrer à Québec. Après la visite de l'habitant Garant, monsieur Gauthier s'inquiète pour le peu de marchandises qu'il a réussi à sauver dans ses magasins de la Basse-Ville et qu'il a entassées dans la cave de sa maison de la rue Saint-Louis. Le chariot reprend en chemin inverse son périple. Si Guillaume est fébrile de retrouver sa mère et Jeanne, son enthousiasme conserve une certaine réserve. Pour ménager la santé déjà fragile de sa mère, il a été convenu de ne pas raconter à

4. Le général James Murray a succédé au général James Wolfe en tant que commandant de l'armée britannique. Il a été le premier gouverneur de Québec sous le régime anglais. D'origine écossaise, il éprouvait une sincère sympathie envers les Canadiens et leur a accordé à plus d'une reprise son appui dans leurs revendications. Cette marque d'intérêt lui aura valu toutefois la désapprobation de ses compatriotes et il fut finalement démis de ses fonctions quelques années plus tard.

Catherine la petite escapade de Guillaume jusqu'à la Jeune-Lorette. Du moins, pour le moment. Cette décision prise par monsieur Gauthier oblige Guillaume à cacher les trois oies de pierre que lui a données Awasos.

Pour le bonheur de Guillaume, aucun officier n'a encore frappé à leur porte avec l'ordre de le loger. Mais il se doute que cela se produira avant l'arrivée des grands froids. L'état misérable dans lequel les bombardements ont laissé Québec n'offre que très peu d'abris convenables pour les milliers d'hommes qui viennent de l'envahir.

Pour Guillaume et sa famille, la vie reprend son cours d'avant l'occupation. Catherine et Jeanne se rendent quotidiennement à l'hôpital de l'Hôtel-Dieu pour assister les religieuses dans leurs tâches. Si la joie de revoir son fils avait effacé les signes de fatigue sur les traits de Catherine, les vicissitudes de l'existence les ont rapidement fait réapparaître. Quant à Guillaume, sitôt ses corvées journalières accomplies, il déambule dans les rues avec Émeline et offre son aide à quiconque la requiert, que ce soit pour porter un message, aller quérir de l'eau au puits ou déblayer une pièce des débris qui l'encombrent.

Une semaine passe ainsi à la vitesse d'un escargot sur la page d'un calendrier. Ils n'ont reçu aucune nouvelle de Charles Giffard. Pour rassurer ses enfants sur son état, Catherine mange un peu plus, mais elle continue de souffrir de ses nausées matinales, ce qui désespère Guillaume ; il voit la mélancolie s'emparer insidieusement de sa mère.

La silhouette fantomatique du *Richmond* émerge lentement des volutes de brume qui se déplacent au-dessus des eaux noires du fleuve. Îles flottantes naviguant sur un nuage mouvant, les petites embarcations chargées du ravitaillement vont et viennent autour de la frégate de trente-deux canons ancrée dans le bassin de Québec, en face de la Pointe-Lévis. Le vacarme que font les manœuvres à bord du navire de guerre perce le silence matinal.

Le *Richmond* se prépare à appareiller. Les dizaines de prisonniers enchaînés dans la cale se préparent à prendre la route des prisons anglaises, où ils moisiront pendant de nombreux mois avant qu'on ne songe à les juger.

Allongé dans son hamac qui se balance doucement, Charles Giffard écoute l'agitation qui a pris d'assaut l'équipage depuis les aurores. La douleur qu'il ressent au cœur lui fait oublier celle qui tenaille sa cuisse depuis des jours. Il aurait tant voulu prendre une dernière fois dans ses bras sa douce Catherine et faire promettre à son cher Guillaume de bien s'occuper d'elle et de Jeanne en son absence. Absence qui sera longue, il le sait.

Un léger piétinement près de lui le tire de ses rêveries. Il se retourne et rencontre une paire de minuscules yeux brillant dans la pénombre. Le cliquètement de la serrure fait fuir le rat qui court derrière le seau d'aisance d'où monte une écœurante odeur. La porte de la cabine du chirurgien où on l'a enfermé grince et un homme qu'il n'a jamais vu apparaît dans un halo de lumière jaune. Il porte un paquet sous son bras. Il est vêtu de la jupette du régiment écossais et Charles ressent automatiquement de l'antipathie pour cet étranger.

L'homme avance sa lanterne devant lui pour éclairer le prisonnier. L'officier français qu'il découvre couché dans le hamac est en piteux état. Son uniforme est si sale qu'on peut à peine distinguer ses couleurs d'origine. Une barbe broussailleuse mange les joues émaciées et un pansement ensanglanté enveloppe sa cuisse. Son teint cireux témoigne de sa grande souffrance physique. L'accablement a creusé de profondes rides autour des yeux.

L'homme dépose le paquet sur le canon qui encombre la pièce exiguë, accroche sa lanterne au mur et ouvre le sabord. Une bouffée d'air frais s'invite aussitôt et dissipe l'odeur putride qui stagne dans la cabine. Puis il s'approche du prisonnier en claudiquant.

— Capitaine Charles Giffard ? demande-t-il.

Charles se redresse péniblement dans le hamac, qui se met à osciller dangereusement.

— Je suis le capitaine Giffard.

L'inconnu l'aide à s'asseoir et fait mine d'examiner sa cuisse.

— On a négligé de nettoyer cette vilaine blessure, monsieur, remarque l'homme dans un français impeccable. Vous êtes fiévreux. Votre sang s'est corrompu...

Charles a effectivement chaud et frissonne beaucoup. Ses paupières sont si gonflées que ses yeux ne s'ouvrent plus qu'à moitié. Il croise le regard limpide de l'Écossais qui, curieusement, n'exprime ni animosité ni ironie. L'air grave, l'homme pêche dans la poche de sa veste rouge un bout de papier plié qu'il lui présente.

D'une main tremblante, Charles le déplie. Dans la calligraphie légère et élégante qui couvre la feuille, il reconnaît tout de suite l'écriture de Catherine. Pendant qu'il lit, les larmes lui montent aux yeux.

Assis sur le gros canon arrimé au plancher devant le sabord, l'Écossais attend qu'il ait terminé sa lecture.

L'émoi qui le saisit est si vif que Charles est incapable de le dissimuler. Tout ce que Catherine lui annonce est si inattendu, si inespéré, qu'il n'y croit pas. Il doit certainement rêver.

— Elle attend un enfant... murmure-t-il en retenant un sanglot.

Cette nouvelle, surtout, le remplit d'une joie incommensurable. Un bébé... de Catherine. Il prie Dieu que l'enfant voie le jour dans la paix. Qu'il ne connaisse jamais la misère de la guerre qui déchire les hommes et brise l'innocence des enfants. Il regarde l'inconnu, qui l'observe silencieusement.

— C'est elle qui vous a remis ce billet? demande-t-il avec un trémolo dans la voix.

— Oui. Et elle vous envoie aussi ceci.

L'homme lui tend le paquet enveloppé de toile cirée. Il contient des vêtements propres et son nécessaire à raser.

On frappe à la porte. Un moussaillon dépose un seau d'eau fumante et une serviette aux pieds du prisonnier avant de repartir au pas de course. Satisfait, l'Écossais hoche la tête.

— Je vous laisse à votre toilette, dit-il en se préparant à sortir à son tour.

— Puis-je avoir le privilège de connaître votre nom, monsieur ?

— Je suis le capitaine Simon Fraser, monsieur.

— Merci, capitaine Fraser, dit Charles avec respect.

C'est le jour du Seigneur. La journée a débuté sous un ciel de nuages gris, mais le soleil, fort de son désir d'apporter un peu de chaleur dans le cœur des gens de Québec, s'acharne à les dissiper. La célébration de la messe a eu lieu dans la chapelle du couvent des Ursulines ; elle vient de se terminer et mère Migeon de la Nativité, la supérieure des Ursulines, a demandé à avoir un entretien en privé avec Catherine. Pendant ce temps, tout endimanchés, Guillaume et Jeanne l'attendent sur un banc à l'entrée du verger du couvent. Guillaume ne partage pas l'intérêt de sa sœur pour les soldats anglais qui se présentent à la chapelle pour l'office protestant. Il a entendu les premiers cris des oies sauvages : l'été tire à sa fin. Son visage est levé vers un trou dans la masse nuageuse, et il mastique lentement une pomme. Une novice les accompagne. Elle se nomme Marie-Clotilde ; elle est frêle de corps, mais ferme dans sa foi, et elle bavarde comme une pie depuis qu'ils sont là. Selon Guillaume, elle sera malheureuse après avoir prononcé ses vœux. Une sœur cloîtrée doit pratiquer le silence contemplatif.

— … et c'est tant mieux, caquette-t-elle. Le gouverneur Murray a promis que le couvent sera tout à fait habitable d'ici quelques semaines. Ensuite, les soldats se mettront à la tâche de réparer la chapelle et les dépendances. Je me demande s'ils savent que le général Montcalm est enterré dans un trou d'obus dans la chapelle. Ah ! Ce n'est pas moi qui irai le leur dire. Ça non ! Néanmoins, ils sont très serviables, ces Écossais. Ils nous ont déjà réapprovisionnés en bois et suffisamment en nourriture pour nourrir convenablement mes consœurs pendant deux semaines. Et tout ça aux frais de leur roi !

— Ce sera bientôt votre roi, mademoiselle Marie-Clotilde, soulève Guillaume avec un brin de mépris. Et puis, il ne faut pas penser que les attentions du général anglais sont complètement désintéressées. Vous lui avez cédé vos deux premiers étages pour qu'il les transforme en quartier général et en hôpital militaire. Alors il répare votre bâtiment pour que vous répariez ses soldats….

— Nous aurions accepté de soigner les soldats anglais même sans cela, monsieur Guillaume, répond doucement la novice. La guerre est un moment difficile pour toutes les parties en cause. Le corps n'a pas de religion. Qu'il soit celui d'un protestant ou d'un catholique, il souffre de la même manière. Et c'est le devoir des religieuses de soulager ces souffrances, indépendamment de la foi du blessé. Ils nous en savent gré, et nous bénissent à leur façon. C'est ce qui compte.

Deux officiers passent devant eux. Ils saluent la jeune novice, Guillaume et Jeanne d'un *good morning* en soulevant leur tricorne.

— C'est quoi qu'il a dit ? demande Jeanne.

— Il nous a souhaité bon matin, lui répond Marie-Clotilde.

— Et que penses-tu du sacrilège de célébrer des messes protestantes dans une chapelle catholique ? revient à la charge Guillaume avec sarcasme.

À cela, Marie-Clotilde ne sait quoi répondre. La supérieure du couvent, sans doute par obligation plus que par choix, a donné son accord au gouverneur Murray. Elle tente toutefois d'expliquer la situation ambiguë.

— Le gouverneur a dit que c'est temporaire. Dès qu'ils auront trouvé ailleurs un endroit convenable pour célébrer leurs offices religieux, et lorsque les réparations au château Saint-Louis seront achevées, ils nous libéreront de leur présence encombrante. D'ici là, nous les considérons comme des chrétiens et il faut…

Pendant que Marie-Clotilde continue de parler, le regard de Guillaume suit l'arrivée d'un cavalier monté sur un cheval noir. L'officier en kilt captive toute son attention. Sa chevelure brille comme du cuivre fraîchement poli sous son béret. L'homme tend les rênes à un subalterne qui s'est empressé vers lui à son arrivée et descend de sa monture. Tout en échangeant quelques mots avec le soldat, l'officier secoue sa veste, lisse les plis de son kilt à carreaux rouges et verts et replace son béret. Puis il se dirige vers l'entrée du couvent.

— … vous ne devez pas mépriser si facilement sans connaître, monsieur Guillaume. Il y a du bon comme du mal dans tout le monde… continue la voix de Marie-Clotilde.

— Satanée veste rouge, murmure Guillaume entre ses dents sans quitter l'officier des yeux.

— Guillaume ! s'écrie Jeanne, irritée. Maman ne veut pas que tu dises de vilains mots.

— Vous parlez du capitaine Fraser ? s'informe Marie-Clotilde.

Mais Guillaume ne l'entend pas. La fureur, la honte et l'amertume se fondent en lui. Il revoit le regard suppliant de Simon Fraser qui a fait fléchir sa raison vers un sentiment de pitié qui lui a valu de perdre son beau-père.

L'éclat d'une chevelure blonde attire l'attention de l'Écossais. Il fait encore deux pas, puis s'arrête pour mieux discerner les trois jeunes gens assis sur le banc près du mur qui ceinture le verger des religieuses. Les regards de Guillaume et de Fraser se croisent. Quelques secondes s'écoulent avant que Fraser ne réagisse. Il change de direction et vient vers eux. Guillaume se lève et redresse ses épaules.

— Guillaume Renaud ? fait Simon Fraser. C'est bien vous, *a bhalaich* ?

Sans répondre, Guillaume se compose un air méfiant.

— Vous vous êtes servi de moi pour vous évader, monsieur. Et à cause de vous… à cause de vous mon beau-père… sera envoyé en Angleterre. Il y est peut-être déjà…

Il ravale un sanglot. Fraser sourcille.

— À cause de moi ? Je ne comprends pas.

— Parce que vous vous êtes évadé, torrieu de maudit sans-culotte !

— Monsieur Guillaume ! s'indigne la novice. Retenez votre langue, je vous prie !

— Ma langue ? Tenez, voilà comment je la retiens, ma langue ! s'insurge le garçon en exécutant une horrible grimace. Et voilà encore plus ! s'écrie-t-il en lançant son pied dans les tibias de l'Écossais.

Fraser évite l'assaut de justesse et maintient le garçon à distance en le retenant par les épaules. La colère bouillant en lui, Guillaume souffle fort et se dégage d'un mouvement brusque. Fraser prend un air imperturbable, pour ne pas dire sévère.

— Miss Marie-Clotilde, laissez-nous, s'il vous plaît.

Après avoir lancé un regard chargé d'inquiétude vers Guillaume, la jeune fille fait une petite révérence et s'en va au pas de course en emmenant Jeanne avec elle.

— Expliquez-vous, monsieur Renaud, dit l'officier lorsqu'ils sont seuls.

— Ils voulaient vous échanger contre lui. Mais vous vous êtes évadé. Et ils ont cru que c'était grâce à moi, parce qu'ils ont trouvé mon canif, et… Et ils voulaient me mettre au poteau pour ça, et… et…

Sa gorge se serre. Alors il se tait et regarde Simon Fraser, l'air défiant. Dans le visage sérieux de l'officier, des yeux d'un bleu très pâle semblent rire.

« Il se moque de moi ! » rage Guillaume en silence. Il serre les poings.

— Ils voulaient m'échanger contre votre beau-père ? Je suis désolé, *a bhalaich*, je ne le savais pas.

L'amusement s'efface complètement de l'expression de Fraser et il laisse transparaître un franc étonnement. Après s'être éclairci la gorge, il se penche vers le garçon et fait mine de l'examiner.

— Ils vous ont vraiment mis au poteau à cause de moi ?

— Euh… non, pas vraiment, avoue Guillaume en dégageant brusquement son bras de la main de l'Écossais. Mais ils voulaient le faire… du moins, Teharihulen voulait le faire. Parce qu'il disait que c'était moi qui vous avais aidé à vous évader. Mais c'est faux.

— Vraiment ?

— Vous m'avez joué un sale tour. Vous m'avez raconté des tas de choses pour m'amener à couper la lanière qui retenait votre poignet. Vous m'avez menti ! C'est à cause de ça que j'ai perdu mon canif.

Fraser se redresse et adopte un air des plus sérieux.

— Accuser un officier de mentir est un acte de diffamation punissable, monsieur Renaud.

— Je m'en moque ! C'est la vérité !

— Dans ce cas… je crois qu'il va falloir régler cette affaire devant le gouverneur Murray. Suivez-moi, monsieur Renaud.

— Non !

— C'est un ordre, mon garçon.

— Je ne vous suivrai nulle part.

— Vous oubliez que la guerre n'est pas terminée. Et savez-vous ce qui arrive à ceux qui refusent d'obéir à l'ordre d'un officier qu'ils ont insulté ? On les pend ou on les fusille.

Simon Fraser sourit devant la mine affolée de Guillaume. Il tend une main au garçon. Guillaume la regarde un moment, puis la négligeant, droit comme un fantassin, il prend les devants.

Le couvent sent la bonne soupe et la cire. Leurs pas font écho dans les corridors déserts. Aujourd'hui, le calme règne ; le dimanche, il est interdit de travailler. Mais, demain, dès le lever du jour, le tintamarre des marteaux des ouvriers envahira le couvent.

Des voix chuchotent derrière les murs et les portes closes. Tout le temps qu'il suit le capitaine Fraser, Guillaume s'en veut de son impertinence. Il va encore une fois causer des soucis à sa mère. Et c'est la dernière chose qu'il veut.

Simon Fraser s'immobilise devant une porte de bois de chêne sombre. Il frappe. Un homme vient leur ouvrir. Il a un visage pâle sous sa perruque blanche et il porte un justaucorps de velours rouge décoré de lourds brandebourgs dorés.

—*Ah! Captain Fraser, we were waiting for you!* s'exclame le général Murray en reconnaissant l'intrus. Puis il note la présence du garçon: *Oh! What have we here? Who is this young lad*[5]*?*

—*Mister Guillaume Renaud, sir.*

—Guillaume Renaud? Oh! Dans ce cas... entrez, *mister* Renaud.

Une légère poussée dans le dos de Guillaume le contraint à entrer dans le bureau du nouveau gouverneur de Québec. Il est surpris de voir mère Migeon de la Nativité assise sur une chaise près de la grande table de réfectoire qui sert de bureau au général. Les nombreux papiers et rouleaux de plans qui s'y empilent pêle-mêle témoignent de l'emploi du temps chargé du chef militaire.

—*Now...* qu'est-ce qui amener *mister* Renaud ici? s'informe Murray sur un ton formel.

—*Mister* Renaud a mis ma parole en doute, mon général. *He says I am a liar, sir*[6].

—*A liar!* s'écrie Murray en mimant un sentiment d'étonnement mêlé d'indignation. C'est oune acciouzéchion très grave. Est-elle joustifiée?

Le ventre noué de peur, le regard rivé sur le bout de ses chaussures soigneusement frottées, Guillaume n'ose pas répondre. Un froissement d'étoffe soyeuse se fait entendre derrière lui. Quelqu'un renifle.

—Je suis certaine que mon Guillaume fera ses excuses au capitaine, affirme Catherine Giffard.

Au son de la voix de sa mère, Guillaume pivote sur lui-même. Il ouvre la bouche, prêt à protester, à tout lui raconter de sa mésaventure à la Jeune-Lorette et à promettre que plus jamais il ne désobéira, quand...

C'est comme si son cœur explosait dans sa poitrine et un seul mot s'échappe de ses lèvres:

---

5. Ah! Capitaine Fraser, nous vous attendions. Oh! Mais qui m'amenez-vous ici? Qui est ce jeune garçon?
6. Il dit que je suis un menteur, monsieur.

— Père ?

Charles Giffard se tient debout à la droite de la chaise où est assise une Catherine incroyablement radieuse. Appuyé sur une canne, il sourit à Guillaume. Ses yeux sont soulignés de cernes sombres, mais son regard pétille de joie.

— Alors, on ne vient pas me dire bonjour ? fait Giffard en ouvrant les bras.

Oubliant tous les regards qui sont fixés sur lui, Guillaume se précipite dans ses bras qui, il le découvre, lui ont beaucoup manqué. Son bonheur ne trouve que les larmes pour s'exprimer et elles se déversent sans retenue. La mère supérieure et les deux militaires quittent discrètement la pièce. Quelques minutes plus tard, Jeanne vient les rejoindre et on laisse la famille se retrouver en privé.

Les teintes que le pinceau de l'automne applique généreusement sur les falaises de Lévis flamboient sous les rayons du soleil. Le pays chatoie tel un coffret à bijoux étincelant de pierres précieuses. Sur le cap Diamant résonnent les ordres que crie un officier anglais à sa compagnie en entraînement dans l'enceinte de la garnison. C'est un spectacle quotidien auquel s'habituent malgré eux les Canadiens. Pour le moment, Guillaume n'y accorde aucune attention. Confortablement installé sur une couverture, il raconte avec beaucoup d'emphase son étonnant périple en compagnie des trois Abénaquis, tandis que sa famille l'écoute attentivement.

Il bouge les bras avec vivacité en narrant sa fuite dans les bois pour éviter le poteau que lui promettait le Wendat Teharihulen. Les « oh ! », les « ah ! » et les « Dieu du ciel ! » que font sa mère et Jeanne, tantôt effrayées, tantôt amusées, encouragent Guillaume à enjoliver de détails son récit, rien que pour le plaisir de voir les émotions colorer de rose leurs joues. Il omet toutefois de parler de sa chute dans la rivière Montmorency. Cette portion de son aventure restera un secret entre Émeline et lui.

Des cris d'oies blanches qui passent au-dessus d'eux font taire Guillaume et tous les regardent voler vers le sud. L'une d'elles se détache du chevron et pousse un criaillement solitaire avant de réintégrer sa bande. C'est le couronnement de ce dimanche béni.

— Reviens vite, petit *wôbtegua*, murmure Guillaume, le cœur pétri de bonheur.

— Qu'est-ce qu'un wôbtegua ? demande Jeanne, intriguée par ce mot bizarre.

— C'est une oie sauvage, dans la langue des Abénaquis. L'oie est mon totem, lui explique-t-il fièrement.

Il retire de la poche de son justaucorps le réticule de cuir qui ne le quitte plus et fait glisser les trois oies de Padiskôn sur les genoux de sa mère.

— C'est Awasos qui me les a données. C'est son fils qui les a sculptées pour papa quand il était au fort Duquesne.

Catherine prend la mère l'oie dans sa main. Ses yeux se voilent tandis qu'elle caresse la douce pierre noire. Charles se lève et tend la main à Jeanne.

— Si on allait jouer à colin-maillard pour se dégourdir un peu ? suggère-t-il pour laisser la mère et le fils en tête-à-tête.

— Celle-là, c'est toi, souligne Guillaume quand ils sont seuls. Les autres sont Jeanne et moi.

Catherine secoue la tête.

— Ton père aimait beaucoup les oies sauvages. Il enviait leur endurance et leur liberté. J'aime à croire qu'il voyage enfin avec eux et...

Étranglée par l'émotion, Catherine n'arrive pas à terminer sa phrase.

— Dis-moi, Maman, commence Guillaume, mal à l'aise, est-ce que tu crois que Papa entend tout ce que nous disons ?

— Je ne sais pas, mon amour. Mais rien ne t'empêche de lui parler, si tu en as envie.

— Je le fais, des fois, déclare-t-il.

Puis, en silence, il regarde les oies disparaître dans le ciel, emportant avec elles leur bruyant cancan.

— Quelque chose te tracasse ? demande Catherine en notant le trouble qui agite son fils.

— C'est que… je me demandais… Est-ce que Papa peut être fâché si j'appelle aussi monsieur Giffard « papa » ?

D'abord surprise par la nature de la question, un sentiment d'attendrissement submerge Catherine, et elle sourit devant tant de candeur.

— Pourquoi s'en offusquerait-il ? Ce qu'a toujours voulu ton père avant tout, c'est ton bonheur. Un papa n'est pas seulement l'homme qui… enfin… accueille son enfant quand les Sauvages…

— Maman, l'interrompt Guillaume. Je sais que les bébés ne poussent pas dans les potagers des Sauvages. Et je sais aussi que je vais avoir bientôt un petit frère ou une petite sœur.

— Oh ! fait sa mère, embarrassée. Comment as-tu…

Catherine prend la main de son fils et la serre très fort.

— Un père est l'homme qui aime et qui fait tout pour que grandissent heureux les enfants qu'il a. Charles vous aime, Jeanne et toi, comme si vous étiez ses propres enfants. Et si ton cœur te dit de l'appeler « père », ce sera pour lui le plus merveilleux des cadeaux.

La voix de son cœur, Guillaume a parfois un peu de mal à l'écouter. Surtout quand cela concerne Charles Giffard. Certainement, il a voulu délivrer son beau-père dans l'espoir d'empêcher sa mère de mourir de mélancolie. Mais il comprend aujourd'hui qu'il a aussi eu terriblement peur de perdre cet ami qui prend de plus en plus de place dans sa vie. Même s'il refusait de l'admettre, Charles Giffard comble ce vide désolant qu'a laissé son père à sa mort. Et par un singulier hasard, c'est à Simon Fraser qu'il doit l'heureux dénouement. Il doit absolument faire des excuses au capitaine. Fraser ne lui a pas menti.

Lui revient alors une phrase que lui a dite l'Écossais avant qu'ils ne se séparent à la Jeune-Lorette : bons ou mauvais, les gens ne croisent jamais notre route par hasard. Le destin les y a placés dans un but bien précis. À nous d'en tirer le meilleur parti et Dieu s'occupera du reste.

Curieusement, il avait pensé que « tirer le meilleur parti » de sa rencontre avec quelqu'un signifiait profiter de quelqu'un, se servir de lui, comme il a cru que Fraser avait fait en le dupant pour qu'il l'aide à s'évader. Aujourd'hui, à la lumière de ce qui est arrivé, il comprend que « tirer le meilleur parti » de sa rencontre avec quelqu'un veut dire susciter en lui la bonté par un acte de bonté. Ainsi, Dieu voit s'accomplir sa volonté.

Finalement, toute cette aventure lui aura donné une bonne leçon : que nous soyons anglais, français ou indiens, la bonté et la méchanceté résident en chacun de nous. La vraie guerre est celle que se livre notre conscience, qui décide de nos actes. Et dans le choix des armes, de la haine ou de l'amour, le dernier devrait toujours être le premier.

Awasos l'avait bien dit : l'amour est la boussole qui guide l'âme dans la tourmente.

Troisième partie

Périls en avril

Québec, avril 1760

I

Le charmant flûtiste

Un vent froid de début d'avril siffle et transforme en glace la pluie qui cingle la vitre. Les coudes appuyés sur le rebord de la fenêtre, Guillaume observe à travers la mince pellicule de verglas le garde posté devant leur maison. Il s'est abrité sous le porche de l'habitation d'en face. Parce que le capitaine Charles Giffard est considéré comme un prisonnier de guerre, il est surveillé en permanence et le capitaine Simon Fraser doit rapporter tous ses faits et gestes au général Murray. Mais Charles ne sort guère.

L'obscurité s'installe. Il reste encore deux heures avant que sonne l'heure du couvre-feu. Un moment agréable que les Renaud-Giffard vont passer en compagnie de leurs voisins, les Gauthier, qu'ils ont invités pour la soirée. C'est leur arrivée que Guillaume attend. Le garde va être obligé de sortir de son abri et de s'aventurer sur la chaussée glacée pour demander aux visiteurs de s'identifier. Ce serait rigolo de le voir tomber sur les fesses. Les occasions de s'amuser sont rares. Comme celles de manger un bon repas.

Les arômes de l'oie rôtie qui continuent d'embaumer la maison le font encore saliver. La volaille était un cadeau du capitaine Fraser, qui l'avait achetée à prix fort à un fermier de la pointe Lévy. Sans cela, pour leur dîner de Pâques, les Renaud-Giffard se seraient contentés de l'habituel bouilli de légumes qu'agrémente leur maigre ration quotidienne de viande. Malheureusement, il ne reste plus rien de l'oie. Chacun a dévoré sa portion jusqu'à l'os.

Jamais Guillaume n'a connu une disette aussi importante, même du temps où ils vivaient pauvrement, sa mère, sa sœur et lui, dans leur petit logement de la rue Saint-Pierre, dans la Basse-Ville. Il n'y a pas à dire, cet hiver a été le plus difficile que Guillaume ait traversé et, à cause de la présence d'un envahisseur dérangeant dans la maison, le plus bizarre qu'il ait vécu.

Les Anglais ! Ils sont partout. Leur langue résonne dans les rues. Leur musique joue dans les tavernes. Leurs lois règlent le quotidien au quart de tour. On se lève au coup du canon qui sonne la diane et on s'endort peu après celui qui annonce leur retraite. Les régiments restés en garnison pour l'hiver habitent les redoutes de Québec et les maisons à moitié en ruine du quartier Saint-Roch qu'ils ont réparées. Les officiers logent plus confortablement chez les citadins les plus fortunés ou occupent les belles maisons qu'ont abandonnées leurs propriétaires dans leur fuite vers les gouvernements de Trois-Rivières et Montréal[1].

Charles Giffard pense que la situation n'est que temporaire. Il est persuadé que le nouveau commandant en chef de l'armée française, le chevalier de Lévis, va bientôt venir les délivrer. Il affirme que Pierre de Rigaud de Vaudreuil, le gouverneur de Québec réfugié à Montréal depuis la reddition de Québec, recrute de nouvelles forces parmi les habitants. Il laisse même entendre que la nouvelle armée est plus grosse et plus puissante que celle que les Anglais ont laissée pour défendre Québec. Cette information est un secret que Guillaume a entendu. Ses parents chuchotent toujours pendant de longues minutes, la nuit, quand ils croient les enfants endormis. Depuis le début des grands froids, pour économiser sur le bois, toute la petite famille dort dans la chambre des parents. Guillaume combat parfois le sommeil pour les écouter.

---

1. À l'époque, le territoire de la Nouvelle-France était partagé en trois divisions administratives : Québec, Trois-Rivières et Montréal. Chacune de ces divisions était dirigée par un gouverneur. Le gouverneur de Québec avait la double tâche de gouverner son territoire et la colonie entière.

Guillaume lève les yeux vers le plafond. Il ne l'entend plus craquer. Le capitaine Fraser a cessé de faire les cent pas. Comme eux, l'Écossais a assisté à la messe de ce matin, célébrée dans la chapelle des Ursulines. Il est ensuite allé déjeuner avec des amis officiers au mess[2] organisé dans le séminaire des jésuites, qui sert maintenant de caserne. Les religieux, relégués comme les sœurs ursulines à une petite partie de leur établissement, ont suspendu jusqu'à nouvel ordre tous les cours au Collège, lourdement endommagé par les bombardements. Le capitaine Fraser n'est rentré du mess que vers la fin de l'après-midi. Il est monté directement à sa chambre. Il n'en est pas ressorti depuis. Guillaume se demande ce qu'il fabrique tout seul là-haut. Depuis la fin du mois de mars, Guillaume lui trouve la mine plus triste. Il se dit qu'il doit beau-coup s'ennuyer de ses enfants et de sa femme restés en Écosse et qu'il n'a pas revus depuis deux ans.

Déjà perturbées par les nombreuses restrictions que leur imposent les nouveaux dirigeants, les habitudes de vie des Renaud-Giffard ont été doublement bousculées par la présence de Simon Fraser parmi eux. Par chance, Fraser est un homme courtois, discret et accommodant. Il s'adresse à eux en français, accepte de temps à autre de veiller au salon en leur compagnie. Mais il ne partage jamais leurs repas. Ne désirant pas s'immiscer dans l'intimité de la famille, il préfère manger seul dans sa chambre, s'il ne choisit pas de se rendre au mess apprécier la compagnie des autres officiers.

Une main se posant sur sa tête le tire de sa méditation. Sa mère lui caresse les cheveux et l'embrasse sur la joue. Parce qu'il sait que personne ne peut les voir, Guillaume en profite. Malgré qu'il adore sentir sa douceur, il aime de moins en moins qu'elle lui témoigne publiquement son affection. Surtout quand des hommes risquent de les apercevoir. Dans ces moments-là, il s'écarte un peu en grognant et redresse les épaules.

---

2. Un mess est une salle destinée au repas des officiers.

— Avec ce verglas, les soldats vont patrouiller les rues sur les fesses, commente Catherine.

Guillaume et elle rient ensemble. Ils se souviennent des deux soldats qu'ils ont vus le lendemain d'une tempête de verglas descendre sur le derrière la côte de la Montagne, pour finir dans une congère. Les soldats devraient, comme les Canadiens, se fabriquer des semelles à crampons[3].

Catherine cambre le dos et pose ses mains sur ses reins pour les soulager. Le ventre que n'arrivent plus à cacher ses vêtements jaillit. Le bébé signale sa présence d'un gentil coup de pied. Catherine caresse amoureusement son ventre. C'est un geste qu'elle fait souvent.

— Mon grand, est-ce que tu pourrais monter le bois de chauffage pour la nuit et débarrasser le capitaine Fraser de son plateau avant que les invités arrivent ?

Guillaume aime quand sa mère l'appelle son grand.

— Tout de suite, Maman, qu'il répond en s'exécutant.

La corvée du bois lui revient. Tous les matins, Guillaume entre dans l'appentis juste ce qu'il faut de bûches pour chauffer la maison jusqu'au lendemain. Depuis l'automne, l'utilisation du combustible est sévèrement réglementée par le général Murray. L'hiver progressant, le bon bois de chauffage se raréfie. Les quelques réserves accumulées pendant l'été se sont rapidement épuisées. Le bois coupé pendant l'hiver n'a pas le temps de sécher convenablement et ne brûle pas bien. Guillaume partage également le bon et le mauvais bois dans un bac et se dépêche de monter son fardeau à l'étage. Il dépose la moitié des bûches dans la chambre où il dort avec sa famille. Le reste va servir à chauffer son ancienne chambre, qu'occupe maintenant le capitaine Fraser.

La porte est entrouverte. Guillaume glisse son regard intrigué dans la pièce avant de s'annoncer. Dans le halo de la chandelle, il

3. Les habitants de Québec fabriquaient des semelles à crampons avec des vieux clous piqués dans des bandes de cuir épais qu'ils fixaient sous leurs bottes quand les chemins étaient couverts de glace.

aperçoit la silhouette de l'Écossais assis dans le fauteuil que Charles a fait déplacer du salon pour lui. Simon Fraser paraît somnoler. Guillaume ne veut pas le déranger, alors il pousse doucement la porte. Il a oublié qu'elle grince. Simon Fraser soulève la tête.

— *'Tis ? Uilleam, tha e thu*[4] *?*

Guillaume se change en statue de sel. Le capitaine le regarde l'air à la fois surpris et agacé. Guillaume voit la lettre sur ses genoux. Il remarque aussi que les yeux de l'Écossais sont brillants. Comme s'il avait pleuré.

— Capitaine Fraser, je m'excuse vraiment beaucoup, bredouille Guillaume, très mal à l'aise. J'apporte le bois et je viens ramasser la vaisselle.

Guillaume se rend compte qu'il est arrivé à un mauvais moment. Il dépose le bac et se hâte d'empiler les bûches à côté de la cheminée. L'Écossais se dépêche d'essuyer ses yeux avant de se lever pour rassembler la vaisselle sale sur le plateau.

— Tu diras à Françoise que l'oie était délicieuse. Les officiers du mess apprécieraient beaucoup goûter à sa cuisine. Je suis privilégié.

— Je lui transmettrai le compliment, dit Guillaume.

— Ma mère avait l'habitude de préparer un rôti d'agneau pour le dîner de Pâques.

Une pointe de tristesse perce la voix.

— Votre famille vous manque beaucoup ?

— Les jours de fête nous rendent nostalgiques. Ils nous plongent dans nos souvenirs. Parfois ils sont heureux. Quelquefois ils le sont moins.

Guillaume jette un coup d'œil sur la lettre que le capitaine a laissée sur le siège. Elle doit venir de sa famille restée en Écosse. Le capitaine remarque l'objet de son attention.

— C'est de ma femme, Louise. Elle me dit que les garçons vont bien. William, mon plus vieux, réussit bien au collège. Il… il a onze ans aujourd'hui.

---

4. Qu'est-ce que c'est ? William, c'est toi ? (en gaélique).

— Pourquoi n'êtes-vous pas venu manger avec nous ? C'est pas un peu triste de fêter Pâques tout seul ?

— Oh, je n'étais pas seul, mon ami ! fait Fraser. Ceux avec qui je partage ces moments de réjouissance sont ici.

L'Écossais tapote sa poitrine, là où bat son cœur. Ces moments de réjouissance ? Guillaume doute que le capitaine Fraser, qu'il a surpris la larme à l'œil, se réjouisse vraiment tout seul dans sa chambre. Au rez-de-chaussée retentit un remue-ménage soudain. Les voix de monsieur et madame Gauthier résonnent dans l'entrée. Guillaume entend aussi celles d'Émeline, de son grand frère Julien, de son petit frère, Pierre, et de Marie, la petite dernière des Gauthier. L'officier lui rend le plateau.

— Allez-vous vous joindre à nous ? demande Guillaume.

— Non, j'attends la visite de l'un de mes sous-officiers. J'ai une revanche à prendre aux échecs. Mon honneur est en jeu. Allez rejoindre vos amis, *a bhalaich*[5], et faites mes compliments à votre cuisinière.

La guimbarde, les cuillères de bois et le violon donnent le rythme à la soirée tandis que les talons et les cœurs battent joyeusement la cadence. Les visages sont rouges de l'essoufflement et du plaisir qui leur fait momentanément oublier la présence des Anglais dans la ville de Québec. Prêt à entamer un nouvel air, Julien pose son archet sur les cordes de son violon. Il tape du pied. Un, deux trois… Son talon s'immobilise dans les airs avant de compter quatre.

— Ah ! s'exclame-t-il en fixant un point au fond de la pièce.

Les gens se tournent vers l'objet de son attention soudaine. Dans l'entrée se tient un garçon qui paraît du même âge que Guillaume. À la vue d'Angus Macpherson, la bonne humeur de Guillaume s'envole. Le jeune Écossais retire son béret et s'excuse

5. Mon garçon.

maladroitement de son irruption. Il assure qu'il a frappé à trois reprises. C'est la musique qui était trop forte, explique Catherine. Elle lui trouve la mine plus terne que d'habitude et note sa maigreur et les cernes qui se sont creusés sous ses yeux.

— Mais entrez, entrez donc, Angus ! s'écrie-t-elle en traduisant son invitation avec des gestes.

Le garçon s'exécute. De la poche de son vieux capot, il sort un message. C'est pour le capitaine Fraser.

— *Sargent Cameron willna come*, qu'il raconte. Pas pacabe venir.

— Pas « pacabe » ! ricane Guillaume tout bas pendant qu'Angus monte livrer son message au capitaine.

— C'est pas très gentil de te moquer de lui comme ça, lui reproche tout bas Émeline, qui l'a entendu.

— Ça fait cent fois que tu le corriges et il n'arrive pas encore à dire « capable » correctement.

— Et puis après ? Qu'est-ce que ça peut faire ? Il arrive à se faire comprendre, c'est ce qui compte, non ?

Guillaume se renfrogne. Il croise les bras et ne dit plus rien. Quand Angus revient, il l'observe d'un air hautain.

— Comment se porte ton père ? l'interroge Catherine.

— Père, pas bienne, répond Angus.

Le sourire qu'il essaie d'accrocher à son visage ne parvient pas à dissimuler sa tristesse.

— Je suis désolée, dit Catherine.

Le capitaine Fraser leur a raconté que le père d'Angus, un sergent de sa compagnie, était atteint du scorbut. Ce mal pernicieux décime les troupes anglaises, qui subissent aussi les effets néfastes de la disette. Affaiblis par le froid et la faim, manquant de denrées fraîches, comme les citadins, ils tombent malades. Depuis le début de l'hiver, au moins six cents soldats en sont morts, et encore plusieurs centaines en souffrent. Les hôpitaux des couvents des Ursulines et des Augustines ne désemplissent pas. Dans le malheur, Dieu ne favorise ni les pauvres ni les riches, ni les Anglais ni les Français. Des maladies affreuses comme la dysenterie et le typhus frappent sans distinction, cet hiver, plus cruellement que les précédents. Tout cela angoisse énormément Catherine, qui s'en fait pour ses deux enfants et celui à naître.

Mal à l'aise, Angus tripote son béret. Ne désirant pas les interrompre plus longtemps, il se dirige vers la sortie. Il connaît le chemin.

— Il peut rester avec nous ? demande soudain Jeanne à sa mère.

— Pourquoi pas, s'il en a envie.

Par gêne, Angus hésite à accepter. Il vient souvent livrer des messages au capitaine Fraser. Les Giffard sont gentils avec lui. Madame Giffard lui offre parfois une tasse de tisane pour le réchauffer avant de ressortir dans le froid et Jeanne le bombarde de mille et une questions qu'il ne comprend pas toujours. C'est la première fois qu'ils l'invitent à se mêler à eux.

— Dis, Angus, tu vas nous jouer un air de ta flûte ? demande Julien.

— Oui ! Oui ! font vivement Émeline et Jeanne.

— Joue-nous un rile ! s'écrie Jeanne.

— *'Tis said a reel* [6], Missy Jeanne, la reprend gentiment Angus.

— C'est ce que j'ai dit, un rrrrile, répète la fillette en imitant l'accent de l'Écossais.

Tout le monde pouffe de rire. Ce qui détend suffisamment Angus pour qu'il accepte de jouer pour eux. Transportées de joie, Jeanne, Émeline et Marie se précipitent pour l'aider à retirer le vieux capot bleu qu'une ursuline lui a procuré. Le manteau est rapiécé de retailles colorées qui lui donnent l'air d'un épouvantail à moineaux, mais il l'a tenu au chaud tout l'hiver. Sans lui, il aurait sans nul doute « attrapé la mort » comme disent les Canadiens. C'est la première fois, depuis qu'il est en Amérique, qu'il connaît un hiver si glacial. Le dernier passé dans l'État de New York a été nettement moins rude. Angus se dit que s'il avait offert le capot à son père, peut-être qu'il ne serait pas tombé malade.

---

6. On dit un *reel*. (*Reel* : Musique rythmée d'origine écossaise et irlandaise).

Pour ne pas se laisser submerger par le sentiment de tristesse qui lui revient, Angus s'occupe à lisser son kilt effiloché. Il ajuste son plaid usé jusqu'à la trame de façon à camoufler la tache sur le devant de sa veste et frotte, pour faire briller un peu plus, la broche d'argent terni qui le retient sur son épaule gauche. Avec sa chevelure qui n'a pas connu le peigne depuis des jours, il est conscient de l'état misérable de sa tenue aux yeux de ces Canadiens biens pourvus qui portent de beaux vêtements taillés dans des étoffes de qualité. Mais cela ne le dérange pas vraiment. Il a appris à tirer certains avantages de sa pauvre condition. Il attire la compassion de charmantes demoiselles qui, en échange d'un joli air de flûte, lui offrent parfois quelque chose à manger ou une pièce de vêtement. Au plus froid de l'hiver, Émeline a eu pitié de lui et lui a donné une culotte trop petite pour Julien. Un cadeau grandement apprécié.

Se rendant compte qu'on attend de l'entendre jouer, Angus fouille dans son *sporran*[7] et en sort une flûte de métal qui brille comme de l'or dans la lueur des chandelles. Il en tire quelques notes. Tout le monde connaît le talent de musicien d'Angus Macpherson. C'est le fifre et le messager de la compagnie du capitaine Fraser et partout où il va porter un message, on l'entend jouer ses airs entraînants, ce qui lui attire parfois un regard approbateur de la part des Canadiens.

Angus entame le *reel*. Le frère aîné d'Émeline coince son violon entre son épaule et son menton pour l'accompagner. La musique qui remplit la cuisine des Renaud-Giffard incite à se lever et à danser. Émeline invite Guillaume.

— J'ai pas envie, marmonne Guillaume.

Elle ignore son air renfrogné et se tourne vers Françoise, plus enthousiaste. Monsieur et madame Gauthier se joignent bientôt à elles. Ravie, Jeanne observe le jeune Écossais. Elle le trouve beau. Il a les yeux aussi bleus qu'un ciel d'automne et en amande comme ceux du chat de madame Caron. Sa mère dit qu'il est un charmant

7. Petit sac que portent les Écossais sur leur kilt, qui n'a pas de poches.

jeune homme. Elle dit que le charme est une qualité du caractère aussi bien que de l'allure. Il bouge ses doigts avec tant d'agilité sur son instrument. Ses mains fascinent Jeanne. Surtout la gauche, zébrée d'horribles cicatrices roses et à laquelle il manque l'auriculaire. Elle a entendu le capitaine Fraser commenter la bravoure d'Angus quand le chirurgien le lui a coupé après qu'il se fut blessé avec une arme à feu. Il a eu de la chance. C'est toute sa main qu'il aurait pu perdre.

Après les dernières notes de musique, fusent les applaudissements. Catherine présente un gobelet de punch tiède à l'Écossais, qui l'accepte avec plaisir. Les arômes épicés de cannelle de la boisson le réconfortent.

—*'Tis good, tapadh leibh*[8] *!* qu'il dit.

Jeanne réclame un autre air. Angus vide son gobelet. Il essuie le bec de sa flûte sur la manche de sa chemise. Juste avant de poser ses lèvres dessus, Angus regarde Émeline. Miss Émeline, qu'il aime l'appeler. Assise à côté de Guillaume, elle lui sourit. Il entame pour elle une ballade qu'il a composée pendant ses temps libres.

Émeline soupire.

—Oh ! Qu'il joue bien !

Quand il passe un moment avec son père à l'hôpital, Angus joue de la flûte pour lui, et les malades dans la salle cessent de se plaindre. Les religieuses l'ont surnommé leur « pinson du Paradis ». Elles disent que la musique est aussi un remède. Celui de l'âme. Parce qu'il transporte l'esprit loin de ce qui le rend triste. Les malades oublient ainsi leur mal et la faim. Ils oublient que la guerre n'est pas terminée. Et quand leur esprit ne pense plus aux choses tristes, leur cœur est plus gai et leur corps guérit plus vite. Mais lorsque s'arrête la magie de la musique d'Angus, la maladie recommence à faire souffrir les malades, qui se remettent à gémir et à se plaindre.

La musique d'Angus rend aussi Émeline joyeuse. Guillaume l'observe du coin de l'œil. Elle est captivée et suit le rythme en se

8. C'est bon, merci ! (en anglais et en gaélique).

dandinant de gauche à droite. Il n'aime pas l'expression rêveuse qu'elle affiche.

—Bah! qu'il fait sur un ton nonchalant. C'est pas sorcier de jouer de la flûte.

—Comment tu le sais, Guillaume? Tu n'en joues même pas!

Angus joue sa dernière note.

—Je suis certain que je saurais jouer sans difficulté.

Les mots de Guillaume résonnent dans le silence. Tout le monde se tourne vers Guillaume.

—Tou joues *tin whistle*[9]? croit avoir compris Angus.

Il lui présente l'instrument.

—Euh... fait Guillaume en rougissant.

—Ça s'appelle un tine wissel? demande Jeanne, sauvant sans le savoir son frère de l'embarras.

Le garçon l'a ensorcelée. Tout ce qu'il dit avec son accent comique l'intéresse. Elle trouve seulement dommage qu'il ne parle pas aussi bien le français que le capitaine Fraser. Comme le lui a expliqué Émeline un jour, les Écossais ne sont pas vraiment des Anglais. Parce que leur pays a été conquis par le roi d'Angleterre il y a bien des années, ils sont presque obligés de se soumettre à lui et de se joindre à son armée.

—Oui, *tin whistle. Irish flute,* acquiesce Angus en lui dévoilant une rangée de dents brillantes.

Et puis, qu'elle se dit encore, avec un sourire aussi éclatant, il ne peut pas être vraiment méchant.

—Un *tin whistle* est une flûte irlandaise, traduit Charles Giffard.

—Pourquoi il joue pas de la flûte écossaise? veut savoir Marie.

La question fait rire. D'autres questions ne tardent pas à suivre. On s'intéresse soudain de plus près à la vie d'Angus.

—Tu as des frères et des sœurs?

---

9. Le *tin whistle* est une flûte droite traditionnelle irlandaise, apparentée au pipeau.

— Frères ? fait Angus en plissant le front pour saisir le sens du mot. Ah ! *Bràthair*[10] *? Nay…* pas de frère. Et sœurs ? *Aye! One sister.* Margaret. Elle reste en Écosse.

— Avec ta mère ?

L'expression du garçon s'assombrit. Il secoue la tête pour dire non.

— *Màthair*[11] *is…* euh…

Il pointe un index vers le ciel et, mains jointes contre une joue, mime quelqu'un qui dort.

— Oh ! Ta mère est morte, comprend madame Gauthier avec tristesse.

— Pauvre garçon, murmure Catherine, émue.

— Ah ! Je sais ce que c'est que de perdre un parent, clame Françoise. Je suis moi-même orpheline des deux.

Émeline comprend que si le sergent meurt, Angus deviendra aussi orphelin.

— Tu as d'autre famille, en Écosse ? l'interroge-t-elle. Tu dois bien avoir des tantes et des oncles qui vivent encore là-bas. Ta sœur, Margaret, qui s'en occupe ?

Émeline parle trop vite. Angus ne saisit pas le sens de ses questions. Elle se reprend avec les quelques notions d'anglais qu'elle a acquises à l'hôpital au cours des dernières semaines.

— *Macpherson family* en Écosse.

— *Macpherson family, aye!* entend enfin Angus. *Uncle Iain, Uncle Fergus and Uncle Sandy. Aunt Isobel and Aunt Mary… Lot's of cousins.* Pas gaupou… euh, beaucoup *food…* Manger ? *Very poor.* Moi, souligne Angus en pointant son index sur sa poitrine, *in the army.* Dans *army,* moi mange pain tous jours. Moi… ça, âge, raconte-t-il en comptant le nombre treize avec les neuf doigts qui lui restent. *In one year…* Dans oune année, *will be a drummer in father's regiment…* Taratatam ! qu'il ajoute en exécutant un roulement de tambour. *Will be a soldier like Dhaidi in three more…*

---

10. Frère. On le prononce « brâ-ir ».
11. Mère. On le prononce « mâ-ir ».

Charles Giffard traduit pour tout le monde que la famille d'Angus en Écosse est très nombreuse, mais très pauvre, et qu'il est dans l'armée pour gagner son pain. L'an prochain il sera tambour dans le régiment de son père et soldat dans trois ans. Émeline est consternée. Guillaume note combien elle regarde Angus avec pitié. Agacé, il se détourne et fait mine de gratter une tache de sauce qui a séché sur sa culotte. Il n'aime pas l'attention que porte Émeline au pauvre, mais talentueux fifre de la compagnie de Fraser. Mais, pas du tout !

II

Huit petits pains de froment

— Ouille ! Aïe ! Ouille ! Ouille !

— Françoise ! s'exclame Catherine en essayant d'attraper le bras de sa servante.

Il lui échappe et Françoise dégringole les marches couvertes de verglas jusque dans la rue. Le garde, qui a tout vu, se porte au secours de la malheureuse et tente de l'aider à se lever, mais un cri de douleur interrompt son geste. La jeune femme est blessée.

— Madame ! Quel malheur ! Je crois que je me suis cassé la cheville ! C'est de ma faute, j'ai oublié de chausser les semelles à clous.

Guillaume et Jeanne, qui sont accourus en entendant les cris de Françoise, contemplent la désolante scène depuis le seuil de la porte d'entrée. En larmes, Françoise regarde sa cheville, puis le panier qu'elle transportait, tombé à la renverse sur la chaussée. Son contenu de petits pains dorés est éparpillé tout autour. Le capitaine Fraser, qui a aussi entendu les cris, se précipite hors de la maison. Il soulève la jeune femme et la transporte à l'intérieur.

— Ah ! Madame ! Je m'excuse ! C'est de ma faute ! Aïe ! Ouille ! Que ça fait mal !

Fraser remarque que Catherine ne l'a pas suivi à l'intérieur. Quand il revient dehors, il la trouve à quatre pattes en train de ramasser les petits pains avec le garde.

— Il y en avait huit ! s'énerve-t-elle en scrutant la rue en tous sens. Il faut les récupérer tous les huit !

Le garde découvre le huitième petit pain caché au fond d'une crevasse de neige près du perron. Catherine le lui arrache presque des mains et le place sur les autres dans le panier avant de rentrer dans la maison, que les plaintes de Françoise remplissent. Le capitaine reste un instant perplexe avant de suivre ses pas.

Toute la maisonnée est rassemblée au salon. Pendant que Catherine examine la cheville de la jeune femme, Guillaume et Jeanne suivent les instructions de Charles et courent remplir un sceau de neige et quérir des serviettes pour envelopper la cheville de froid de façon à empêcher l'enflure.

— Je peux faire venir le chirurgien de... commence à suggérer Fraser.

— Non ! s'écrie Françoise. Pas de chirurgien ! Ça va ! Je n'ai plus mal... Voyez ? Aïe ! Enfin, c'est pas si pire...

Elle a horreur des docteurs et de tout leur attirail de couteaux et de scies. Charles se déplace avec sa canne jusqu'à elle. L'humidité et le froid ramènent sporadiquement des élancements dans sa blessure reçue sur la plaine d'Abraham. Ignorant les plaintes que pousse Françoise, il palpe doucement la cheville appuyée sur un tabouret.

— Ce n'est qu'une vilaine entorse, déclare-t-il. De la glace, du repos, et tout rentrera dans l'ordre d'ici quelques jours.

— Oh ! Merci, Monsieur ! Merci, merci !

— C'est le bon Dieu qu'il faut remercier, Françoise, dit Catherine.

— Oh, oui ! Merci, mon bon Dieu ! Merci, merci !

Constatant que sa présence n'est plus réclamée, le capitaine Fraser part superviser l'entraînement matinal de sa compagnie. Il ramasse le tricorne qu'il a laissé tomber dans l'escalier dans l'urgence de son élan et l'enfonce sur sa tête. Puis il souhaite une bonne... plutôt, une pas trop mauvaise journée à ses hôtes. Quand la porte se referme, Françoise lance un regard désespéré vers ses employeurs.

— Je suis désolée, s'afflige-t-elle encore. Les petits pains... je ne pourrai pas les livrer.

Quand Guillaume et Jeanne reviennent avec ce qu'on leur a demandé, un silence de veillée de mort plane dans le salon.

— Je vais y aller, décrète Charles.

— Tu ne peux pas, Charles, murmure Catherine. Tu le sais, tu n'as pas le droit de sortir sans un sauf-conduit[1] écrit de la main du capitaine Fraser. Et on ne doit pas te voir en compagnie de gens que le général Murray t'a interdit de fréquenter.

— Le boucher Couture ne représente aucune menace pour les Anglais.

— Et il doit en rester ainsi, énonce-t-elle avec fermeté. C'est moi qui irai.

— Les chemins sont trop dangereux, s'oppose Charles.

— Si vous tombiez, Madame ? ajoute Françoise. Le bébé, vous y avez pensé ?

— Je peux y aller, moi, livrer les petits pains chez monsieur Couture, déclare fièrement Guillaume.

Il bombe le torse.

— C'est quand même rien que des petits pains ! souligne Guillaume.

~

— Hé ! Émeline ! Attends !

Les crampons mordent dans la glace. Guillaume veut rattraper son amie, qui se rend à l'hôpital. Elle s'arrête pour l'attendre.

— Tu vas où comme ça ? lui demande-t-elle en lorgnant le panier recouvert d'un linge qu'il porte à son bras.

— Ma mère m'a chargé d'une mission, explique Guillaume.

Il n'en dit pas plus, question d'affamer davantage la curiosité d'Émeline.

— Je peux savoir ce qu'il y a dans ton panier ?

— J'ai reçu l'ordre de ne laisser personne y toucher.

---

1. Un sauf-conduit est un document accordé par les autorités d'un gouvernement permettant au porteur une liberté de mouvement à l'intérieur de son territoire.

Guillaume répète mot pour mot les instructions de sa mère.

— Je n'ai pas besoin de toucher à rien, se vexe Émeline.

— Ce sont des petits pains, déclare Guillaume en riant.

— Bah ! fait Émeline, qui ne voit plus l'importance de la mission.

— Je pose un geste charitable, fait remarquer Guillaume en espérant redorer son blason aux yeux d'Émeline. C'est pour les Couture.

— Les Couture ? À mon avis, il y en a qui sont plus pauvres qu'eux dans Québec.

Elle hausse les épaules et reprend son chemin. Ils parcourent en silence la rue des Jardins[2] et débouchent sur la Grande Place, où un régiment effectue son entraînement quotidien. Quelques badauds observent les manœuvres à distance tandis que les ordres que crie l'officier se répercutent en écho sur les ruines des bâtiments qui les ceinturent. Guillaume et Émeline font comme eux, mais ne s'attardent guère longtemps, car un vent glacial qui vient du fleuve balaie les toitures et gifle leurs visages.

— Le père d'Angus ne va pas mieux, dit soudain Émeline.

Elle raconte comment l'état de santé du sergent Macpherson s'est détérioré ces derniers jours.

— Ce pauvre Angus. Il en est si chagriné, soupire-t-elle pleine de compassion. Le docteur pense qu'il ne passera pas la semaine. Angus vient tous les jours pour lui tenir compagnie. Tu savais qu'il jouait du violon avant de perdre son petit doigt ? C'est dommage qu'il ne puisse plus en jouer. Angus est si bon musicien…

Émeline continue de vanter les mérites d'Angus. Elle ne voit pas la moue d'irritation que fait Guillaume, car sa crémone[3] camoufle sa bouche.

---

2. On a nommé ainsi cette rue parce qu'elle séparait autrefois les potagers des pères récollets et des Jésuites.

3. Nom donné au foulard de laine porté par les hommes. Celui des dames s'appelait un nuage.

— Heureusement qu'il n'a pas besoin de ses dix doigts pour jouer de sa flûte. Il a seulement commencé à apprendre à en jouer depuis un an. Il est très doué pour apprendre. C'est comme pour le français. En si peu de temps…

Dans ses mitaines, les poings de Guillaume se serrent.

— Il est très doué… pour chanter la pomme pourrie ! dit-il méchamment sans qu'elle l'entende.

— Oh ! Ça doit être vraiment affreux de se faire couper le petit doigt. C'est vraiment affreux !

Guillaume se rend à l'évidence, Émeline est tombée sous le charme de ce petit Écossais de misère. Qu'il se gèle donc les fesses sous sa jupette toute mangée par les mites !

— Oh, c'est vraiment affreux ! commente-t-il sur un ton moqueur qui, cette fois, n'échappe pas à la jeune fille.

Elle s'arrête de marcher et le dévisage avec un air offusqué.

— Comment peux-tu te moquer de cette façon de l'infirmité d'Angus alors que toi, t'as tous tes doigts ? C'est pas très chrétien. Tu devrais démontrer un peu de compassion envers les éprouvés, Guillaume Renaud.

— Les éprouvés ? Ben quoi ! Il n'est pas le seul à avoir un doigt coupé. Il y en a qui se font couper un bras ou une jambe. Parfois les deux, Émeline. Et alors ?

— Guillaume ! C'est pas parce que je te parle du malheur d'Angus que je banalise celui des autres.

Elle lui fait la tête et continue son chemin. Guillaume a noté que depuis quelque temps, Émeline est plus sérieuse et montre une préférence plus marquée pour les occupations des femmes. Elle se donne aussi des airs agaçants de grande dame. Surtout en présence d'Angus. C'est justement l'un de ces airs qu'Émeline se donne lorsqu'ils s'arrêtent devant le portail de bois qui donne accès à la propriété des Augustines.

— Je trouve dommage que tu n'essaies pas d'être plus gentil avec Angus, lui dit-elle.

Guillaume fait une lippe qui montre son impatience. Il fait une si drôle de grimace qu'Émeline ne peut pas rester fâchée longtemps. Pour se moquer, elle l'imite en étirant la lèvre du bas et éclate de rire.

— C'est pas drôle ! s'offusque Guillaume.

Il pince les lèvres, accentue son air buté et s'en va.

— Guillaume ! le rappelle Émeline. C'était pour rire, ne te fâche pas pour ça !

— Ne te fâche pas pour ça ! répète Guillaume en reprenant la voix haut perchée de la jeune fille. Va donc à l'hôpital soigner nos ennemis, qu'ils soient assez solides pour combattre l'armée qui va venir nous déliver, Émeline Gauthier ! Dieu va te punir en te faisant attraper le scrobut.

— On dit le scorbut, le corrige-t-elle.

— Scrobut, scorbut, c'est du pareil au même. Ça fait tomber toutes les dents.

Émeline reste bouche bée.

— Ça c'est méchant, Guillaume Renaud ! C'est cruel de me souhaiter une si horrible maladie !

Le cœur brisé par la méchanceté de son ami qu'elle ne comprend plus, elle le regarde s'éloigner.

— Mais qu'est-ce qui lui prend ? Il est si grognon ces derniers temps. Grognon et même si méchant qu'il mériterait rien que je ne lui adresse plus la parole pendant deux jours !

Elle se retient toutefois de lui souhaiter de tomber et de se casser le nez. Elle repense au mauvais caractère de son frère Julien, qui, depuis qu'il a trois poils sur le menton, rechigne sur tout et sur rien. Quand son père veut le corriger, sa mère prend sa défense et dit qu'il fait sa tête de nouveau jeune homme, que ça va lui passer avec l'âge. Peut-être que Guillaume commence aussi à faire sa tête de nouveau jeune homme. Il va falloir qu'elle note s'il a des poils sur le menton…

Guillaume avance d'un pas ferme. Il est en colère. Il veut passer sa frustration en donnant un coup de pied dans un crottin de cheval gelé. Les clous fichés dans les semelles s'ancrent dans la glace. Il perd l'équilibre. Le panier lui échappe et vole dans les airs…

Émeline remonte l'Allée de l'hôpital. De part et d'autre s'étendent les jardins de l'Hôtel-Dieu. L'odeur putride qui flotte dans la cour ramène graduellement ses préoccupations vers l'hôpital. Cette odeur, elle le sait, provient des corps ensevelis sous la neige, que le retour des temps plus doux dégèle. Les Anglais vont devoir bientôt penser à les enterrer convenablement.

Des soldats arrivent en sens inverse.

« *Good day, Miss !* » la salue l'un d'eux.

Émeline baisse les yeux quand elle rencontre des soldats, comme lui a montré sa mère, et elle se dépêche vers le monastère, qui remplit aussi depuis le mois de septembre la fonction de caserne pour l'armée anglaise. Au moment où elle atteint le monastère, la porte s'ouvre et un autre soldat lui présente le dos. Elle s'écarte pour le laisser passer. L'homme tient l'une des extrémités d'un brancard. De sous la couverture qui dissimule un corps, une main pend et ballotte mollement. L'odeur l'oblige à placer sa main sur son nez. Elle pense tout de suite au sergent Macpherson et à Angus. Sitôt que le passage se dégage, elle se précipite à l'intérieur.

Attiré par des rires, Guillaume tourne la tête. Des enfants qu'il n'avait pas remarqués sortent de sous un porche et s'approchent des petits pains semés autour de Guillaume. Il s'empresse de les rassembler et de les remettre dans son panier avant qu'ils puissent en toucher un seul. Les enfants ont l'air miséreux, mais Guillaume a été sévèrement averti. Émeline qualifierait sans aucun doute son comportement de « pas chrétien », mais il n'a pas le choix : TOUS les petits pains doivent être livrés chez le boucher, sans faute ! « Gare à toi si tu te laisses tenter d'y goûter ! » l'a mis en garde sa mère avant de lui confier le panier. C'est à croire que ces petits pains sont aussi précieux que des lingots d'or ! Françoise les a boulangés avec la farine de pur froment que leur donne le capitaine Fraser. Une fois par semaine, elle les échange contre une bonne pièce de viande. Parce que l'argent sonnant manque dans la colonie, procéder à des échanges de services ou troquer des vivres est devenu un usage courant. Françoise dit qu'il n'est pas juste que les officiers se réservent la meilleure farine alors que la majorité des habitants de Québec, comme les Couture, doivent depuis des mois se contenter d'une mauvaise farine de méteil[4] et d'orge à peine tamisée, à laquelle on mélange parfois de la farine de gland de chêne.

Comme tous les habitants de la Basse-Ville qui ont perdu leur toit, les Couture aussi ont dû chercher refuge ailleurs pour passer l'hiver. Ils habitent maintenant chez la tante de Jacquelin. Monsieur Couture et ses fils ont temporairement réorganisé la boucherie dans un petit hangar au fond de la cour. Ils y vendent principalement de la viande de gibier, qu'ils chassent dans les bois ou qu'ils achètent aux Sauvages de la Jeune-Lorette.

Dans la cour, Jacquelin lance des pelletées de neige immaculée sur des flaques de sang écarlate. Joseph, le petit frère de Jacquelin, fabrique des pâtés de boue qu'il aligne sur un banc de bois. L'odeur du sang et de la viande fraîche soulève le cœur de Guillaume. Aujourd'hui sont suspendus à la potence les carcasses de deux porcs, d'un chevreuil, de trois castors, de cinq lièvres et d'un autre animal que Guillaume ne peut reconnaître. Intrigué, il s'en approche pour mieux l'identifier. On dirait le squelette d'un castor, mais avec des dents jaunes plus petites et une queue de rat.

— C'est une marmotte, l'éclaire Jacquelin.

— Une marmotte ? s'étonne Guillaume.

— Il paraît que c'est bon en potée.

— Personne va vouloir l'acheter, observe Guillaume avec une expression qui en dit long sur ce qu'il pense de la viande de cet animal.

— Ben… Le père, il dit que c'est meilleur pis plus tendre que du lièvre. Il suffit de bien dégraisser la viande. Et pour pas que ça

4. Le méteil est un mélange de grains de seigle et de froment moulus ensemble. Le froment est le blé tendre employé pour la fabrication du pain blanc, que seuls les plus riches pouvaient utiliser.

goûte la terre, il vaut mieux la chasser avant l'été. La veuve Barbel les achète. J'ai entendu ma mère dire qu'elle les fait mijoter dans du vin pour faire une potion pour les nouvelles accouchées.

La veuve Barbel est une sage-femme très populaire à Québec.

— Beurk ! Pourquoi elle fait ça ?

— Ben... parce que les marmottes sont paresseuses, je suppose que ça doit aider à faire dormir les femmes après... ben... que le bébé est sorti de...

— Jacquelin, arrête de placoter pis finis ta corvée ! lui crie la mère Couture, qui vient d'apparaître à une fenêtre. Y reste encore les latrines à nettoyer !

— Y reste toujours quelque chose à faire, rouspète Jacquelin entre ses dents.

La mine rembrunie, le fils du boucher se remet à couvrir le sang avec la neige qui se teinte de rose comme un ciel d'aurore. Il ramasse ensuite la neige imbibée pour la mettre dans une brouette que Joseph, qui craint les récriminations de leur mère, fait semblant de retenir pour se rendre utile.

— Eh bien, je pense que je vais y aller, fait Guillaume, qui ne voit plus rien à dire.

— C'est ça, réplique Jacquelin, avec une pointe de tristesse.

Jacquelin n'a plus le temps de s'amuser. Il a maintenant treize ans et doit travailler comme un homme. Il doit chasser avec ses frères afin de pourvoir la boucherie en viandes fraîches et s'occuper du nettoyage après le dépeçage des bêtes. Guillaume reconnaît la chance qu'il a d'être dispensé de travailler aussi jeune pour gagner son pain... ce qui lui rappelle ceux qu'il doit livrer. Il se retourne pour se diriger vers le hangar, quand une tache colorée passe furtivement entre la palissade de bois qui sépare la cour de celle du voisin et le bâtiment, captant son attention, et réveillant sa curiosité. Tiens, tiens !

Guillaume contourne le hangar. Personne. Il aurait pourtant juré avoir vu passer une veste rouge. Malgré la menace d'être pendus s'ils volent les habitants, la faim et la cupidité poussent de temps à autre des soldats à commettre des larcins. Derrière la boucherie, une porte est entrouverte et donne accès à l'arrière-boutique. Guillaume jette un œil dans l'entrebâillement. L'intérieur du hangar est mal éclairé, mais Guillaume devine les pièces de viande en faisandage accrochées le long des murs. L'odeur qui s'en dégage est si forte qu'elle le prend à la gorge. Face à l'étal, le boucher Couture lui tourne un dos aussi large que celui d'un taureau. Shlack ! Shlack ! Shlack ! Il manipule le hachoir à grands coups. Guillaume se dit que pas un soldat sain d'esprit ne se risquerait à se mesurer à lui. Il s'apprête à s'en aller, quand il aperçoit une ombre se déplaçant à quatre pattes entre deux carcasses suspendues. Les coups de hachoir cessent subitement et le boucher essuie ses grandes mains pleines de sang sur son tablier. L'ombre se fond dans l'obscurité. Le boucher attrape une jatte sur une étagère.

— Hé, Xavier ! Viens m'porter les oignons pour les saucisses ! crie-t-il en reprenant sa place devant l'étal.

Xavier apparaît devant le comptoir avec une poche d'oignons qu'il laisse tomber par terre en se plaignant de son poids.

— Arrête de jouer le fainéant dans le temps que moi je m'échine à vous mettre de quoi dans l'ventre ! le sermonne Louis Couture. Pis arrête de traîner les pieds quand tu marches, tu vas varloper ce plancher jusqu'aux clous, ma parole !

Shlack ! Shlack ! Shlack ! Le boucher se remet au travail avec énergie. La viande hachée remplit rapidement la jatte. L'ombre s'extirpe prudemment de sa cachette. Guillaume a à peine le temps de se dire que ce qu'il a vu passer n'est qu'un chien en maraude, que l'ombre se déplie et prend la forme d'un être humain. Il la voit venir vers lui. Effrayé, il fait un pas en arrière et trébuche sur un seau avant de courir se cacher derrière les latrines. Juste à temps ! La porte s'ouvre dans un faible grincement des gonds. Guillaume voit apparaître un chapelet de saucissons qui pendouillent dans une main…

— Torrieu de bouton plein de pus !

Il manque un doigt à cette main. Le petit doigt ! Et le capot bleu tout rapiécé de retailles colorées ne peut être que celui d'Angus

Macpherson. Eh bien, ça alors ! Ce chanteur de pomme d'Angus est aussi un voleur de saucissons ! Après être sorti, le jeune Écossais referme silencieusement la porte. Il se prépare à prendre la fuite, lorsque son pied heurte un objet. Un petit pain ! Il est tombé du panier sans que Guillaume s'en aperçoive ! Angus contemple la petite miche dorée d'un air perplexe. Sidéré, Guillaume le voit la prendre et la fourrer dans les plis de son plaid avant de se volatiliser dans la cour du voisin par une ouverture dans la palissade de bois vermoulu.

Jacquelin est occupé à décrocher la marmotte de la potence. Une vieille femme courbée sur sa canne attend son tour au comptoir du boucher. C'est la veuve Barbel. Louis Couture pointe un gros index à la propreté douteuse sur chacun des pains alignés sur le comptoir devant lui et énumère les garnitures qui les distinguent.

— Abricots, raisins secs, noix de Grenoble... Y a pas d'amandes ! déclare-t-il gravement.

La ligne de ses sourcils devient droite comme une règle à mesurer.

— Dis donc, pourquoi est-ce qu'il n'y a pas d'amandes cette semaine ?

— Je ne sais pas, monsieur Couture, répond timidement Guillaume, c'est peut-être parce qu'on n'en a plus à la maison.

Monsieur Couture fixe Guillaume bizarrement. Guillaume devine qu'il doute de la véracité de son allégation.

— T'en aurais pas mangé un, par hasard ?

— Jamais de la vie ! s'indigne Guillaume.

— Ouais... c'est peut-être ben pour ça qu'on t'envoie à la place de mademoiselle Françoise.

— Françoise s'est tordu une cheville, explique Guillaume.

Le boucher lance un regard vers le Sauvage, que Guillaume n'avait pas encore remarqué. Assis sur un banc près de la porte, Jean Atecouando fume tranquillement sa pipe. Dans la langue abénaquise, Atecouando signifie « qui est rusé comme le chien l'est pour la chasse ». On raconte que Jean Atecouando est le meilleur chasseur de tout le pays et qu'il ne rate jamais une cible, que ce soit au harpon, à l'arc ou au fusil. On raconte aussi qu'il peut transporter un ours sur ses épaules. C'est qu'il est très grand et musclé, Jean Atecouando. Même les Anglais le traitent avec respect parce qu'ils le craignent. Tout le monde sait que l'Abénaquis déteste les Anglais plus que tous ses compatriotes depuis que son père et son frère ont été tués dans l'attaque de son village[5] et que sa femme et ses enfants ont été fait prisonniers par les Rangers en octobre dernier.

— Y a pas d'amandes cette semaine, annonce monsieur Couture au Sauvage.

Sans se presser, l'homme déplie son corps et tire tranquillement deux bouffées de sa pipe. Sous des épaisseurs de peaux ornées de motifs colorés et de fourrure, une chemise de lin jaune et des mitasses de daim l'habillent. Son visage n'exprime aucune émotion. Dans ses longs cheveux de jais brillant, il a fiché trois plumes d'aigle et deux de corbeau. Il plisse les paupières sur ses yeux sombres comme une nuit sans lune. Guillaume sent ce regard le percer jusqu'aux os et il frissonne. N'importe qui frissonne quand les yeux de Jean Atecouando se posent sur lui.

— Pas d'amandes, constate-t-il de sa voix profonde, alors, j'ai plus rien à faire icitte !

Il ramasse ses raquettes et s'en va sans saluer personne. Louis Couture hausse les épaules.

— Il aime seulement les petits pains avec des amandes, explique-t-il avec embarras. D'habitude, il y en a toujours un pour lui.

Le boucher reste un instant à contempler les petits pains. Il pêche sous le comptoir un emballage de papier brun et commence à le défaire. Guillaume découvre de belles côtelettes et une grosse portion de boudin noir. Louis Couture reprend le boudin, remballe le reste et place le paquet dans le panier de Guillaume.

---

5. La mission Saint-François-de-Sales a été fondée en 1683 sur les rives de la rivière Saint-François par les pères jésuites afin d'évangéliser les Amérindiens. C'est aujourd'hui le village d'Odanak.

— Cette semaine, c'est du chevreuil, lui annonce-t-il. Mes meilleurs souhaits de rétablissement à mademoiselle Françoise.

— Je les lui transmettrai ! répond Guillaume, étonné par le geste du boucher.

Il n'ose pas demander pourquoi il a repris le boudin, habituellement inclus dans l'échange. Françoise le fait rôtir et il le mange pour le petit-déjeuner du samedi.

III

Les Anglais sur le qui-vive

Guillaume accroche son chapeau, sa crémone et son manteau à la patère. Dans la cuisine flottent les arômes du tabac et de la sempiternelle soupe aux choux qui mijote dans la marmite pendue à la crémaillère. Assise sur une chaise près du feu, qui jette des lueurs dorées dans la pièce, Françoise donne de temps à autre un coup de louche tout en dirigeant les leçons de catéchisme de Jeanne, à ses côtés.

— Tout s'est bien passé, Guillaume ? l'interroge Catherine en échangeant le paquet qu'il lui tend contre une tasse de bouillon chaud.

Guillaume hoche affirmativement la tête et prend place à la table où, sa pipe entre les dents, son beau-père est occupé à compter des colonnes de chiffres. Ce dernier observe à travers la fumée Guillaume plonger son nez dans les vapeurs aromatiques, tandis que Catherine s'apprête à déballer le paquet.

Des bruits dans l'entrée rompent leur tranquillité. Le capitaine Fraser fait son apparition dans la cuisine. Guillaume remercie le ciel d'envoyer l'Écossais détourner l'attention de sa mère, qui dépose le paquet. Cependant, il reste sans voix quand il voit Angus suivre le capitaine, un gros sac de jute en équilibre sur son épaule. Simon Fraser laisse bruyamment tomber le sac sur le plancher.

— Avec toute ma gratitude, dit le capitaine en s'inclinant respectueusement devant la maîtresse de maison.

Fraser offre chaque mois en « dédommagement » pour le « dérangement » que cause sa présence dans la maison, du bœuf salé, des haricots secs, du riz, de la farine et du beurre. Les premiers mois, il ajoutait aussi quelques légumes frais, tels des oignons et du navet, mais les réserves de l'armée s'appauvrissant dramatiquement, elles sont maintenant sévèrement rationnées, même pour les officiers. Cette fois, Catherine tire du sac des chandelles, du lard et de l'anguille fumés, de la belle farine de froment, des poireaux et des carottes un peu flétris, mais consommables, de la cannelle, de la muscade et du poivre, des pois secs en suffisance et… Oh ! Horreur !

— Des pommes de terre ?

Les tubercules tombent du sac sur la table et rebondissent sur le plancher. Tout le monde regarde une des pommes de terre rouler et s'immobiliser sous une chaise.

— Mais, on n'a pas de cochon ! fait enfin candidement remarquer Jeanne.

— Les pommes de terre, ce n'est pas juste bon pour les cochons, réplique Fraser en riant.

Personne n'ose commenter. Il retire sa cape et son tricorne. Lorsqu'il se retourne pour leur faire face, l'Écossais comprend rapidement le dégoût de ses hôtes pour ce pourtant très vénérable tubercule.

— Vous n'avez jamais goûté à une pomme de terre ? interroget-il en feignant la surprise.

Il n'ignore pas que les Français dédaignent la pomme de terre, la considérant comme un aliment bon seulement à nourrir le bétail. Son épouse française a mis trois années avant d'accepter d'en placer un morceau dans sa bouche. Ignorant les regards stupéfiés qui le dévisagent, il ramasse les légumes mal-aimés et les rassemble sur la table, l'air songeur.

— Il ne restait plus suffisamment de navets, alors j'ai pensé… La pomme de terre est de loin plus nourrissante que le navet, vous savez. Il ne faut pas la sous-estimer. Pendant l'automne de 1746 et l'hiver qui a suivi, ces tubercules ont été la principale source de subsistance de ma famille quand nous avons dû nous cacher dans les montagnes après la défaite des clans écossais à la grande bataille de Culloden[1]. En guise de représailles, les soldats anglais ont saccagé nos récoltes et mis le feu à nos maisons. Mais ils ignoraient que certains d'entre nous cultivaient la pomme de terre… pour nourrir notre bétail, je l'avoue humblement. Leurs semelles ont piétiné les plants, mais les tubercules sont restés intacts sous la terre. Sans eux, nous serions certainement morts de faim. Je n'ai plus cessé d'en manger depuis. Je vous assure, pilés avec de la crème et du beurre, ils sont délicieux.

Tout le monde se tourne vers Catherine comme pour attendre son verdict.

— Merci, capitaine Fraser, bafouille-t-elle sans parvenir à dissimuler son incertitude.

Guillaume est estomaqué. Seront-ils obligés de manger ces pommes de terre ?

— Beurk, il y a des vers dedans ! s'écrie Jeanne en montrant du doigt les pointes jaunâtres émergeant des légumes.

La remarque lui vaut un regard réprobateur de la part de sa mère.

— Ce ne sont pas des vers, mais des germes, précise-t-elle.

Catherine les contemple. On dirait effectivement des vers… et, à l'idée d'avaler ce légume, comme Jeanne, elle pense : beurk ! Mais elle sait que les intentions du capitaine sont honorables.

— Est-ce que vous accepteriez de manger avec nous ? lance-t-elle soudain à son intention. Vous pourriez peut-être suggérer à Françoise une façon d'apprêter vos… pommes de terre ?

---

1. La bataille de Culloden a eu lieu le 16 avril 1746. Elle opposait l'armée des clans écossais jacobites, partisans de la dynastie des Stuart, à celle du roi d'Angleterre et d'Écosse, George II, issu de la lignée royale de Hanovre. Les jacobites avaient pour mission de replacer sur le trône Charles Édouard Stuart, fils de Jacques VII, roi catholique déchu et exilé en France après avoir été écarté de son trône par les protestants en 1688. L'écrasante défaite des rebelles jacobites a sonné le glas du système clanique des Highlands.

— Je veux bien accepter votre généreuse invitation, madame Giffard, dit-il, à la condition que vous me laissiez les préparer moi-même. Votre servante n'est pas en mesure de cuisiner aujourd'hui, et vous avez besoin de repos. Ma femme raffole de la purée de pomme de terre agrémentée de crème sure ou de sauce à rôti. Quoique je pense qu'aujourd'hui nous allons nous contenter d'oignons rôtis en garniture.

Catherine se montre satisfaite.

— Et vous, cher jeune homme, est-ce que vous voulez manger avec nous ? s'enquiert-elle en s'adressant à Angus, qu'on a oublié derrière l'officier.

Tous les regards se déplacent maintenant vers lui. Les yeux d'Angus s'arrondissent de surprise tandis que ceux de Guillaume s'agrandissent d'incrédulité. Il n'en revient pas ! Angus le voleur, qui chipe les saucissons de monsieur Couture, qui se sauve avec SON petit pain, qu'il a certainement déjà dévoré, va maintenant manger à la même table que lui ? Il fixe le jeune Écossais sans plus cacher son mépris. Malheureusement, Angus ne le regarde pas.

De son côté, Angus a terriblement envie d'accepter l'invitation. Il n'a pas mangé à une table familiale depuis son départ d'Écosse, il y a presque trois ans. Et encore, *Aunt* Mary avait un cœur d'or et l'aimait comme son propre fils, mais elle était loin de connaître les manières de madame Giffard et de Jeanne. Il craint qu'on ne se moque de lui. À vivre pendant aussi longtemps avec des soldats, souvent de simples fils de paysans cherchant à fuir la pauvreté, sinon de pauvres hères engagés par la ruse dans les tavernes des ports, on finit par en imiter les façons…

— Quand il y a du pâté pour six, il y en a pour sept, décrète Catherine. Allons bon, c'est décidé ! On goûtera tous ensemble aux fameuses pommes de terre du capitaine Fraser.

Angus a englouti son assiette comme un goinfre avant de finir de la nettoyer avec ses doigts et une épaisse tranche de pain ! Quel glouton ! Bon, c'est vrai, les pommes de terre n'étaient pas si mal, pilées avec du bouillon, de la muscade et des oignons. Mais Guillaume s'est efforcé de ne pas trop le montrer. Ce n'était pas comme Angus, qui, un peu plus, faisait reluire son assiette à coups de langue. S'il avait agi comme l'Écossais, il aurait eu droit à de sévères remontrances. Mais parce que c'est Angus, le geste disgracieux a fait beaucoup rire Jeanne et sourire sa mère, qui est même allée jusqu'à lui offrir une autre tranche de pain. Gêné, Angus a bien sûr refusé, mais Guillaume a vu ses yeux dévorer le contenu des autres assiettes sur la table. S'il n'avait pas tout mangé sa purée de pommes de terre, Guillaume lui aurait avec joie cédé son reste... comme on le fait avec les vrais cochons ! Les Anglais savent aussi bien que les Français que les pommes de terre servent habituellement à engraisser les porcs !

Il essaie de penser à autre chose. C'est inutile. Le souvenir du sourire enjôleur d'Angus ne cesse de le narguer et il est incapable de se concentrer sur la patience qu'il joue. Pendant que Guillaume ramasse les cartes, le cliquètement des broches à tricoter résonne dans le salon, qu'emplit le faible crépitement du feu dans l'âtre. Catherine laisse filer une maille et pousse un grognement d'impatience. Elle a l'air préoccupée. Charles aussi. Il a ouvert un livre sur ses genoux mais, l'esprit ailleurs, il ne lit guère. Guillaume se demande si c'est à cause du morceau de boudin manquant. Il a remarqué l'air surpris de sa mère quand elle a finalement déballé le paquet de viande. Elle n'a rien dit en présence du capitaine Fraser et d'Angus.

Après leur départ, elle l'a interrogé. Guillaume l'a assurée qu'il ne sait pas pourquoi le boucher n'a pas mis le boudin dans le paquet. Le boucher n'a rien dit à ce sujet. Guillaume omet délibérément de dire que monsieur Couture avait préalablement placé le boudin dans le paquet et qu'il l'a enlevé. Est-ce que cela peut avoir un lien avec le petit pain garni d'amandes qu'il s'attendait à trouver parmi les autres ? Guillaume a aussi sciemment « oublié » de spécifier le fait qu'un pain manquait. Il n'a pas eu le réflexe d'empêcher l'Écossais de le lui prendre. Le dénoncer à monsieur Couture ou à Charles l'aurait obligé à avouer sa lâcheté. Parce qu'il doit l'admettre, il a eu peur de se montrer devant Angus. L'Écossais est plus grand que lui et, malgré qu'il soit plus maigre, il porte toujours un *sgian dubh*[2] inséré dans sa chaussette. Un couteau reste un couteau, tandis qu'un petit pain n'est, somme toute, rien de plus qu'un petit pain.

— Il est tard, Guillaume, lui dit sa mère. Il est grandement temps de te mettre au lit. N'oublie pas d'enfiler une deuxième paire de bas et vérifie si ta sœur est bien couverte.

— Oui, Maman, fait Guillaume.

Il range les cartes à jouer dans le secrétaire, embrasse sa mère, serre la main de son père et monte à l'étage.

— Je suis certaine qu'il s'est passé quelque chose, entend-il sa mère murmurer alors qu'il met le pied sur la dernière marche.

Guillaume ne bouge plus et écoute la suite.

— Il y a certainement une explication, répond Charles.

— Que contenait ton message cette semaine ?

— Des précisions sur l'emplacement des magasins de l'armée et un dernier rapport sur l'état des troupes.

— Tu l'as signé ? Tu as inséré une information qui pourrait t'identifier ?

— Voyons donc, Madame ! s'écrie Françoise, Monsieur est bien trop rusé pour se faire bêtement prendre comme un écolier qui triche.

— Tu as raison, Françoise, concède Catherine dans un soupir. Je m'en fais pour rien. Mais alors, reprend-elle néanmoins, si c'était le messager de Bourlamaque[3] qui s'était fait prendre par les Anglais avec des informations qui te sont destinées ? Les Anglais ne sont pas si bêtes pour croire qu'il n'existe pas de mouvement de résistance dans Québec. Bientôt ce sera la débâcle du fleuve. Le chevalier de Lévis va certainement agir d'ici quelques jours.

---

2. Couteau traditionnel écossais. Prononcer « skin dou ».

3. Le général François Charles de Bourlamaque était le commandant des troupes cantonnées au fortin de la rivière Jacques-Cartier durant l'hiver de 1760.

— Attendons de recevoir des nouvelles de Couture. Il suffit de rester calmes et de ne rien changer à nos habitudes d'ici là. Je vais faire porter un message dès demain à l'auberge du Chien d'or.

— Je n'aime pas ça.

— Ma mie…

Le ton de Charles l'incite au calme. Catherine dépose son ouvrage et pousse un soupir. Le bébé la roue de coups de pied et cela lui fait mal dans le bas du ventre. Elle en est à la fin de son huitième mois de grossesse. Il lui reste encore un mois à subir les humeurs de ce nouvel être qui ne demande qu'à s'exprimer. Elle applique ses deux mains sur son ventre et le caresse avec amour pour apaiser l'enfant. Une petite protubérance se déplace sous sa paume et lui arrache un sourire. C'est parce qu'elle est nerveuse que le bébé s'agite autant. Elle essaie pourtant de se détendre, mais n'y arrive pas.

— Ça va être un p'tit vigoureux, celui-là, j'vous le prédis, Madame ! s'écrie Françoise en piquant son aiguille dans l'étoffe de la chemise qu'elle reprise.

Catherine gratifie sa domestique d'un sourire et reprend son tricot. Charles fait mine de se replonger dans sa lecture. Sur la pointe des pieds, Guillaume gagne sa chambre. Charles Giffard, un espion ? Ça alors ! Guillaume est à la fois étonné et impressionné. Quoique… s'il fallait que le capitaine Fraser l'apprenne…

Deux jours plus tard, remise de son entorse, Françoise revient du marché en catastrophe.

— Eh bien, ma pauvre Françoise, ton panier est plutôt léger aujourd'hui, remarque Catherine en le voyant vide. C'est pire que jamais ! Tous les celliers des environs seraient finalement épuisés jusqu'à la terre battue ?

— Ha ! Ha ! s'esclaffe Jeanne devant les chaussures couvertes de boue de la servante. On dirait qu'elle a trempé ses pieds dans du chocolat, Maman !

— Madame, je dois vous parler, à vous et à Monsieur, fait nerveusement la servante.

— Ma foi, tu as vu la Sainte Vierge en chair et en os ? s'écrie Catherine.

— Si c'était ça, Madame ! Oh ! Si c'était rien que ça !

— C'est vrai qu'elle a l'air d'avoir trempé les pieds dans…

— Va chercher papa Charles, Jeanne, s'impatiente Catherine, qui, à l'expression de Françoise, devine un drame.

La fillette saute de sa chaise et part en galopant. Catherine invite Françoise à s'asseoir.

— Je peux pas, Madame. Pas tant que j'ai pas livré la nouvelle.

— Quelle nouvelle ?

— Il faut que Monsieur l'entende, Madame. Je peux pas prendre le risque de parler tout haut plus d'une fois.

Elle retire sa cape et ses chaussures, essuie du mieux qu'elle peut ses bas et glisse ses pieds dans ses sabots de bois. Quand elle se redresse, Charles se tient dans l'encadrement de la porte, Jeanne accrochée à son bras. Le regard chargé d'inquiétude de Françoise sonne une alarme dans l'esprit de Charles. Sans poser de question, il se dirige vers la salle à manger, Françoise, sa femme et Jeanne sur ses talons. Catherine se penche sur la fillette.

— Ma puce, est-ce que tu entends ?

Jeanne tend l'oreille.

— Non, quoi ?

— Ah ! C'est pas ta poupée qui te réclame ?

— Ma poupée ?

— Je pense qu'elle vient de se réveiller.

— Mais, je viens tout juste de la coucher !

— Elle doit avoir fait un cauchemar.

— Vraiment ? s'étonne Jeanne. Oh ! La pauvre…

Jeanne s'envole consoler sa poupée, Catherine ferme la porte de la salle à manger. Françoise fait les cent pas et s'agite.

— Les Anglais ont découvert l'existence d'un réseau d'espionnage dans la ville.

— Quoi ? s'écrie Catherine, interloquée.

— Comment ? ajoute Charles.

— Je ne sais pas, Monsieur Giffard, s'écrie Françoise, toute retournée par les évènements. J'attendais que le cordonnier finisse de changer le talon du soulier de Madame, quand j'ai entendu deux clientes chuchoter derrière moi. L'une d'elles racontait que sa voisine a reçu la visite des soldats. Ils ont fouillé la maison et toutes ses réserves. Quand ils ont vu qu'elle n'avait pas de farine de froment, ils sont partis.

— De la farine de froment ?

Le sang quitte le visage de Catherine et elle se retient au bras de Charles. Leurs regards se croisent. Ils devinent la même chose.

— Il faut se débarrasser de la farine...

— C'est inutile, ma mie. C'est le capitaine qui nous l'offre.

— Les pains... on doit avoir découvert ton message dans le pain.

— J'aurais dû prendre l'autre farine, Madame, celle qu'emploient la plupart des gens, se culpabilise Françoise.

Charles fait quelques pas et s'appuie contre le chambranle de la fenêtre. Les secondes s'écoulent au rythme du tic-tac de la pendule.

— Il est possible, en fin de compte, que l'agent de Bourlamaque ait été intercepté avec les informations secrètes lors de son dernier voyage. On surveillait peut-être ses allées et venues dans la ville depuis un moment. Quelqu'un peut avoir parlé. Un collaborateur ? En ne nous envoyant pas de boudin, Couture a peut-être tenté de nous avertir d'une fuite dans le réseau. Si les Anglais croient qu'il y a des espions entre les murs, ils vont fouiller toutes les maisons.

— S'ils cherchent de la farine de froment... Le capitaine Fraser a vu les petits pains dans le panier de Françoise, se rappelle soudain Catherine. Oh ! Tu crois... tu crois...

Elle n'arrive plus à articuler ses mots.

— Vous croyez qu'il va nous dénoncer ? formule pour elle Françoise.

—Je ne le sais pas, répond Charles, pensivement. Quoi qu'il en soit, tôt ou tard, les Anglais finiront par tout découvrir. Je dois réfléchir…

Le reste de la journée se déroule dans une atmosphère de morosité commune. Guillaume rentre pour le dîner avec un air bougon. Alors qu'il venait attendre la sortie d'Émeline de l'Hôtel-Dieu pour passer un moment avec elle, Guillaume a surpris son amie en train de serrer Angus Macpherson dans ses bras. Le couple se tenait dans l'allée de l'hôpital, au vu et au su de tout le monde. Très choquant! Quand elle a embrassé l'Écossais sur la joue, Guillaume a senti son cœur se décrocher dans sa poitrine et se briser en mille morceaux. Il est rentré chez lui sans l'attendre.

Catherine et Charles semblent perdus dans leurs pensées. Au dîner, Jeanne demande pourquoi son père ne répond plus quand elle lui parle. Catherine lui dit qu'il réfléchit.

—À quoi? fait Jeanne.

—À des choses importantes.

Lorsque les enfants sont enfin au lit et que le capitaine Fraser les libère de sa présence, Charles entraîne sa femme contempler le ciel par la fenêtre de la mansarde. Il veut aussi lui faire part de la décision qu'il a prise.

Crrrric! Crrrrac! Le bruit réveille Guillaume, qui ouvre les paupières. Le feu dans l'âtre n'éclaire plus que faiblement la chambre. On doit être au beau milieu de la nuit. Crrrric! Crrrrac! Le craquement bat un rythme régulier. Guillaume n'ose bouger autre chose que les yeux. Les flammes dans l'âtre projettent des ombres vacillantes sur les murs. Les meubles et les objets qui l'entourent s'animent et prennent des formes curieuses. L'atmosphère est des plus sinistres. La cape suspendue à la patère est un fantôme qui voltige tandis que les jambes de la poupée de Jeanne giguent sur la chaise. Mais le plus inquiétant est la statue de la Vierge Marie en bois que garde sa mère sur la commode et qui lui fait des grimaces démoniaques.

Il ose regarder autour de lui... Françoise endormie sur le lit de ses parents ? Pourquoi est-ce que Françoise est dans la chambre et où sont passés ses parents ?

Il se lève doucement pour ne pas réveiller Jeanne, qui dort à poings fermés. Il comprend que les grincements proviennent du couloir. Il entrouvre la porte et passe la tête. Il ne voit personne. Mais il entend des murmures en bas. Que font ses parents ? La porte de la chambre du capitaine Fraser est ouverte, remarque-t-il. Bizarre... Guillaume sent le besoin d'enquêter. Ses mains le guident dans l'obscurité jusqu'à la cuisine. Apparemment, tout le monde s'y est rassemblé pour une collation de minuit.

Peut-être pas pour une collation, rectifie-t-il en découvrant la scène. D'abord, Charles, vêtu de son capot et de son tapabord[4], deux besaces gonflées passées en bandoulière, semble paré pour une expédition. Ensuite, sa mère, les yeux rougis, sans doute par le chagrin de le voir partir, n'est couverte que de sa robe de nuit et de son châle de laine. Puis le capitaine Fraser, sa chemise hâtivement entrée dans sa culotte, la chevelure en bataille, un pistolet à la main.

— Qu'est-ce qui se passe ? demande Guillaume.

Tout le monde se retourne en même temps. Dans la faible lueur de la chandelle qui éclaire la cuisine, les traits du garçon expriment toute sa crainte. En l'apercevant, Catherine étouffe un cri dans sa paume.

— Guillaume... bafouille-t-elle. Retourne dans la chambre !

Elle se précipite vers lui. Charles profite du moment de diversion pour prendre la fuite. Catherine l'entend sortir de la maison et son cœur se déchire. En même temps, une douleur au ventre lui arrache un gémissement. Fraser vient à son secours et la soutient. Tout ce temps, Guillaume reste paralysé sur place. Ce qu'il

4. Il s'agit d'une calotte munie de cache-oreilles.

comprend lui donne un grand coup dans le ventre. Fraser a démasqué Charles. Il va le dénoncer. Les espions sont habituellement pendus. Il se souvient de Robert Stobo et de Damien Saint-Amant. Il se souvient surtout de Saint-Amant se balançant au bout de sa corde.

IV

Guillaume l'espion

Assis sur un banc devant le fourneau, où ils ont pris l'habitude de s'installer en attendant leur petit-déjeuner, Guillaume et Jeanne regardent sans grand appétit le filet de pâte couler et former de larges cercles sur la plaque de fonte brûlante. La cuisine se remplit rapidement de l'odeur des galettes de sarrasin qui grésillent. Elle envahit rapidement la cuisine et supplante celle, un peu âcre, du café de seigle[1] grillé qui chauffe dans la cafetière.

Quand Françoise tourne les galettes, elle remarque la mine chagrinée des enfants.

— Allons, il va revenir votre père, leur dit-elle dans l'espoir de les rassurer.

Jeanne se mordille la lèvre pour ne pas pleurer. Guillaume serre les siennes. Il en veut un peu à Charles d'être parti si vite alors que sa mère va bientôt avoir son bébé. Elle a de temps à autre des maux de ventre que Françoise appelle des « contractions ». Guillaume ne sait pas trop ce qu'est une contraction, mais il sait que ça annonce l'arrivée du bébé. Il a demandé à Françoise de lui expliquer comment arrivent les bébés. Elle a dit que les garçons

1. À cette époque, en Amérique, le café était considéré comme une denrée dispendieuse que très peu de gens pouvaient s'offrir. Lorsqu'il n'était pas disponible, les habitants le remplaçaient parfois par des grains d'orge ou de seigle grillé et moulu.

n'avaient pas besoin de le savoir parce que de toute façon, pendant qu'il arrive, les papas attendent dans le salon. Un accouchement est une affaire de femmes.

Il lance un regard vers sa mère. Elle est assise dans sa chaise berçante devant la fenêtre. Elle reste là souvent pendant des heures, à pleurer, à espérer voir Charles revenir à la maison, même si elle dit qu'il ne le fera pas. Il est parti reprendre le commandement de sa compagnie. Il veut mener ses hommes vers la victoire et libérer Québec du joug des Anglais. Il rêve de voir le drapeau fleurdelysé flotter à nouveau sur les remparts.

Un grattement de gorge distrait Guillaume de sa méditation. Il se retourne. Le capitaine Fraser se tient dans l'encadrement de la porte, paré pour sortir.

— Vous avez été bien silencieux ce matin, capitaine, murmure Catherine en remontant son châle sur ses épaules. Je vous croyais déjà parti pour la journée.

Il leur souhaite bonjour et leur demande de lui pardonner son intrusion. Il s'explique en extirpant des plis de sa cape la mallette de cuir qui pend au bout de son bras.

— J'avais des rapports à terminer de rédiger.

Personne ne dit rien pendant quelques secondes. Lorsqu'il ouvre de nouveau la bouche, le malaise s'inscrit sur les traits de l'officier.

— Madame, j'ai à vous parler…

Catherine demande à Françoise de monter habiller Jeanne. Guillaume peut s'occuper des galettes. Est-ce que cela dérange le capitaine ? Il répond que Guillaume est suffisamment grand pour entendre ce qu'il a à dire.

— Monsieur Giffard doit absolument revenir à Québec, débite Fraser sans préambule dès que la fillette et la servante sont parties. Je ne pourrai cacher sa désertion plus longtemps. Vous n'ignorez pas qu'une enquête tente de découvrir d'où provient le message codé découvert dans un pain à la farine de froment, à l'Hôtel-Dieu, par un soldat malade.

Un message dans un petit pain ? Guillaume sursaute comme s'il avait été piqué par une guêpe. Horrifié par ce qu'il apprend, il voit pâlir sa mère.

— Dans un pain chez les Augustines ? répète Catherine, estomaquée.

Ainsi, ce n'est pas le messager de Bourlamaque qui a été mis en état d'arrestation, comme l'avait soupçonné Charles. Est-ce que les religieuses passaient aussi de l'information aux Français ? L'idée brillante de placer les messages dans les pains vient de Françoise. Que d'autres aient imaginé le même subterfuge, cela lui paraît invraisemblable. Or, ce pain devait immanquablement parvenir au boucher et rester entre ses mains. Mais comment serait-il parvenu jusqu'à l'hôpital ? À moins que... Elle se tourne vers son fils. S'il en a perdu un en chemin ? La spatule à la main, Guillaume fait mine de surveiller la cuisson des galettes. Elle ouvre la bouche pour le questionner mais l'Écossais l'en empêche.

— Madame, je n'ai pas mis longtemps à deviner que monsieur Giffard faisait partie du mouvement de résistance française, confesse-t-il, et que, de ces petits pains que votre servante fait cuire pour les pauvres avec la farine de froment que je vous fournis, l'un d'eux devait finir sur la table des dirigeants de l'armée française, mettant ainsi en péril celle de la Grande-Bretagne. Soyez assurée que je n'ai parlé à personne de ce que je sais.

— Oh ! fait Catherine.

Guillaume tourne la galette.

— Le général Murray a interrogé toutes les religieuses une à une, continue Fraser. Elles ont toutes formellement nié, une main sur la Bible, avoir espionné contre les Anglais. Je pense qu'il les a crues. Une liste de tous les propriétaires de four à pain a été rédigée et les fouilles exécutées chez eux n'ont rien donné. Vous devinez que le nom de votre mari se trouve aussi sur cette liste, madame Giffard, poursuit Fraser. Si les hommes de Murray ne sont pas venus ici, c'est uniquement dû au fait que le capitaine Giffard est sous ma surveillance. Je me suis porté garant de toutes ses allées et venues. Il n'est pas encore considéré comme un suspect, mais cela ne saurait tarder. Si ça arrive, je certifierai qu'il n'est pas sorti de chez lui à mon insu. Le garde posté en permanence devant la maison pourra en témoigner. Pour le condamner, le tribunal doit prouver hors de tout doute sa culpabilité. Ce qu'il ne peut pas faire sans mon témoignage. Mais si Murray découvre que le capitaine n'est plus ici, je ne pourrai plus rien pour lui. Sa fuite sera interprétée comme un aveu de culpabilité.

L'accablement de Catherine s'alourdit.

— Vous êtes avant tout un officier de l'armée de Sa Majesté britannique. En taisant le départ de mon mari, vous avez déjà trahi votre serment de loyauté envers votre roi, murmure-t-elle. Je ne peux pas vous demander de risquer davantage votre vie pour lui.

L'Écossais est embarrassé.

— Je voue ma fidélité à mon seul honneur, madame, qui est celui de faire ce que je crois au mieux du bien et au moindre du mal. Je respecte le capitaine Giffard et honore tout le courage dont il a fait preuve jusqu'ici. Il est aussi officier et je peux comprendre son grand désir de continuer de faire partie de la bataille.

— Mon mari avait effectivement honte d'être ici, au chaud, alors que sa compagnie gèle dans ses quartiers d'hiver, concède-t-elle. Il disait qu'il ne valait pas mieux qu'un déserteur s'il ne respectait pas ses premiers devoirs d'officier, qui sont de servir son roi et de mener ses hommes à la guerre.

— L'honneur appartient à tous les hommes, madame, déclare Fraser. Il n'y a pas d'honneur qui soit mauvais s'il respecte des principes moraux qui sont justes.

Catherine hoche la tête et laisse échapper un long soupir. Son regard revient vers la fenêtre. C'est au tour de Fraser de secouer la tête et de soupirer.

— Vous comprenez que, malgré toute ma bonne volonté, je ne peux pas empêcher les évènements de suivre leur cours, madame. Pour l'instant, l'enquête ne progresse pas. Les religieuses jurent qu'elles n'ont pas boulangé le pain. Une fouille dans leurs réserves a démontré qu'elles ne possèdent pas de farine de froment. De son côté, le caporal Brown, qui a trouvé le pain, affirme qu'il ne sait pas qui l'a déposé sur son lit. Il l'a découvert en se réveillant. Les malades autour ont déclaré n'avoir vu que les religieuses circuler dans la pièce. Le comité se trouve dans une impasse, mais il a la ferme intention de débusquer l'espion. Tôt ou tard, on demandera à interroger votre mari. De mon côté, je tenterai de faire patienter le général encore quelques jours. Je lui raconterai que le capitaine Giffard souffre d'une forte fièvre et qu'il est confiné à sa chambre. Mais il devra de toute évidence guérir rapidement, sinon... Madame, vous comprenez que je ne peux pas couvrir son départ plus longtemps. Cela fait déjà trois jours. Je vous conjure de trouver un moyen de lui faire parvenir un mot lui demandant de revenir. Autrement, je le crains, je serai contraint de révéler au général la fuite du capitaine Giffard.

— Pourquoi faite-vous cela pour nous, capitaine Fraser ? demande Catherine en le dévisageant.

— La guerre a brisé ma famille, madame. Je ne souhaite pas que la même chose vous arrive. J'estime que vous ne le méritez pas.

— Vous risquez beaucoup.

Il se détourne vers la fenêtre et laisse passer un moment de silence avant de répondre.

— Pas mon honneur, madame.

Elle hoche la tête.

— Je ne peux pas demander au capitaine Giffard de manquer à ses devoirs d'officier, avoue Catherine, désespérée. Il ne reviendra pas.

— Oui, je comprends, admet Fraser sincèrement chagriné. Je ne peux rien faire de plus.

— Vous avez déjà beaucoup fait, merci, capitaine Fraser.

Le cœur de Guillaume bat très fort dans sa poitrine. Par sa faute, Charles Giffard a été obligé de se sauver de Québec.

— Guillaume, que fais-tu ? l'interpelle sa mère dans un éclat de voix.

Il sursaute. La galette est en train de brûler.

—Faut pas revenir icitte ! C'est pas prudent. Retourne chez toi, mon p'tit ! s'écrie Louis Couture en refoulant Guillaume jusqu'à la sortie de la boucherie.

—S'il vous plaît, monsieur Couture ! insiste Guillaume en lui présentant un billet cacheté. C'est pour mon père. Vous n'avez qu'à remettre la lettre au Sauvage pour lui.

Louis Couture surveille constamment les alentours. Il ne voit que ses fils, Jacquelin et Xavier, occupés à dépecer le cochon que leur a vendu le fermier Trudel.

—Les Anglais soupçonnent tout le monde. Le Sauvage ne reviendra plus.

La porte claque au nez de Guillaume. Quand il se retourne, Jacquelin et Xavier le dévisagent en silence. Un tambourinement dans la fenêtre avertit les garçons de reprendre le travail et ils s'exécutent. Désespéré, Guillaume emprunte le chemin de la maison. Il désirait faire parvenir sa lettre à son beau-père. Il souhaite que Charles revienne. Le chagrin de sa mère le rend malheureux.

Elle lui a demandé s'il avait livré TOUS les pains chez le boucher. Il a été incapable de lui dire la vérité. Quoiqu'en racontant qu'après avoir trébuché, il avait répandu le contenu du panier dans la rue Saint-Jean, devant l'Hôtel-Dieu, il n'a pas menti non plus. Il n'a pas pu avouer qu'il avait lâchement laissé Angus partir avec le pain parce qu'il avait eu peur qu'il s'en prenne à lui avec son couteau. Il a préféré laisser sa mère croire qu'un soldat l'avait ramassé et offert aux malades. Pour s'amender, il a rédigé cette lettre où il explique à son beau-père que le capitaine Fraser tente de dissimuler sa disparition à Murray, mais qu'il ne peut le faire plus longtemps. Aussi Guillaume implore-t-il Charles de revenir à Québec le plus rapidement possible. Malheureusement, il ne sait pas comment lui faire parvenir sa lettre et il n'a pas trouvé d'autre moyen lui permettant de réparer ses torts.

À qui se confier ? Émeline, il ne l'a plus revue depuis qu'il l'a aperçue enlacée à l'Écossais dans la cour des Augustines. Hier, il l'a vu raccompagner son amie jusque devant chez elle. Émeline et l'Écossais ont parlé pendant quelques minutes avant de se laisser. Émeline a encore donné l'accolade à Angus. Guillaume les a espionnés depuis la lucarne de la mansarde. Il est clair maintenant qu'elle préfère la compagnie d'Angus à la sienne. Il a perdu son amie. Son amie « À la vie, à la mort ! ».

Il en est là dans ses pensées moroses quand il atteint le sommet de la côte du Palais. La sentinelle en poste ne lui porte aucune attention. Il emprunte la rue des Pauvres. L'odeur qui se dégage de la cour de l'hôpital est devenue si pestilentielle que c'est en se pinçant le nez qu'il passe devant. Il y a toujours beaucoup de soldats anglais qui vont et qui viennent autour de l'Hôtel-Dieu. Il doit s'arrêter pour laisser passer un chariot tiré par deux bœufs qui quitte l'établissement. Dans le véhicule sont alignés des sacs taillés dans de vieilles voiles de navires. Les morts de l'hiver. Il y en a des centaines, paraît-il. Guillaume se demande où on va enterrer tous ces corps.

Ses bottes s'enfoncent dans la fange de la rue Saint-Jean. Elles font un sloup ! sloup ! dégoûtant à chacun de ses pas. La côte de la Fabrique n'est guère mieux, sinon pire, à cause de la source qui coule au milieu de la chaussée. Il existe des dizaines de sources dans la Haute-Ville qui se déversent dans la Basse-Ville. Leurs cours ont décidé du tracé de plusieurs des rues. C'est justement le cas de la côte de la Fabrique. Tous les printemps, c'est la même chose. La fonte des neiges gonfle ces eaux souterraines et les rues de Québec se transforment en véritables bourbiers.

Pour éviter d'être mouillé jusqu'aux mollets, Guillaume emprunte la banquette de bois qui longe la façade des édifices. Un régiment exécute des manœuvres d'entraînement dans la Grande Place. Les soldats tournent sur eux-mêmes, mousquet en main, tapant du talon dans un seul temps, les basques de leur justaucorps volant autour d'eux comme des corolles de coquelicots. Il n'y a pas si longtemps, exactement au même endroit, les régiments français faisaient la même chose. Revient à Guillaume le souvenir de sa mère, le regard pétillant de fierté, lorsqu'elle les accompagnait, Jeanne et lui, pour voir les soldats de la compagnie de son père exécuter le même ballet de mouvements. C'était juste avant qu'il ne parte pour le fort Duquesne, en Nouvelle-Angleterre.

Michel Renaud lui avait promis de lui acheter à son retour une charge de cadet à l'aiguillette. S'il était soldat, sa mère ne pourrait qu'être fière de lui et Émeline, éblouie par son bel uniforme des Compagnies franches de la Marine. Mais les évènements ont fait en sorte que cette promesse n'a pu être tenue.

Perdu dans son monde intérieur, à rêver d'une vie de soldat glorieux, Guillaume ne fait pas attention aux gens qu'il croise sur la banquette. Il entend une musique et reconnaît le son agaçant de la cornemuse. En passant devant, il tourne la tête vers la vitrine du cabaret[2] du Griffon d'or.

— Guillaume ?

— Émeline ? Oh !

Angus Macpherson l'accompagne.

Les deux garçons se dévisagent, d'abord étonnés, puis la colère envahit Guillaume.

— Qu'est-ce que tu fais ici ? lui demande Émeline.

— En quoi ça t'intéresse ? Maintenant que tu as l'Écossais...

— Guillaume !

Il veut poursuivre son chemin, mais Émeline le retient par la manche.

— Laisse-moi, qu'il dit en cherchant à se dégager.

— Tu n'es pas juste, Guillaume Renaud ! Angus a perdu son père il y a à peine trois jours.

Le sergent Macpherson est mort. Quand ? Personne ne le lui a dit. Quand même...

— Tu vas le consoler encore longtemps ?

Émeline reste bouche bée.

— Pourquoi tu es si méchant avec lui ? dit-elle, sidérée par le manque de compassion de Guillaume.

---

2. Un cabaret était un établissement équivalent à une taverne de nos jours.

— *Dinna mind*, Miss Émeline, murmure Angus. Pas grave…

— Mais si, c'est grave ! proteste Émeline d'une voix forte. Tu n'as rien fait pour mériter une telle méchanceté.

— Il n'a rien fait ? s'écrie Guillaume. Vraiment ?

Il ressent soudain une brusque envie de se défouler sur l'Écossais. De lui montrer qu'il n'a plus peur de lui.

— Tu n'es qu'un voleur, Angus Macpherson ! qu'il lui lance en se dressant de toute sa taille devant lui. Tu as volé le boucher Couture. Je le sais, parce que je t'ai vu sortir du hangar avec des saucissons.

En voyant l'Écossais devenir aussi blanc qu'un drap, Guillaume s'enhardit.

— Et je t'ai aussi vu voler le petit pain. Le petit pain que tu n'as pas mangé parce que tu t'es tellement empiffré de pâté et de purée de pommes de terre à notre table que tu n'avais plus faim. Alors tu l'as laissé à l'hôpital et à cause de toi mon père…

Guillaume lit sur le visage d'Émeline la grande déception qu'il lui cause et il s'interrompt d'un coup.

— Si tu avais faim, tu volerais peut-être, toi aussi, Guillaume Renaud, commente-t-elle, révoltée.

— *The bread, 'twas yers*[3] *?* fait Angus.

Ses traits expriment sa grande surprise devant ce que lui a dévoilé Guillaume. Brusquement conscient qu'il a trop parlé, Guillaume s'éloigne en courant.

Jeudi, 24 avril. Quatre jours ont passé. L'azur qui tapisse le ciel est intense. En son centre, le soleil brûle, ardent et lumineux, et réchauffe les pierres des remparts, le zinc et les bardeaux de bois des toitures des maisons et des édifices de Québec. Il fait suffisamment doux pour entrouvrir les fenêtres et aérer les pièces pour en chasser les relents d'un long et affreux hiver. Aujourd'hui on a de bonnes raisons de croire que le printemps est enfin installé.

3. Le pain, il était à toi ?

Guillaume est penché à la lucarne de la mansarde. Il observe le va-et-vient dans la rue Saint-Louis tout en bas. Les gens désertent progressivement la ville. Il y a trois jours, le général Murray a fait clouer une proclamation sur les portes des églises et crier l'ordre sur les places publiques. Les citadins ont jusqu'à ce soir pour sortir de la ville. Murray veut préserver ce qui lui reste de nourriture dans ses magasins pour ses soldats. On dit que les navires français ont quitté Montréal et Sorel avec à leur bord une importante armée et qu'ils descendent le fleuve. Pourtant, il y a encore de la glace devant Québec, a remarqué Guillaume. Comment feront les navires pour accoster ?

Les départs se sont faits dans une grande confusion. Les gens ne savaient pas où aller. La population s'indigne du traitement que leur infligent les Anglais, en même temps elle se révolte de ce que les Français les abandonnent à leur sort, entre les deux feux. Les soldats ont expulsé de force quelques récalcitrants qui avaient peur que les militaires ne dévalisent leur maison. Quant à sa mère, elle dit craindre les effets du voyage pour le bébé. Elle a encore des contractions. Le capitaine Fraser leur a obtenu une dispense et leur assure sa protection.

Les militaires ont pris le contrôle de la ville. Guillaume voit passer des gens pressés, des officiers à cheval, des soldats à pied, des ordonnances et aides de camp. Les officiers les saluent en soulevant leur couvre-chef. Les plumets et les cocardes fixés aux rabats de leur tricorne frémissent. Perdu dans ses réflexions, Guillaume les regarde et caresse le drap du justaucorps de l'uniforme qui l'habille. C'est celui de son père. Combien de fois l'a-t-il endossé pour s'admirer dans la glace, imaginant que c'était le sien ? Penser qu'il ne pourra jamais porter un aussi bel uniforme avec la même fierté que son père et Charles Giffard le rend chagrin. Quand il a le vague à l'âme, il vient se réfugier dans la mansarde et fouille dans le coffre à souvenirs. Les souvenirs sont réconfortants. Comme la bonne soupe au poulet, « ça réchauffe le dedans », dit souvent Françoise. Mais depuis les derniers évènements, c'est tous les jours que Guillaume vient dans la mansarde. Il réfléchit. À ce qu'il a fait. À ce qu'il doit maintenant faire pour réparer ses torts.

Hier, il a avoué à sa mère qu'il lui avait menti sur les petits pains. Elle a ouvert la bouche, sans doute pour le réprimander sévèrement. Parce qu'il a menti. Parce qu'il n'a pas empêché Angus de le voler. Toutefois, aucune réprimande n'est venue. Catherine a tout simplement repris son ouvrage de tricot et ne lui a plus adressé la parole jusqu'à ce matin. Guillaume aurait préféré subir une colère justement méritée que le ton froid comme l'hiver qu'elle a employé pour lui demander d'accomplir ses tâches journalières. Il sait qu'il l'a profondément déçue.

Des cris détournent son attention vers le ciel. Les oies sauvages ! Elles sont de retour ! Guillaume les entend, mais... Il tend le cou. Oh ! Là ! Oui ! Il en voit trois, dix, vingt, cinquante ! Leurs ventres blancs s'alignant en grains de chapelet, elles traversent le ciel bleu comme une pointe de flèche. Et elles crient leur bonheur de revenir au pays. Elles lui disent : « Bonjour, petit wôbtegua ! Nous revoilà ! »

Les chevrons des oies s'éloignent et disparaissent progressivement derrière les toitures des maisons. Soudain passe une retardataire. Une oie, isolée du reste du groupe qu'elle tente de rejoindre. Guillaume se sent soudainement comme cette oie solitaire. Un petit *wôbtegua* délaissé. Son passage à cet instant précis veut-il lui signifier quelque chose ? Il caresse toujours le drap du justaucorps. Le poids de l'épée pèse contre sa cuisse. Le métal du pommeau bien astiqué et celui du hausse-col étincellent dans le soleil. Dans cet uniforme, il se sent comme un soldat français oublié parmi les Anglais. C'était ce que devait ressentir Charles avant de partir. Malgré tout, il avait trouvé un moyen de continuer à combattre l'ennemi. De l'intérieur, avec des petits pains comme seule arme...

Une idée germe lentement dans l'esprit de Guillaume. Peut-être qu'il existe une façon pour lui de réparer le mal qu'il a fait ? Oui, peut-être...

Il retire l'uniforme et le range dans le coffre. Il descend dans la cuisine, où sa mère supervise la lecture de Jeanne pendant que

Françoise surveille les linges à blanchir dans la marmite qui fume sur le fourneau.

— Mère, je sors, les oies sont de retour ! qu'il annonce en attrapant son chapeau.

Guillaume voit Catherine froncer les sourcils d'étonnement en entendant prononcer le mot « mère ». Elle ne dit rien et se contente de hocher la tête.

— Ne t'aventure pas trop loin, l'avertit Françoise.

— Et ne monte pas sur les remparts, ajoute Catherine.

— Non, mère.

Devant la froideur qui ne quitte pas le ton de sa mère, il quitte la maison avec un pincement au cœur. Mais bientôt le but de sa sortie lui fait tout oublier. Par où commencer ? Il a beaucoup de choses à vérifier.

Sitôt son potage et son pain avalés, Guillaume demande la permission de se lever de table. La permission accordée, il monte jusqu'à la mansarde, où il s'enferme à double tour. Il extirpe de sa culotte la serviette qu'il y a cachée. Pendant le repas, il a réussi à dissimuler deux tranches de pain entre lesquelles il a glissé un morceau de fromage de Cheshire, une sorte de fromage anglais que leur a donné le capitaine Fraser. Avec la poignée de raisins secs et la pomme qu'il a subtilisées dans le cellier à l'insu de Françoise, cela devrait suffire. Il place la nourriture avec les vêtements qui gonflent déjà le sac de toile. Il relit une dernière fois les notes qu'il a rédigées après avoir observé les installations des Anglais dans la ville. Il vérifie l'exactitude du plan de Québec qu'il a dessiné, précisant le nombre de canons dans chacune des batteries, l'emplacement de tous les magasins de l'armée, la position exacte des sentinelles. Il a interrogé une religieuse sur le nombre de malades à l'Hôtel-Dieu. Le chevalier de Lévis pourra ainsi se faire une idée des effectifs de l'armée du général Murray. Pour s'immiscer dans le magasin, il a distrait les gardes postés à l'entrée en libérant une demi-douzaine de cochons de leur enclos. Les trois hommes ont employé suffisamment de temps à les rattraper pour lui permettre d'entrer, de parcourir les allées et constater de visu l'état des réserves de nourriture de la garnison. Bien sûr, il n'a pu tout voir. Le magasin des munitions était trop bien gardé. Mettre la main sur un plan d'attaque aurait été fabuleux, mais la paperasse qu'il a examinée sur le petit bureau de correspondance dans la chambre du capitaine Fraser ne contenait rien de spécial. Sa lettre se termine par une note qui spécifie que les Anglais ont été avisés par leurs espions que des navires français avaient quitté Montréal et Sorel pour Québec avec des centaines de soldats à leur bord. Or, le chevalier de Lévis doit savoir que le général Murray les attend de pied ferme.

Il refait l'inventaire des pièces de l'uniforme qu'il va emporter : rien d'encombrant, que ce qui peut lui être utile. Il range ce qui lui est inutile dans le coffre et va à la fenêtre pour la refermer. Le crépuscule peint le ciel de teintes fauves tandis que la rue Saint-Louis s'assombrit. Il ne lui reste qu'à attendre. Quelques heures encore. Il se sent fébrile.

Il entend une porte claquer et des voix de femmes résonner sur les façades des maisons. Deux silhouettes se déplacent sur la banquette. Guillaume se penche et les regarde disparaître dans la rue du Parloir. Émeline et madame Gauthier se rendent aux vêpres célébrées à la chapelle des Ursulines. Monsieur Gauthier est parti ce matin pour L'Ange-Gardien avec ses deux fils, sa plus jeune fille et leur servante. Émeline et madame Gauthier sont restées pour aider Catherine avec son bébé. C'est une affaire de femmes, qu'elles disent. Ainsi, Guillaume en conclut que sa présence ne sera plus indispensable. Il sait qu'il peut faire quelque chose de plus utile que sa quotidienne corvée de bois. Demain, il va rencontrer le chevalier de Lévis. Guillaume a décidé de rejoindre l'armée française et de défendre son pays aux côtés de Charles Giffard.

Guillaume referme enfin les battants et installe le loquet. L'obscurité remplit la mansarde. Émeline ne lui a plus reparlé depuis l'incident devant le cabaret du Griffon d'or. Il sait cependant que lorsqu'il rentrera glorieux parmi les hommes du chevalier de Lévis, elle ne pourra que revenir vers lui. Il va reconquérir Québec pour elle. Il va reconquérir le cœur d'Émeline. Aux intentions honorables revient l'honneur !

V

Un réveil brutal

Le heurtoir résonne dans la maison encore silencieuse. Suivent les pas de Françoise, occupée à préparer le petit-déjeuner. Il y a un moment de silence avant que retentissent ses talons dans l'escalier. Elle frappe à la porte de la chambre de sa maîtresse.

— Madame ! Madame ! Le général Murray et ses hommes sont ici !

Catherine surgit dans le couloir, en chemise de nuit, les cheveux en désordre, la mine froissée. Fraser apparaît à son tour dans le couloir, la mâchoire couverte de mousse blanche, son rasoir à la main. Catherine se sent défaillir. Elle s'accroche au bras du capitaine. Les rouages de sa pensée fonctionnent à toute vitesse. Il retourne dans sa chambre pour en revenir quelques secondes plus tard le visage propre.

— Venez avec moi, qu'il ordonne à Catherine.

— Je ne peux pas… gémit-elle. Que vais-je lui dire ?

Fraser demande à Françoise de retenir les enfants à l'étage. Il secoue doucement Catherine.

— Prenez sur vous, madame. Et, de grâce, faites ce que je vous demande.

Elle veut s'habiller, mettre de l'ordre dans sa coiffure. Il l'en empêche.

— Vous ferez un très bon, sinon un meilleur effet comme vous êtes, croyez-moi. Maintenant, restez calme et venez avec moi.

Il la prend par la main et l'aide à descendre l'escalier. Dans l'entrée, le général Murray attend, secondé de son secrétaire,

Hector Theophilus Cramahé, du major Campbell of Ballimore et du capitaine Nairne, tous membres du conseil de guerre établi par Murray après la capitulation de Québec.

— *General Murray*, fait Fraser en lui adressant un salut.

— *Captain, good morning!* Madame, jé vous souhaite le bonne matine!

Paralysée contre le mur, Catherine a peine à répondre aux politesses du général. Ce dernier laisse un instant son regard glisser sur la tenue négligée de la dame avant de revenir vers Fraser.

— *How is Capitain Giffard's health, sir*[1] ?

— *Not improving, I am afraid, my general*[2].

Le général fait mine de réfléchir.

— Nous avions convénou de procéder à l'interrogatoire ce matine, *Captain*.

— Oui, mon général, répond Fraser en prenant un air embarrassé. C'est que… l'état de santé du capitaine Giffard s'est dégradé, pour ne pas dire confirmé, cette nuit… Madame Giffard l'a veillé jusqu'à l'aube, raconte-t-il en se tournant vers Catherine. Comme vous pouvez le constater, *sir. I was just about to send you a word about it. Maybe it would be wise to wait one or two more days*[3].

Les officiers se consultent du regard. Le major Campbell, commandant des régiments highlanders à Québec, prend la parole.

— *Should I send for Surgeon Maclean? Maybe there is not much*[4]…

— Je pouis vous offrir les services de mon chirurgien personnel, suggère Murray, dont le regard s'éclaire d'une lueur de suspicion.

---

1. Comment va la santé du capitaine Giffard ?
2. Elle ne s'améliore pas, je le crains, mon général.
3. Je m'apprêtais justement à vous envoyer un mot à propos de cela. Peut-être qu'il serait plus sage d'attendre un ou deux jours.
4. Dois-je envoyer quérir le chirurgien Maclean ? Peut-être qu'il n'y a pas tant…

Catherine ouvre la bouche, lance un appel à l'aide silencieux vers le capitaine Fraser. Son air sûr de lui la rassure suffisamment pour lui permettre de penser clairement. Elle redresse les épaules et prend la parole.

— Le capitaine Giffard a déjà été vu par la veuve Barbel.

— *The widow Barbel*[5] ? s'étonne le général.

— *Isn't that... witch, Madam's midwife*[6] ? le questionne sans discrétion le major Campbell.

Le commentaire fait rire les autres officiers. Un bruit à l'étage les fait taire et retient leur attention.

— Madame ! Madame ! crie Françoise en déboulant presque l'escalier jusqu'à eux.

Son expression est inquiétante.

— Votre Guillaume, Madame ! J'ai vérifié la mansarde. Il n'y est pas. Il est parti ! Il est parti !

Catherine croit d'abord à un brillant stratagème de sa servante pour les sortir de ce mauvais pas. Elle se compose un air affolé, puis se tournant vers sa servante, note qu'elle ne feint pas son émoi. Ses genoux flanchent. Les bras de Fraser lui évitent de s'effondrer.

— Guillaume est parti ?

Comprenant qu'il n'a plus rien à faire là, Murray pose son tricorne sur sa tête pour annoncer la fin de la visite.

— *Captain Fraser*, dit-il sur un ton rigide, *by this situation, I see myself compelled to delay this... interview until a more appropriate moment. Report to me any signs of improvement as they appear in Capitain Giffard's condition*[7].

— Je le ferai, mon général.

— Bonne courage, madame. *Good day, Captain.*

Une minute plus tard, l'entrée est déserte.

---

5. La veuve Barbel ?
6. Cette sorcière n'est-elle pas la sage-femme de madame ?
7. Capitaine Fraser, dans les circonstances, je me vois contraint de reporter cette... entrevue à un moment plus propice. Rapportez-moi tout signe d'amélioration quant à la condition du capitaine Giffard.

— Vous avez été parfaite, Françoise, la complimente le capitaine Fraser, qui, comme Catherine, a soupçonné la ruse. Et vous, madame…

Le billet que Françoise tend à Catherine lui fait soudain comprendre qu'elles ne jouaient pas la comédie. Tremblant comme une feuille, Catherine le déplie et le lit. Elle reconnaît l'écriture de son fils et a l'impression que tout l'air qu'elle respire s'en est allé avec le général Murray. Reprenant appui sur Fraser, elle lui tend le mot de Guillaume. Il le lit à voix haute.

Chère mère,

Je suis parti rejoindre père et son armée. Je vais réparer le mal que j'ai fait en aidant le chevalier de Lévis à gagner cette guerre. Père pourra rentrer glorieux à la maison et vous pourrez enfin avoir votre bébé en toute tranquillité. Ne vous inquiétez pas pour moi. J'ai pris soin d'emporter des vêtements chauds, des provisions et le pistolet de papa pour me protéger.

Votre Guillaume qui vous aime

Deux heures plus tard, les patrouilleurs rentrent bredouilles à Québec. C'est lourdement accablé du poids de son échec que Fraser revient dans la rue Saint-Louis. Ils n'ont pas retrouvé le fils de Catherine.

— Si Charles m'avait écoutée et n'avait pas joué les espions, rien de tout ceci ne serait arrivé, s'écrie Catherine.

Elle en veut tout à coup immensément à Charles de l'avoir abandonnée ainsi. Elle hait cette guerre qui lui a déjà ravi un premier mari et qui risque de lui en voler un autre, en plus de lui arracher un fils. Et pour comble, si le bébé vient à naître prématurément, elle pourrait le perdre aussi.

— La guerre, gémit-elle, n'est qu'un prétexte pour que les hommes se couvrent de gloire. Dites-moi, au fond, quelle gloire est-ce qu'on gagne à briser la vie de ceux qu'on aime, à faire de sa femme une veuve et des orphelins de ses enfants ? demande-t-elle en soulevant ses paumes vers le ciel.

— Bien peu, avoue presque honteusement Fraser.

— La gloire ne devrait appartenir qu'à Dieu. Et maintenant, c'est au tour de Guillaume de vouloir sa part. Il n'est qu'un enfant !

— C'est déjà un jeune homme, fait remarquer l'Écossais.

— Un jeune homme qui ne connaît rien de la guerre. Les deux armées vont bientôt se faire face. Guillaume risque de se retrouver entre deux feux, armé d'un pistolet qui n'a pas servi depuis des années. Il ne sait même pas comment se servir d'une arme à feu.

Fraser se met à marcher nerveusement de long en large dans le salon. Cette situation l'embarrasse au plus haut point.

— Je fais poursuivre les recherches afin de retrouver votre fils. J'ai envoyé des hommes sur le chemin de Sainte-Foy et un autre détachement ratisse le secteur de Sillery. Je doute qu'un garçon de son âge puisse aller bien loin. Madame, je pense honnêtement qu'il faut aviser votre mari de ce qui arrive. Peut-être que de son côté il parviendra à le retrouver avant nous.

— Comment faire pour le joindre ? réplique-t-elle en essuyant ses yeux qui ne dérougissent plus. Il n'y a plus personne ici apte à faire le voyage jusqu'à la Jacques-Cartier. Vous ne vous imaginez tout de même pas faire porter ma lettre par l'un de vos hommes ?

Simon Fraser réfléchit. Lui vient soudainement une idée. Les derniers évènements, quoique dramatiques, peuvent leur servir.

— Je vais aviser le général du départ de votre mari, dit-il soudain.

— Quoi ? s'écrie Catherine.

— Faites-moi confiance. Qui pourra lui reprocher d'avoir voulu partir secourir son fils ? De cette façon, l'honneur du capitaine Giffard est sauf sur les deux tableaux.

VI

Une mission dangereuse

Guillaume ouvre les paupières. Sur le coup, à la vue des murs de pierre nus, il se croit dans un rêve. Puis il se rappelle. Il est dans le moulin Dumont. Il a franchi les murs de Québec à la faveur de la nuit. Lors du changement de garde, il s'est faufilé par la porte du Palais. Puis il a marché sur le chemin Saint-Vallier jusqu'au chemin de la côte Sainte-Geneviève pour rejoindre le chemin de Sainte-Foy. Voyager seul au plus noir de la nuit n'ayant rien de plaisant, il a décidé de s'abriter dans le moulin désaffecté jusqu'à ce que les premières lueurs de l'aube lui éclairent la voie.

Une lumière cendrée remplit le bâtiment. Comme la plupart des maisons sur cette portion de route qui fait face aux plaines, le moulin n'est guère plus que le jouet du vent et abrite les pigeons et les hirondelles depuis le jour de la bataille sur la plaine d'Abraham. Par le mur percé par un boulet, Guillaume constate qu'une partie du jour a progressé sans lui. Combien de temps a-t-il dormi ? Quelle heure est-il ? Impossible de le savoir quand le soleil se cache derrière un ciel voilé. Il a trop perdu de temps et doit absolument se remettre en route.

Il va prendre son sac près de lui quand un reniflement sonore l'arrête. Le sac bouge tout seul ! Un animal fouille ses affaires ! Il espère voir surgir un écureuil ou un raton laveur. Une paire de petits yeux brillants l'observe un moment. Le souffle de Guillaume se coince dans sa gorge et il reste aussi immobile que possible tandis que, sans se préoccuper de sa présence, l'animal retourne fureter dans le sac. Sa queue noire et blanche se dresse dangereusement. Il n'ose même plus respirer. Les minutes s'écoulent. Quand la moufette en a assez, elle s'extirpe du sac avec l'objet de sa convoitise et s'éloigne tranquillement vers la sortie, où elle disparaît aussitôt... Dans sa gueule, le morceau de fromage de Cheshire !

Guillaume laisse passer quelques minutes de plus avant de bouger. Il saisit son sac et éparpille son bagage sur le plancher. Ce qu'il craint se confirme : la vilaine bête a avalé toutes ses provisions ! Il n'a plus un raisin sec à se mettre sous la dent. Comment va-t-il pouvoir parcourir une dizaine de lieues sans manger ?

— Espèce de sale bête puante ! qu'il hurle de colère.

Coin ! Coin ! Coin ! entend-il avec son écho. Il ramasse rapidement ses affaires et se précipite dehors. Dans le ciel blafard passent des volées d'oies blanches en formation. Il les distingue à peine, mais il les entend clairement. Chaque fois qu'il se questionne sur ce qu'il doit faire, les oies surgissent dans le ciel. Son père lui indique qu'il veille sur lui. Cette certitude suffit pour redonner à Guillaume tout son courage. Il gagne la route en courant tant il se sent ragaillardi.

Tandis qu'il avance, il se souvient du terrible vacarme de la bataille de septembre. Moins d'une semaine après, Québec tombait aux mains de l'ennemi. Mais Québec, ce n'est pas toute la Nouvelle-France, dit tout le temps Charles Giffard. Charles est un homme d'honneur qui n'abdiquera jamais. Même prisonnier dans sa propre maison, il a trouvé le moyen de lutter contre l'envahisseur. Et lui, Guillaume, a décidé qu'il va l'aider. Il va faire tout ce qu'il peut pour refouler les Anglais hors de la Nouvelle-France.

Il passe devant une croix de chemin plantée en bordure de la route qui mène à Sainte-Foy. Il découvre sa tête et formule une prière pour que les Anglais soient bientôt renvoyés chez eux avec du plomb français dans les fesses. Surtout dans celles d'Angus. Il replace son bonnet et fait trois pas, s'arrête, médite et revient en arrière.

—Mais pas trop dans celles du capitaine Fraser, que j'aime bien, ajoute-t-il avant de repartir pour de bon.

Une fine bruine rend le paysage flou et imprègne son capot, qui s'alourdit. Pour ne pas attirer l'attention, il a pensé couvrir l'uniforme de son père. Mais il se sent à l'étroit sous la double épaisseur et il a chaud. Au moins, cela a l'avantage de le tenir au sec. Il regarde les nuages qui prennent une couleur de plomb au-dessus des montagnes et prie encore pour qu'il ne pleuve pas. Il progresse lentement sur la chaussée crevée et fangeuse et en profite pour siffler un air qui donne le rythme à ses pas.

—*Hey, you, lad!*

Guillaume tourne la tête. Fusil en main, trois soldats en kilt arrivent sur la route derrière lui.

—*Think we found him, Caporal*[1]*!*

—*Get hold o' him, but dinna hurt the lad*[2]*!*

Guillaume ne comprend rien à ce qu'ils se disent, mais il saisit très bien que c'est à lui qu'ils en veulent. Le prend-on pour l'ennemi ? Son capot n'est pas suffisamment long pour camoufler entièrement le justaucorps et l'ourlet qui dépasse laisse voir les couleurs blanc grisâtre et bleu de la France. Résolu à ne pas se laisser attraper, il prend la fuite. Il vole littéralement par-dessus un fossé, glisse à l'atterrissage et manque de se retrouver dans l'eau opaque. Ses ongles et ses pieds creusent la paroi de la berge et il parvient à se hisser sur le bord. Ses jambes labourent la terre ramollie au même rythme que les battements de son cœur. Il file droit vers la falaise qui surplombe la vallée Saint-Charles. La descente s'annonce aussi périlleuse que celle d'un mur de forteresse. Mais les voix des soldats qui le poursuivent s'approchent et l'obligent à prendre des risques. Guillaume s'accroche aux branches, dérape sur le roc qui s'effrite sous son poids. Il manque de basculer dans le vide. Le souffle haché, il cherche une prise sur la paroi abrupte. Son sac lui échappe et rebondit sur les rochers pour

1. Je crois que nous l'avons trouvé, caporal !
2. Attrapez-le, mais ne lui faites pas de mal !

s'arrêter plus bas dans une ravine où de petits arbustes poussent, arrosés par une rigole. Pour le récupérer, Guillaume doit dévier de sa trajectoire. Il n'ose pas se retourner. Il écarte l'épaisse végétation, bondit par-dessus les racines et les sources comme un daguet[3] poursuivi par des chasseurs. Il est si concentré à contrer les obstacles, qu'il remarque à peine qu'il a pénétré dans un bois. L'inclinaison du terrain diminue progressivement et il débouche soudain sur une chaussée. Le voilà de retour sur le chemin Saint-Vallier. Ses poumons et sa gorge sont en feu. Il n'entend plus ses poursuivants. La nature est immobile et seuls quelques oiseaux s'égayent autour de lui.

Peut-être qu'il ferait mieux de continuer sur cette voie. Le bois la longe sur une bonne distance. Cela lui permettra de se cacher si jamais on l'aborde de nouveau. Il pourra toujours remonter sur le plateau de Sainte-Foy un peu plus loin et prendre le chemin du Roi jusqu'à la rivière Jacques-Cartier.

Le chemin est jalonné d'habitations isolées flanquées de leurs dépendances. Les champs qui s'étirent jusqu'à la rivière Saint-Charles sont encore couverts d'îlots de neige tandis que les sillons gravés par les labours d'automne sont remplis d'eau. Ils accueillent des oies par dizaines. Les oiseaux fouillent la terre en quête de nourriture et font le plein d'énergie avant de reprendre la voie du ciel pour rejoindre les lieux où elles passeront l'été. Personne ne vaque à ses tâches matinales. Il n'entend pas non plus les coqs, les chiens et le bétail se réveiller. Les pâturages sont vides. Tout ce silence le désole et l'inquiète. Guillaume a l'impression d'être seul dans son pays. Comme pour le rassurer, une cloche se met à sonner. Il cesse de siffloter et lève la tête vers le plateau qu'il longe. L'église de Notre-Dame-de-Foy[4] n'est pas loin, constate-t-il avec bonheur. Trois coups tintent, suivis d'une volée. C'est l'angélus. Midi déjà ? À ce rythme, il n'atteindra jamais le fortin avant la tombée de la nuit.

---

3. Jeune cerf.

4. Ancien nom de la municipalité de Sainte-Foy fusionnée aujourd'hui à la ville de Québec.

Une goutte d'eau lui glace la nuque. Il change son sac d'épaule et regarde vers le ciel. La pluie commence à tomber. Guillaume grimpe la pente, beaucoup moins abrupte à cet endroit. Lorsqu'il aperçoit la flèche de l'église, il sait qu'il pourra trouver refuge là. La maison de Dieu est ouverte à tous ses enfants.

Il passe devant l'auberge du Coq Bleu. Il croise plusieurs soldats anglais en armes. Des chevaux tirent des canons sur des batteries construites en bois. Les artilleurs en place dirigent les bouches à feu vers la basse plaine de la vallée Saint-Charles et la côte de la Suette[5], qui mène jusqu'à L'Ancienne-Lorette. «*Hurry! Hurry! Yes, sir!*» et «*God damned Frenchmen!*». Guillaume arrive à comprendre quelques mots de ce que disent les hommes. Un groupe arrive dans sa direction, fusil en bandoulière, hache et scie à l'épaule. Ils escortent deux chariots chargés de troncs d'arbres. Une équipe de coupeurs de bois de chauffage qui rentre à Québec avec le fruit de plusieurs jours de travail. Guillaume avait oublié que le village de Sainte-Foy était occupé par des troupes anglaises et servait de poste d'avant-garde pour la garnison de Québec. Apparemment, elles se préparent activement à une attaque des Français. L'armée du chevalier de Lévis serait-elle déjà si près?

Tout le monde se presse et on ne fait pas vraiment attention à lui. Il va tête baissée, évitant les quelques regards curieux qui se tournent sur son passage. Mine de rien, il note mentalement tout ce qu'il voit. Il compte le nombre de soldats et les pièces d'artillerie. Quelques précieuses informations de plus à transmettre aux Français. Il s'arrête devant l'église. Le bâtiment de pierre est ceint d'une solide palissade de pieux. Trois soldats font le piquet à l'entrée. Les Anglais ont fait un bastion fortifié du lieu sacré des Canadiens français! Quel culot!

—Torrieu d'Anglais, qu'il siffle entre ses dents.

---

5. Ces marais se trouvaient sur le site actuel des lacs Laberge, à l'ouest de l'autoroute 73, à Québec. On les retrouve parfois sous le toponyme de la Suète ou la Suède.

— *D'ye say, boy?* fait l'une des sentinelles.

Guillaume ne répond pas et tourne le dos à l'église. Les gouttes d'eau froide s'écrasent maintenant sur ses joues et coulent dans son dos entre ses omoplates. Il rabat son capuchon sur son bonnet. Une poigne le saisit par l'épaule et le fait pivoter. La sentinelle écarte les pans du capot, que Guillaume a déboutonné afin de bouger plus aisément, et dévoile l'uniforme qu'il porte.

— *What the...* qu'il commence.

Guillaume se dégage de la prise et se sauve.

— *Hey! Come back, ye little French bastard*[6] *!*

Encore une fois Guillaume court et fuit. Un coup de feu claque comme le tonnerre dans ses oreilles. Il pousse un cri et tombe sur le chemin. Ses mains s'enfoncent dans la boue jusqu'aux poignets. Son sac roule loin devant. Il le regarde à travers le rideau de pluie qui s'abat maintenant sur lui. Il s'attend à ce que la pointe d'une baïonnette pique son dos. Mais rien ne se passe. Alors il ose un regard derrière. Le soldat l'observe de loin, riant de la frousse qu'il vient de lui donner. Le malotru! Son cœur tambourinant de frayeur et de colère, Guillaume se redresse et ramasse son sac. De toute évidence, il ne trouvera pas d'abri ici. Se rendre jusqu'à la rivière Jacques-Carter ne s'annonce pas aussi simple qu'il l'avait pensé.

Quelque chose effleure sa joue. Guillaume grogne et balance une main molle pour l'éloigner. La chose revient, froide et humide.

— Arrête, Jeanne, marmonne-t-il en se retournant.

On le laisse tranquille et il se rendort. Puis un beuglement le ramène brutalement à la réalité. Le cœur lui rompant la poitrine, Guillaume se soulève sur sa couche. Une paire d'yeux ronds d'un noir velouté le fixe avec curiosité. Une vache! La bête beugle une seconde fois et s'éloigne d'un pas nonchalant. Tandis que son esprit se libère graduellement de l'emprise du sommeil, son regard

---

6. Hé! Reviens ici, petit bâtard de Français!

scrute l'intérieur de la grange. Oui, cela lui revient. Il a aperçu le bâtiment et s'y est abrité pour laisser sécher ses vêtements en attendant que cesse la pluie. Elle n'a cessé de tomber avant que l'habitant vienne pour le train du soir. Guillaume a dû rester caché jusqu'à ce qu'il reparte. Quand il a voulu sortir de la grange, il a trouvé la porte cadenassée de l'extérieur. L'habitant l'avait enfermé avec sa vache pour la nuit. Guillaume a appelé à l'aide. Mais la maison étant trop éloignée, personne ne l'a entendu. Il a donc dû se résigner à passer la nuit sous un tas de foin.

Guillaume s'extirpe de la paille qui le tenait au chaud. Le froid le fait frissonner. Il éternue, étire ses muscles ankylosés et secoue son capot que piquent les brins de paille. Son ventre émet un puissant borborygme. L'avoir entendu, Françoise se serait esclaffée : « T'as avalé des grenouilles, ma parole ? » Il fouille l'intérieur du bâtiment en quête de quelque chose à se mettre dans l'estomac. Il ne trouve rien de comestible… hormis la vache qui lui tient compagnie.

— Dis donc, ma belle, combien de bons rôtis je ferais de toi ? C'est un miracle que les Anglais ne t'aient pas taillé en morceaux. Ton propriétaire fait bien de te garder cachée dans sa grange.

Quoique la vache pourrait lui procurer autre chose que des succulents rôtis pour satisfaire momentanément sa faim… Il s'approche doucement. Les vaches sont facilement impressionnables et il faut agir avec douceur autour d'elles. C'est son oncle Denis, qui habite dans la seigneurie de Beaumont, qui le lui a appris. Il avait une vache brune comme celle-ci qui s'appelait Fleur. Guillaume tend la main et caresse le mufle humide.

— Tu n'aurais pas un peu de lait pour moi, ma belle Fleur ?

Après l'avoir amadoué avec une poignée de foin, il s'arme d'un sceau, approche un tabouret et se penche sous le docile animal. Il manipule ses trayons pour en tirer un peu de lait. Au bout de deux minutes, à peine quelques gouttes perlent au bout des pis. Guillaume s'impatiente et tâtonne les mamelles, les trouve fort épuisées.

— Ben quoi, le fermier est déjà passé ?

Guillaume fait une dernière tentative. Il ne remarque pas la queue qui se soulève ni le dos qui rondit. Il a très envie de bon lait frais et mousseux.

— Fais-moi plaisir, ma belle Fleur, donne-moi un p'tit quelque chose…

Les pattes de la vache se tendent. Survient un son étrange, suivi d'un floc ! floc ! floc ! Une substance brune et molle forme un petit monticule à deux pas de la botte de Guillaume. Une autre contraction fait jaillir un jet qui vient agrandir l'immonde galette que contemple Guillaume d'un air déçu.

— Ce n'est pas tout à fait le p'tit quelque chose que j'espérais…

Il abandonne Fleur et ramasse son sac. Il trouve la porte de la grange déverrouillée et glisse discrètement dehors. De la cheminée de la maison du paysan, s'échappe un filet de fumée. Sur le porche, deux chiens qui se disputent un bout de bois flairent Guillaume et s'arrêtent de jouer. L'un des deux se met à grogner dangereusement. Guillaume pense qu'il serait plus sage de mendier ailleurs de la nourriture.

Ainsi entame-t-il la deuxième journée de son périple. Le vent porte l'odeur de la terre des champs qui dégèlent. Il traverse une dense forêt et rejoint un plateau dominant une vallée qu'il n'a jamais vue. Une rivière y trace ses méandres avant de se jeter dans le fleuve, couvert d'une armada de blocs de glace morcelés. Le courant les emporte doucement. La grève est un champ de glace fixe. C'est par là que Guillaume va passer la rivière. Il entreprend la descente de la côte vers la baie, au bord de laquelle s'agglomèrent quelques maisonnettes. Il sait que le promontoire sur lequel il se trouve est celui de Cap-Rouge, et qu'il y a là aussi un poste d'avant-garde anglais.

Cette fois, pour ne pas soulever les soupçons des gardes, il a pris soin de bien fermer son capot et de raccourcir son uniforme à la ceinture. Avec son sac, on ne le prendra que pour un simple vagabond voyageur. Il a aussi pensé placer son pistolet et sa giberne[7] à portée de main, dans ses grandes poches. Ainsi, il ne sera pas pris au dépourvu, advenant qu'un Anglais lui cherche noise.

Tout le temps qu'il marche, Guillaume entend des sons étranges. Des grincements et des craquements résonnent dans l'air. Ce sont les glaces dans le fleuve qui se brisent et s'entrechoquent en s'empilant sur les rives. Tous les printemps, le fleuve fait de grands bruits quand son couvert d'hiver cale. Il les entend surtout la nuit, quand tout le monde dort. Ce sont des bruits sinistres qui évoquent une marche de géants sur la glace qui cède sous leur poids. Au fur et à mesure qu'il approche, Guillaume hume les effluves qui émanent des installations des Anglais, occupés à préparer leur petit-déjeuner. Il a faim. Mais pas encore au point de mendier auprès de l'ennemi. Ce qui lui fait penser… Il tapote son capot, là où il a caché les informations destinées au chevalier de Lévis. Le faible craquement du papier le rassure.

L'ennemi, il l'aperçoit se réchauffer autour des feux allumés dans les cours des habitations. Il le voit aller et venir dans les postes d'observation accrochés au flanc de l'escarpement. Il s'active comme à Sainte-Foy. Un martèlement de sabots l'alerte.

— *Give way! Give way!*

Guillaume s'écarte promptement du chemin. Un cavalier arrive par la route, le double et poursuit sa course jusqu'au village. Une estafette[8] ?

Ses cris provoquent un remue-ménage parmi les troupes du poste. Vient-il annoncer la proximité des Français ? Guillaume sent l'excitation s'emparer de lui. Il en oublie sa faim et finit de franchir la dernière portion de la côte en courant. Il rejoint les soldats qui se sont avancés sur le bord du fleuve. Il scrute le large, mais il ne décèle aucun navire. Que des glaces se déplaçant au gré du mouvement de l'eau. Il se tourne vers l'autre rive. Sur les

---

7. Boîte dans laquelle les soldats conservaient leurs munitions d'arme à feu.
8. Soldat chargé du transport des dépêches entre les différents postes de l'armée.

terrasses surélevées qui lui font face, la ligne d'horizon se dentelle de pignons des maisons et de futaies chevelues. Les silhouettes squelettiques de quelques arbres isolés font penser à des spectres solitaires perdus dans la grisaille. Il n'y a pas d'armée de milliers d'hommes en vue. Mais ça ne saurait tarder parce que Guillaume perçoit la nervosité des Anglais. Il en tire ses conclusions. Les Français sont là, tout près. Il le devine. Il le sent. Il se précipite vers la baie. Le temps presse. Ses talons s'enfoncent dans une sorte de gadoue. Des appels résonnent. Les Anglais l'interpellent. Ont-ils deviné ses intentions ? Sa mission ? En aucun cas, il ne doit s'arrêter. Jamais ! Il glisse et tombe. Son sac atterrit dans l'une des mares d'eau que la pluie a laissée. Guillaume court à quatre pattes pour le reprendre. A-t-il senti la glace vibrer sous ses paumes ? Il s'arrête. Ses sens en alerte, Guillaume attend. Une série d'horribles craquements et de grincements plus forts que les précédents font trembler la surface. Il projette son regard au large. À quelques toises à peine, une fissure dessine un trait sombre parallèle à la rive. Le couvert de glace se soulève dans un grondement sourd. C'est la débâcle !

Les grincements et les craquements évoquent une construction sur le point de s'effondrer. Il ressent presque toute la puissance retenue comme un ressort sous lui. La pointe d'un bloc émerge tel un glaive hors de l'eau et grimpe sur la glace. D'autres blocs se détachent, se soulèvent et s'accumulent sur le couvert. C'est fascinant et terrifiant à la fois. Guillaume est obnubilé. Jamais encore il n'a vu une débâcle d'aussi près.

— *Come back, young man ! 'Tis too dangerous to cross the river*[9] *!* hurle un homme.

Sur la rive, les Anglais se rassemblent, d'autres s'aventurent sur la glace et viennent vers lui. La rupture et la friction des glaces provoquent maintenant un grondement continu et des blocs s'accumulent peu à peu sur les rives et le couvert de la baie encore gelée. La peur paralyse Guillaume. Un bruit détone dans l'air

---

9. Revenez, jeune homme ! C'est trop dangereux de traverser la rivière !

comme un coup de canon. Il sent une vibration plus intense. Une lézarde noire trace son chemin dans sa direction. Elle ouvre en deux la glace, que l'eau libérée commence à recouvrir. Il veut crier, mais sa voix reste coincée dans ses poumons. L'instinct lui dicte de rouler sur le côté. Juste à temps pour voir la lézarde passer près de lui. Il roule et roule encore. L'eau rampe à toute vitesse sur la glace qui cale. Elle va l'engloutir. Il va se noyer…

Contre toute attente, il sent sont corps se soulever dans les airs. Deux soldats le placent dans une petite chaloupe. Un pied à l'intérieur de l'embarcation, ils la propulsent sur la glace avec l'autre pied.

—*Stupid lad!* s'écrie l'un d'eux.

—*Lucky boy*, dit l'autre.

On le ramène sur la rive.

—Mon sac, gémit Guillaume.

Le sac contenant ses vêtements de rechange est perdu. Guillaume palpe discrètement son capot et sent avec soulagement son pistolet et sa giberne. Et encore, les informations pour le chevalier de Lévis cachées dans une poche intérieure de son justaucorps. Il a l'essentiel. Une fois en sûreté sur la terre ferme, les Anglais lui servent dans leur langue une leçon de morale à laquelle il ne saisit que quelques qualificatifs peu flatteurs. Puis ils le laissent tranquille pour retourner vaquer à leurs occupations. Seul devant la baie que le fleuve envahit, Guillaume fourre ses mains gelées dans ses poches. Il est déçu. Comment traverser maintenant?

—*Ye all right, lad*[10]? fait une voix franche près de lui.

Un jeune soldat le dévisage. Il s'approche. Son air se veut amical. Il lui pose une question que Guillaume n'arrive pas à traduire. L'accent est très différent de celui des Écossais, auquel il s'est habitué.

—Je voulais traverser de l'autre côté, murmure Guillaume, en désignant l'autre rive de son index.

10. Tu vas bien, garçon?

L'Anglais regarde dans la direction indiquée. Il prend un temps pour saisir. Puis il hoche la tête.

— *Ye live there? Yer home there*[11] ?

Le soldat se met à réfléchir. Il lui fait signe de rester où il est et s'en va rejoindre les deux hommes qui l'ont secouru. Puis il revient avec l'un d'eux en tirant l'embarcation.

— *Hop in, lad! Well' cross ye home in no time*[12] !

Le jeune homme l'invite à prendre place. Guillaume est d'abord hésitant. Mais le désir de traverser le pousse à accepter.

L'expédition ne prend que quelques minutes. Guillaume est déposé sur l'autre rive. Le soldat qui l'a abordé lui tend la main.

— *My name is Daniel.*

— Le mien est Guillaume, se présente-t-il à son tour. Merci, monsieur Daniel.

— *It was my pleasure*, Guillaume. *Have a safe journey home*[13].

Ils se serrent la main, se saluent du chef, puis se quittent.

Guillaume a si faim qu'il dévorerait les semelles de ses bottes, même encrassées de boue. Elles lui semblent si lourdes, ses bottes. Sa foulée s'écourte et son rythme de marche ralentit. Bien que l'idée de mener à bien sa mission l'encourage à continuer malgré tout, il doit trouver quelque chose à se mettre sous la dent. Depuis qu'il a quitté Cap-Rouge, il n'a croisé aucune maison sur la route. Un ruisseau qui coupe le chemin l'arrête. C'est le ruisseau de la décharge du lac Saint-Augustin. Malheureusement, le ponceau qui l'enjambait a été détruit, probablement par les Anglais, qui font tout pour retarder l'arrivée des Français, dont Guillaume n'a observé la présence nulle part. Il est déçu et inquiet. Il se demande si l'armée de Lévis se dirige vraiment vers Québec, comme semblent le croire les Anglais. Et si elle avait plutôt rebroussé chemin

11. Tu habites là ? Ta maison se trouve là ?
12. Embarque, mon gars ! On va te traverser dans le temps de le dire !
13. Ce fut un plaisir, Guillaume. Bon retour à la maison.

vers Montréal à cause des glaces ? Il contemple le ruisseau que le printemps a gonflé comme un torrent. Un nouvel obstacle à franchir. Guillaume commence à douter. Ferait-il tout ce trajet pour rien ?

Un mouvement sur le bord de l'eau le sort de ses réflexions. Une bête plonge. Un rat musqué ! Il paraît que la chair du rat musqué n'est pas mauvaise. Pourquoi ne pas chasser un peu ?

La giberne de son pistolet ne contient que quelques cartouches. Il devra se montrer économe et ne tirer que lorsqu'il sera certain de son coup. Guillaume a souvent manipulé le pistolet de son père. Mais il n'a jamais chargé une arme, encore moins tiré sur une cible. Il a souvent vu son père et Charles le faire. Il doit déchirer la cartouche, reculer le chien muni du silex, mettre un peu de poudre dans le bassinet pour l'amorce et refermer le bassinet. D'un coup de baguette, il tasse la balle et la bourre bien au fond du canon. Ce n'est pas sorcier. Il lui suffit maintenant de débusquer le rat musqué, de le viser et de l'abattre.

Le défi l'excite. Une fois l'arme chargée devant lui, son cœur se met à battre plus fort.

— Ouah ! qu'il souffle.

Curieusement, il la trouve moins lourde qu'avant. Il marche le long du ruisseau. Les herbes aquatiques ondulent comme des chevelures de sirènes dans l'eau noire qui tourbillonne. Il y pousse aussi des quenouilles que l'hiver a desséchées. La neige a fondu et ne subsistent plus que des corniches de glace au-dessus du cours d'eau. Guillaume lance un caillou à l'endroit où il a vu l'animal disparaître et attend. Rien ne bouge. Il s'aventure un peu plus loin, l'œil et l'ouïe aux aguets. Un mouvement furtif produit des vaguelettes qui troublent l'onde. Il scrute la végétation et voit apparaître un museau, qui s'efface aussitôt. La tête du rongeur refait surface un peu plus loin. Il n'a pas de temps à perdre. Il ferme un œil, pointe le canon et appuie sur la détente. Elle refuse de bouger. Il appuie encore. Rien ne se produit. Qu'est-ce qui se passe ? Il appuie à nouveau sur la détente. Le mécanisme est définitivement bloqué. Pourtant, le pistolet fonctionnait correctement l'été précédent.

Il avait failli blesser Émeline dans le vieux hangar où il avait projeté de tendre un piège à Jacquelin. Il avait voulu se venger après que son ami l'eut traité de poltron. Frustré, Guillaume voit le rat plonger et disparaître pour de bon.

Le mécanisme doit être rouillé après avoir passé autant de mois dans le coffre de la mansarde ! Dépité, il range son pistolet et la giberne. Son estomac se plaint. De l'autre côté, il repère deux maisons. De la fumée s'échappe de la cheminée de l'une d'elles. Elle est habitée ! Guillaume doit trouver un moyen de traverser. Un chemin longe le ruisseau, descend une pente assez raide jusqu'au fleuve. Tout en bas, il entrevoit la toiture de bois d'un édifice. Le moulin banal[14] de la seigneurie de Maure. L'expérience qu'il vient de vivre à l'embouchure de la rivière du Cap Rouge le décourage de tenter l'expérience de nouveau. Il doit plutôt chercher en amont un tronc d'arbre jeté en travers du ruisseau, sinon, avec plus de chance, un gué.

Il prend plus d'une heure avant de trouver un endroit où la glace recouvre encore le cours d'eau. Muni d'un bâton, il a testé la solidité de la surface avant de s'y aventurer. Un bâton n'a pas le poids d'un garçon. Il a juste le temps de bondir sur la rive opposée quand la surface cède sous lui, laissant apparaître un gouffre dans lequel grondent les eaux tumultueuses.

Le ciel est si sombre qu'on pourrait croire être à la tombée du jour. Le son de l'angélus résonne au loin. Dans la campagne, où les paysans ne possèdent souvent pas de pendule, encore moins de montre, c'est le carillon qui règle le quotidien. Il rappelle aussi à Guillaume qu'il est midi. Jamais il n'a connu une faim aussi intense. Les aventures de l'avant-midi ont tiré ce qui lui restait d'énergie. Il traîne les pieds jusqu'à la première maison. Quelle honte il ressent à quémander un repas !

— Pas de quêteux ! s'écrie une femme, maigre comme un clou. J'ai déjà neuf bouches affamées à remplir et pas un sol pour

---

14. Un moulin banal est un moulin qui appartient au seigneur d'une seigneurie. La seigneurie de Maure est le territoire qui comprend aujourd'hui le village de Saint-Augustin-de-Desmaures.

le faire. J'ai pas vu mon mari depuis six lunes ! Allez chez la voisine !

— Ah ! Le coquin ! hurle le mari de la voisine, quelques arpents plus loin. C'est-y pas honteux de venir voler mon clapier pis d'oser quémander une gamelle !

— J'ai pas…

— Pis y ment, en plus ?

— Mais…

— Pas de mais icitte ! Fiche-moi le camp, mon p'tit sacripant !

Malgré sa grande faiblesse, c'est en courant que Guillaume fiche le camp. Quand il s'estime suffisamment loin pour ne pas subir les foudres de l'habitant, il prend le temps de souffler. Les poumons en feu, il lance un regard vers la prochaine maison sur la route. Elle lui paraît si loin. Pas moins de trois arpents l'en séparent. Le découragement envahit Guillaume et il se laisse tomber sur son postérieur. Il n'y arrivera jamais. Il a froid maintenant et une douleur lancine son pied droit. Il doit avoir une ampoule. Il repense au but de sa présence ici. Il n'a pas le droit d'abandonner. Les Français ne doivent pas être si loin. Peut-être qu'après quelques minutes de repos…

Un long grondement se fait entendre au loin. Cela ressemble à un roulement de tambour. Mais aussi au tonnerre. C'est un peu tôt dans la saison pour entendre le tonnerre, qu'il remarque, bien que les nuages soient aussi noirs que la nuit. Il va encore devoir trouver un abri contre la pluie.

— Torrieu de ver de terre écrabouillé ! s'exclame-t-il.

Cela va le retarder encore une fois. Il n'a vraiment pas de chance. Laissant son regard se promener dans le paysage, il souffle sur ses doigts rougis par le vent qui vient du fleuve. Ses mitaines sont restées dans son sac, qu'il a perdu. Les terres cultivées par les paysans s'étirent par bandes jusqu'à la forêt, qui délimite la profondeur des concessions. Comme partout où il est passé, les pâturages sont vides de bétail. Entre deux champs, un bouquet d'arbres marque le site où sont rassemblées en tas les pierres arrachées du sol pour éviter que le soc du laboureur s'y brise. Elles serviront ultérieurement pour la construction d'une nouvelle maison. Tiens donc ! Il vient de voir une petite lueur jaillir entre les arbres. Guillaume regarde vaciller cette petite lueur pendant un moment. Puis émerge dans son esprit l'idée qu'il peut s'agir de l'armée française qui bivouaque à cet endroit.

Guillaume traverse le champ jusqu'à la forêt. Son ventre qui hurle famine ne l'incommode plus, non plus qu'il ne sent la douleur que lui cause son ampoule. Le feu l'attire comme un aimant. Il imagine déjà la tête de Charles Giffard en le voyant arriver. La fierté qu'il va ressentir quand Guillaume va remettre au commandant des troupes françaises les dernières informations qu'il a recueillies sur la garnison de Québec, auxquelles il peut ajouter ce qu'il a constaté à Sainte-Foy et à Cap-Rouge. On va le féliciter de son audace, applaudir sa bravoure. Les flammes dorent le tronc des bouleaux blancs et font frémir les rameaux des épinettes. Une nappe de fumée s'étend au-dessus de la cime des arbres. Avant même de voir âme qui vive, Guillaume renifle et devine un repas qui rôtit. Quel bonheur !

Il accélère le pas. Les crépitements du feu sont maintenant perceptibles. Mais il ne voit personne. Où est passée l'armée ? Pour qui brûle donc ce feu, alors ? Guillaume s'approche. Il entrevoit une silhouette assise à même le sol. Elle lui tourne le dos et semble surveiller sur une broche… un lapin !

— Torrieu de coquin de p'tit diable ! qu'il fait entre ses dents.

Le voleur de lapin !

À son gabarit, Guillaume juge qu'il s'agit d'un garçon d'environ son âge. L'inconnu penche la tête et courbe le dos, manifestement occupé à faire quelque chose. Guillaume scrute les alentours. Il est apparemment seul Guillaume convoite l'appétissant lapin embroché et il salive. C'est à cause de ce coquin de voleur qu'il a encore le ventre vide. Voleur volé, le diable en rit ! Où sera la faute ? Ha ! Ha ! Sans faire de bruit, il sort son pistolet et tâtonne l'herbe autour de lui. Il ne prend pas longtemps à mettre la main sur une pierre.

À pas comptés, il s'approche plus près et se cache derrière un tronc. Il vise et lance la pierre. Elle ricoche sur un arbre plus loin et fait craquer les feuilles mortes qui jonchent le sol. Le voleur lève la tête et cesse tout mouvement. Quelques secondes passent. Guillaume lance une deuxième pierre dans la même direction. Cette fois le voleur se lève et va voir. Guillaume en profite et se précipite vers le feu.

— *Hey! Dinna touch that! 'Tis mine*[15] *!*

La main de Guillaume a figé sur la broche. Le voleur revient vers lui. La lame d'un couteau brandi devant lui brille dans la lueur des flammes autant que son regard bleu. Il est aussi surpris que Guillaume.

— Guillaume? *'Tis really ye*, Guillaume Giffard?

— Guillaume Renaud, rectifie l'interpellé. Qu'est-ce que tu fais ici, Angus Macpherson?

L'embarras froisse soudain la physionomie du jeune Écossais.

— Euh… J'ai mission.

— Une mission? Tu es un espion, maintenant?

— *Nay, I'm no spy…* se défend Angus avec vigueur.

Les narines de Guillaume frémissent des délectables arômes qui montent du rôti. Angus note son intérêt pour le lapin. Il fait le constat de son apparence lamentable: la boue recouvre Guillaume pratiquement de la tête aux pieds. Sa petite escapade n'a visiblement pas été de tout repos. Il remarque en même temps le pistolet que semble avoir oublié son opposant dans sa main.

— *Ye hunry?* l'interroge-t-il en empruntant un ton plus convivial dans l'espoir de l'amadouer.

— C'est toi qui as volé le lapin dans la ferme sur la route, l'accuse Guillaume, qui ne veut pas se laisser démonter une autre fois par le petit couteau que tient Angus. Voleur de lapin et voleur de petit pain! Voleur tout court!

— *Dinna accuse me of what yer about to do yerself,* Guillaume[16] ! Tou dis moi oune voleur? Tou voleur aussi!

---

15. Hé! Ne touche pas à ça! C'est à moi!
16. Ne m'accuse pas de ce que tu t'apprêtes à faire toi-même, Guillaume.

Les frustrations et ressentiments accumulés pendant les derniers jours explosent en Guillaume dans une incroyable décharge de fureur. Il laisse tomber le pistolet et se rue sur son adversaire. L'un retenant l'autre par le collet, les deux garçons roulent au sol. Les poings de Guillaume fusent, mais ne trouvent pas de cible et il se fatigue rapidement. Par contre, plein d'énergie, celui d'Angus l'atteint sous la mâchoire. Une douleur fulgurante lui traverse le crâne et il cesse tout mouvement. Ce qui met rapidement fin à la bagarre. Angus se dégage et se lève. Pendant qu'il retouche sa tenue, Guillaume roule sur le ventre pour essuyer les larmes qui lui mouillent les yeux. Une petite étoile brille dans son champ de vision. Il cligne des paupières. Croyant voir étinceler l'acier du couteau de l'Écossais, il allonge le bras. Ses doigts se referment plutôt sur un objet cylindrique.

VII

Le sacrifice de l'orgueil

Guillaume s'assoit et, subrepticement, il cache la flûte irlandaise d'Angus à l'intérieur de son capot avant de se retourner. Il découvre l'Écossais en train d'examiner avec attention le pistolet qu'il a laissé tomber.

— *'Tis yers?* Ça, à toi?

— C'est à mon père.

— *Oh! 'Tis a good French pistol*[1].

L'Écossais lui lance un regard en coin. Les commissures de sa bouche se retroussent. Guillaume dresse la nuque. Est-ce qu'il pourrait prendre à Angus l'idée de s'en servir contre lui?

— *De ye ken how to use it?* Toi... savoir *use it*?

— Certain que je sais l'utiliser! se vexe Guillaume. Qu'est-ce que tu crois? Sinon, qu'est-ce que je ferais avec? Maintenant, rends-le-moi.

Il tend la main pour lui faire comprendre qu'il désire reprendre possession de son bien. Angus lui rend le pistolet et regagne sa place sur le tapis de feuilles et d'aiguilles de pin. Il ramasse le bout de branche qu'il a laissé tomber et se remet à le ciseler avec son couteau. Immobile, Guillaume le regarde faire.

— *Dinna...* Euh, excouse-moi. Voulu pas faire mal à toi.

Guillaume frotte sa mâchoire.

— Ça ne fait pas trop mal, ment-il en esquissant un drôle de sourire.

---

1. Oh! C'est un bon pistolet français.

Il lorgne vers le lapin sur la broche.

— Tou faim ?

— Oui, avoue Guillaume.

Si son orgueil lui supplie de dire non, son estomac, lui, lui interdit de continuer de mentir.

— Je peux partage… euh… *hare, wi' you.*

— Hère ? C'est un lapin ?

— *Hare ? Nay. A hare is…* pas lapine. Lapine *is a rabbit.*

— Lapin, un *rrrrabbit*, se moque Guillaume, en laissant le r rouler plus longuement que nécessaire dans sa bouche. Alors, un « hère », c'est quoi ? Moi, c'est un lapin que je vois griller sur la broche ! Il n'y a qu'à voir ses oreilles et ses dents et…

— *Rabbit's hind legs much shorter than… Och !* fait Angus dans un mouvement d'impatience. Lapin, jambe là court, qu'il explique en désignant les pattes arrière sur le gibier. *Hare's legs*, plus longs, comme ça.

— Tu essaies de me dire qu'un… hère a les pattes arrière plus longues qu'un lapin ? Alors, un hère, c'est un lièvre ? en déduit Guillaume.

— Lièvre, *aye !* confirme Angus, content. *Caught him wi' this.*

L'Écossais fouille dans son *sporran* et en retire un bout de fil d'acier. Il a attrapé le lièvre avec un collet. Guillaume comprend qu'Angus n'est pas celui qui a volé le lapin. Il pense soudain que l'habitant lui a inventé cette histoire dans le but de se débarrasser de lui.

La vue d'Angus lui fait repenser à Émeline et ses ressentiments reviennent lui ronger le cœur. Angus cesse de travailler son bout de bois et le dévisage d'un air sérieux.

— *Ye dinna like me, aye ?* Pouquoi tou pas aimes moi ?

La question déstabilise Guillaume. Il hausse les épaules et dit laconiquement :

— *Ye…* ennemi.

— Moi pas ennemi. Je veux être ta ami.

Guillaume regarde le lièvre qui cuit et pense que la suggestion d'Angus est une bonne idée, pour aujourd'hui.

— Je suis d'accord pour faire une petite trêve, dit-il.

— Trêve ? fait Angus, qui ne sait pas ce que le mot veut dire.

Guillaume ne sait pas comment traduire le mot.

— Pas de guerre aujourd'hui. D'accord ?

Il affiche une expression avenante qui, il l'espère, le convaincra mieux de ses intentions. Angus fait mine d'avoir saisi. Il hoche la tête et se remet à sculpter son bout de bois.

— Qu'est-ce que tu fabriques ?

Il montre le bout de bois que travaille Angus.

— *This ? Oh, could be a dirk handle. A dirk...* ça, précise Angus en lui montrant son petit couteau, puis le manche de l'arme.

— C'est toi qui as sculpté celui-là ?

Angus confirme d'un mouvement de la tête. Il lui prête son couteau pour que Guillaume puisse admirer de plus près les beaux entrelacs ciselés dans le morceau de bois de cerf rouge. Guillaume ne peut que reconnaître les talents artistiques de l'Écossais. En lui rendant son arme, il note la main mutilée. Il se souvient combien elle intrigue sa sœur Jeanne et Émeline. Guillaume sait que c'est impoli de questionner les gens sur leurs infirmités.

— Comment tu l'as perdu ? l'interroge-t-il en désignant l'auriculaire absent.

— *A gun...* oune fousil. *Gun barrel* Canoune ?

— Canon de fusil, le corrige Guillaume. Tu as perdu ton doigt en nettoyant un fusil ? C'est pas malin, ça !

— Pas quand je nettoye. Quand je chasse *deer...* précise Angus en déployant ses mains sur sa tête pour former le panache d'un cerf. La fousil pas charge *correctly.* Canoune de la fousil exploder. *Pow !* Comme ça.

Puis il s'empare du pistolet que Guillaume a déposé entre eux.

— *Always be sure to correctly ram down the ball...* dit-il en mimant le geste de bourrage de la charge. Pousser, pousser *ball* dans fond de la canoune. *Otherwise, could explode.* J'ai chanceux pas perdu mon main. *Good doctor.* Coupe juste la doigt *wi' a saw,* fait Angus en faisant le geste de scier.

Il lui fait voir les nombreuses cicatrices qui zèbrent la paume et le petit bouton de peau rose qui marque l'emplacement de l'auriculaire. Une sensation glacée parcourt la colonne vertébrale de Guillaume et le fait frissonner.

— Ça a dû faire drôlement mal !

Il ne peut s'empêcher de se montrer impressionné. Ce qui ne manque pas de plaire à Angus.

— Oh, j'ai pas crié trop.

Guillaume étudie le visage de l'Écossais. Il est maigre, mais les os de la mâchoire et les pommettes saillantes sont larges et témoignent de leur robustesse. Il note les quelques poils sombres qui soulignent la lèvre supérieure. Sans s'en rendre compte, Guillaume effleure l'espace sous son nez. La peau est encore lisse. La jalousie lui remue le ventre.

— Il n'y a pas de danger qu'un aussi bête accident m'arrive, crâne Guillaume. Je sais comment charger correctement un pistolet. Je te montrerais bien comment on fait, mais le pistolet est déjà chargé…

Guillaume voit l'Écossais retirer le petit crochet qui retient le chien et le reculer en position de l'armé, puis soulever l'arme devant lui.

— Qu'est-ce que tu fais ? s'écrie Guillaume en lui arrachant brusquement le pistolet des mains.

— *Just* voulu essaye !

— C'est à mon père ! Et… et… il ne me reste pas beaucoup de munitions, prétexte Guillaume.

Que c'est embarrassant ! Il a oublié de retirer le cran de sûreté quand il a essayé de chasser le rat musqué. Pendant qu'Angus va tourner le lièvre sur le feu, il dépose le pistolet sur le sol avec précaution et fait dévier la conversation sur un autre sujet.

— Tu viens du même endroit que le capitaine Fraser ?

— *Nay… Loch Laggan.*

— Comment tu dis ? Lo…

Il finit le mot en émettant un son qui ressemble à un feulement de chat. Ce qui fait rire Angus, qui le reprend. Ils passent ainsi plusieurs minutes à répéter le nom, sans que Guillaume y parvienne correctement. Pour ne pas l'embarrasser davantage, Angus se met à lui parler de son pays, les Highlands. De ce qu'en apprend Guillaume, c'est un pays très montagneux et il comprend finalement qu'un loch est en fait le mot écossais pour «lac». Ainsi, la famille Macpherson habitait près du lac Laggan, dans les Highlands, en Écosse.

Bientôt la chair du lièvre se craquèle. Le repas est à point. Angus retire la broche du feu. Avec son couteau, il taille une cuisse du lièvre et la présente à Guillaume, qui salive. Il plante ses dents dans la viande et se brûle les lèvres. Tant pis! Il souffle sur la cuisse et procède par petites bouchées. Le jus de la viande coule sur son menton, qu'il essuie avec sa manche. Que c'est bon! Guillaume est certain de n'avoir jamais rien mangé d'aussi délicieux. Angus est un véritable chef!

Un second grondement résonne autour. Le vent se lève et le froid s'intensifie. Leur haleine forme de petits nuages de vapeur sous leur nez rouge. Angus lève son visage vers le ciel qu'il entrevoit entre les branches des grands pins.

—Je pense va tomber le plouie, fait-il remarquer après avoir lancé les os rongés d'une cuisse de lièvre dans les flammes.

Guillaume se frappe l'estomac avec un air satisfait.

—Tu ne manges plus? demande-t-il à Angus.

—*Nay,* j'ai plou faim.

Le capitaine Fraser l'a invité au mess et lui a offert un copieux déjeuner avant de le conduire à cheval jusqu'au poste de Sainte-Foy ce matin. Après lui avoir expliqué la situation, il lui a remis un sauf-conduit et la lettre à porter au capitaine Giffard en appuyant sur l'importance que le capitaine reçoive cette lettre le plus rapidement possible. C'est une chance inouïe qu'il soit tombé sur Guillaume. Cela va peut-être lui éviter de passer derrière les lignes ennemies.

Il se lève, s'empare d'un bout de bois et remue les braises afin d'attiser les flammes. Le feu reprend subitement vie et ses nombreuses langues fourchues lèchent les branches chevelues des pins que le vent fait craquer. Le ciel s'illumine tout à coup d'une lumière violente. Ça sent l'orage.

— Nous va falloir trouve toit pour pas faire mouiller.

Guillaume grogne pour acquiescer. Sa bouche est pleine.

— Tou savoir où *French army* ? demande Angus à Guillaume.

— Non, je…

Guillaume s'arrête soudain de parler. Est-ce qu'Angus peut l'avoir suivi pour l'empêcher de rejoindre l'armée ? Il avale sa bouchée.

— Pourquoi tu me demandes ça ?

Peut-être qu'Angus veut se servir de lui pour découvrir les positions de l'ennemi et les divulguer au général Murray ?

— *Captain Fraser* dit à moi toi veux *join army*.

Une chaleur couvre brusquement son visage. Que sait au juste Angus ? Que lui a dit le capitaine Fraser ? Il n'est pas question de confesser à Angus Macpherson la mission qui le porte aussi loin de chez lui.

— Toi, qu'est-ce qui t'amène jusqu'ici ? demande Guillaume.

Angus revient à sa place, il ouvre son capot et plonge sa main dans son *sporran* pour trouver la lettre. Il fouille pendant quelques secondes, puis son expression se modifie.

— *My tin whistle !* s'écrie-t-il en bondissant sur ses pieds.

Il s'agite, fouille encore le *sporran*. La consternation glisse sur ses traits.

— Je perdu… *My tin whistle !* gémit Angus. *'Tis all Dhaidi left me*[2] *!*

L'affolement gagne Angus. Il se jette sur les genoux et inspecte avec frénésie le sol à l'endroit où ils se sont bagarrés. Guillaume palpe son capot. La flûte est là avec son message pour le chevalier de Lévis. La détresse d'Angus le touche. Après qu'il ait si généreusement partagé son repas avec lui, il reconnaît qu'il commet un geste hautement répréhensible en gardant la flûte de l'Écossais. Mais la lui rendre, ce serait lui avouer l'intention qu'il a eue de la

2. Ma flûte ! C'est tout ce que papa m'a laissé !

lui voler. Il se met à quatre pattes, faisant mine lui aussi de chercher. Il suffit de laisser tomber la flûte à un endroit et de feindre de la trouver et…

Il y a un bruit dans les fourrés. Les garçons s'immobilisent et se consultent du regard.

— C'était quoi ? demande Guillaume.

Angus hausse les épaules.

— *A squirel, maybe a bird*[3] ?

Il se remet à fouiller les aiguilles de pin. Guillaume garde l'œil rivé sur l'endroit d'où lui est parvenu ce bruit. Le couvert des arbres qui épaissit l'obscurité et l'éblouissement du feu l'empêchent de bien voir. Il se souvient de la moufette dans le moulin. Il n'a pas du tout envie de partager ce qui reste du lièvre. Encore moins de se faire asperger de l'infect parfum de la bête puante. Il est sur le point d'avertir Angus de ne pas s'aventurer dans ce coin quand un éclair aveuglant arrache à l'obscurité une ombre géante qui pénètre le cercle de lumière qui les enveloppe. Angus pousse un cri qu'étouffe rapidement une large paume.

— Tu ne fais pas de bruit, petit avorton de Goddam, et je ne te fais pas de mal, l'avertit l'intrus d'une voix rauque.

L'homme a saisi le garçon par les cheveux et l'a repoussé avec brutalité vers Guillaume, qui remarque l'uniforme d'un blanc sale avec des parements bleus. Sur le coup, il croit qu'il s'agit d'un soldat des Compagnies franches de la Marine, jusqu'à ce qu'il note que les revers des basques ne sont pas bleus comme les parements, mais du même blanc sale que le reste de l'uniforme. Il s'agit donc d'un autre régiment français. Peu importe, c'est un compatriote. L'enthousiasme s'emparant de lui, Guillaume se lève.

— Je ne suis pas anglais, moi ! Mon beau-père est capitaine dans les compagnies de la Marine.

— Vivement, le fils du capitaine ! s'esclaffe le soldat en frappant des mains. Mon père était, lui, prévôt de Nancy, en Lorraine. Voyez ce que ça a fait de moi !

---

3. Un écureuil, peut-être un oiseau ?

Il s'approche de l'objet de sa convoitise. Ce sont les lueurs des flammes qui l'ont attiré. Il a froid et si faim.

Un déserteur, comprend soudainement Guillaume. Pas de chance ! Les déserteurs n'ont pas de patrie, lui a déjà raconté son père. Il faut toujours se méfier d'eux. S'imprégnant avec délectation de la chaleur des flammes, l'homme les dévisage l'un après l'autre. Il éclate à nouveau de rire, franchement amusé.

— C'est-y pas beau de voir ça ! Un Goddam et un Canadien réunis comme deux frères d'armes !

Il insère la main dans son justaucorps en même temps que le ciel s'illumine d'un nouvel éclair. La lumière vive rend la peau du déserteur aussi blanche que celle d'un spectre. Muets de terreur, les deux garçons font un pas derrière. Le tonnerre gronde.

— J'ai juste besoin d'un peu de feu, fait savoir l'homme en sortant un lapin de son uniforme. Vous seriez pas assez charitables pour laisser un ami français se joindre à vous ? Un Français, un Anglais et un Canadien, tous assis autour du même feu. Ça serait pas...

C'est à ce moment que l'individu remarque le reste de lièvre sur la broche.

— Tiens ! Il est déjà tout prêt, celui-là ? questionne-t-il, le visage élargi par un sourire satisfait.

Il laisse tomber le lapin au sol et saisit la broche. Il hume la viande en émettant un grognement de contentement avant de la mordre à belles dents. Guillaume lance un regard désespéré vers Angus, qui secoue la tête pour lui signifier de ne rien tenter. C'est alors que Guillaume aperçoit près de son pied la patine de son pistolet briller dans les lueurs des flammes dansantes. Le déserteur est occupé à dévorer le délicieux lièvre d'Angus. Guillaume se penche avec prudence. Il saisit la crosse de l'arme et se redresse lentement. Il est certain que le déserteur va entendre son cœur pilonner sa poitrine comme un bélier et s'efforce de se montrer sûr de lui. Il croise brièvement le regard d'Angus, qui a compris ses intentions et qui lui sourit pour l'encourager.

— Quelle chance ! se félicite l'homme. Je pourrai conserver mon lapin pour demain. J'ai juste besoin d'un peu d'amadou… Oh ! fait-il brusquement en remarquant le pistolet dans la main de Guillaume.

Il avale sa bouchée et esquisse un sourire.

— Tu penses faire quoi avec ça, le marmot ?

— Je ne suis pas un marmot ! se vexe Guillaume.

Le Français éclate de rire. Trois dents manquantes rendent son sourire menaçant.

— Tu vas quand même pas tirer sur un compatriote, hein ? dit-il narquoisement avant de croquer à nouveau dans le lièvre.

Il s'approche de lui comme pour le défier de le faire.

— *Fire at him !* lui crie Angus.

Le bras de Guillaume refuse de soulever l'arme. Il est maintenant complètement terrifié. Il ne veut pas s'en servir. Il veut seulement faire peur au déserteur.

— *Damn it, Guillaume ! Fire at him*[4] *!*

Le coup part. La détonation résonne dans le silence et anime la nature dans un tintamarre de piaillements et de battements d'ailes. Guillaume roule sur le sol en hurlant comme un loup. Angus et le déserteur prennent quelques secondes pour comprendre ce qui s'est produit. Le Français profite de son avantage et se précipite sur le pistolet. Ses doigts, qui se sont refermés dessus, deviennent brusquement tout mous, et le pistolet tombe dans un bruit mat. Le corps du déserteur qu'Angus vient d'assommer avec une branche s'effondre à côté de l'arme. Angus se précipite vers Guillaume, qui a replié son genou et le presse contre sa poitrine. Il roule de gauche à droite et hurle et hurle encore. Angus saisit la jambe et l'immobilise. Il y a un petit trou dans le cuir de la botte. Il devine la gravité de la blessure et ressent toute la douleur de Guillaume. Elle irradie sa main mutilée.

— Guillaume ! J'occupe de toi. *Dinna worry.* J'occupe de toi.

---

4. Bon sang, Guillaume ! Tire sur lui !

Il essaie de le soulever. Son compagnon est trop lourd pour lui. Il ne pourra pas arriver à le transporter sans aide. Il va falloir courir chez les paysans. Mais il ne peut pas laisser le garçon blessé tout seul avec le déserteur. Quand il va revenir à lui, le malotru pourrait s'en prendre à Guillaume. Angus rampe à quatre pattes pour récupérer le pistolet avant de revenir près du Canadien.

— J'occupe de toi, Guillaume, qu'il lui répète dans le vain espoir de le rassurer.

Mais Guillaume n'arrête pas de crier et de pleurer sa souffrance.

Désemparé, Angus cherche une solution quand un déclic métallique derrière lui le fige. Il tourne vivement la tête. Les branches remuent. Il n'a pas le temps de réagir. Surgit du fourré un visage rouge et grimaçant. Un éclair fait étinceler un regard noir qui ne peut être que celui du diable. Angus pousse un cri de frayeur et tente de fuir, mais une main le rattrape par le col de son capot et le soulève de terre. Ses jambes battent dans le vide.

— Petit bâtard d'Anglais ! siffle le Sauvage qui le tient ainsi.

Sa lèvre supérieure se retrousse dans une horrible grimace qui montre des dents carnassières. Angus est saisi d'effroi. Il sait ce que font aux Anglais les Sauvages qui sont fidèles aux Français. Il a vu des hommes scalpés. Il a entendu des histoires de torture qui lui ont fait dresser les cheveux sur la tête et donné des cauchemars. Sa peau ne vaut pas plus cher que celle d'une souris des champs dans la gueule d'un renard. Le monstre rouge crache sa haine et approche sa main de lui. Croyant son heure venue, Angus ferme les yeux. Mais la main ne fait que lui confisquer le pistolet.

Apparaît, derrière le Sauvage, un homme habillé d'une tunique de laine serrée à la taille par une ceinture fléchée, de jambières de daim, d'un bonnet rouge et de mocassins. Sous une épaisse barbe grise, le visage raviné du milicien, tanné par la vie au grand air, n'est guère plus rassurant que celui du Sauvage. Le milicien dévisage l'Écossais avant de porter son attention sur Guillaume, que la peur immense a aussi réduit au silence. Puis il constate la présence du corps du déserteur étendu sur le sol. Avec son pied, il le fait rouler sur le dos. Il émet un sifflement aigu. Ils n'ont pas le temps de compter jusqu'à cinq que deux autres hommes armés de fusils investissent le petit camp. Ils portent un uniforme identique à celui du déserteur. Des acolytes…

—C'est votre homme, messieurs ?

—C'est Picard, confirme le plus grand des deux officiers. Occupez-vous de lui, Cazin.

—Celui-là est blessé, dit le milicien.

L'officier se penche vers Guillaume, qui refuse d'être touché. Il a si mal. La douleur grimpe dans sa jambe et dévore tout son corps.

—Montre-moi, mon garçon. Allons, je ne te veux pas de mal. Je suis le sous-lieutenant Boissadel, des grenadiers de Poulhariez du régiment du Royal Roussillon. Nous pourchassions ce déserteur depuis ce matin. Nous allions abandonner quand nous avons entendu le coup de feu. C'est le soldat Picard qui t'a blessé ?

—Il… voulait voler…

Guillaume arrive à peine à articuler ses mots tant il tremble.

—C'est l'Anglais qui avait le pistolet, intervient le Sauvage en lui montrant l'arme dans sa ceinture.

Boissadel pince sa moustache[5] entre ses doigts et considère le jeune Écossais, que le Sauvage tient tranquille au bout de son fusil.

—C'est lui, alors ? demande-t-il à Guillaume en lui désignant Angus.

—Non… Lui, c'est… c'est un ami.

Boissadel médite. Qui voulait voler qui ? Qui a blessé le garçon ? Qui a assommé le soldat Picard ? Leur parviennent les gémissements de Picard, qui revient graduellement à lui.

—Duquet, aidez le soldat Cazin à ligoter Picard, commande Boissadel au milicien. Je n'ai pas envie qu'il nous échappe une seconde fois.

---

5. Dans l'armée, seuls les grenadiers ont le droit de se distinguer par le port de la moustache.

Le déserteur grogne et remue. Il cherche à se libérer des cordes qu'on serre autour de ses poignets dans son dos. Il profère un gros juron. Celui qui va suivre meurt sur ses lèvres devant la gueule du canon qui est pointé sur lui.

— On fait le gentil, Picard, raille le milicien Duquet.

Le soldat Cazin s'assure que les liens sont solides. Il aide ensuite le déserteur à se lever et le pousse devant.

— Duquet, je vous confie la charge du garçon blessé, dit Boissadel. Assurez-vous qu'il soit entre bonnes mains avant de revenir au camp. Ça doit être le fils d'un paysan du coin.

— C'est pas un fils de paysan du coin, les informe le Sauvage.

— Tu le connais, Atecouando ? demande le milicien.

— C'est le fils d'un habitant de Québec. Je l'ai vu chez le passeur de pain.

— Eh bien, fait Boissadel, il me semble que tu es plutôt loin de chez toi, mon garçon. Que fais-tu ici et quel est ton nom ?

Maintenant qu'il ne sent plus sa vie menacée, la douleur que lui cause sa blessure l'envahit à nouveau. Guillaume entend à peine les mots qu'on lui adresse.

— Guillaume Renaud, *sir*, répond Angus à sa place.

— On voulait jouer aux soldats, monsieur Renaud ? conclut Boissadel. T'es un brave garçon. Mais je pense que tu es un peu trop jeune pour faire la guerre.

Angus s'anime subitement, comme si une guêpe l'avait piqué.

— *Sir !* qu'il fait en fouillant son *sporran. You ken Captain Giffard*[6] ?

— Le capitaine Giffard ? Que lui voulez-vous ?

— Père à loui, explique Angus en désignant Guillaume.

Boissadel lance un regard vers le garçon, qui a recommencé à gémir dans les bras de Duquet.

— C'est le fils du capitaine Giffard ?

— *Aye, sir.*

Angus présente une enveloppe cachetée au sous-lieutenant. L'officier l'examine dans la clarté du feu. Elle ne porte pas de

6. Monsieur ! Vous connaissez le capitaine Giffard ?

sceau, mais elle est adressée au capitaine Charles Giffard des Compagnies franches de la Marine. La calligraphie, élégante et déliée, semble être de la main d'une femme.

— Quel est ton nom ?

— *Angus Macpherson, sir.*

— Qui vous a remis cette missive ?

Il ouvre la bouche pour dire que c'est le capitaine Fraser, mais se ravise. Il désigne plutôt Guillaume du doigt.

— *'Tis his.* Il veut donne ceci à son père.

Le sous-lieutenant estime la valeur que peut avoir la parole de ce jeune Écossais. Il demande confirmation auprès du blessé.

— Le capitaine Giffard, c'est ton père, jeune homme ?

Guillaume opine de la tête.

— Tu voulais lui remettre une lettre ?

Guillaume, qui n'a rien écouté de la conversation entre le grenadier et Angus, confond tout. Il croit que Boissadel lui parle des informations qu'il veut donner au chevalier. Il murmure un faible oui. La réponse satisfait le sous-lieutenant. Que risque-t-il en fin de compte à remettre cette enveloppe au capitaine Giffard ? Boissadel sort quelques pièces de monnaie de son gousset et les donne à Duquet.

— Que le paysan qui l'accueillera fasse venir un médecin à son chevet. Veillez sur lui jusqu'à demain puis revenez au camp me donner de ses nouvelles. Si aucun médecin n'est venu s'en occuper, je verrai si un chirurgien peut se libérer. La situation m'empêche de faire mieux.

— Qu'est-ce qu'on fait de lui ? demande Jean Atecouando en désignant l'Écossais avec son fusil.

— Gardez-le à l'œil. Nous sommes trop près du but pour prendre le moindre risque…

La pluie bat le toit et fouette les fenêtres de la petite maison du paysan Amyot. Laurent Amyot est l'homme qui a accusé

Guillaume d'être un voleur de lapin. Son lapin lui a été rendu et attend maintenant sur la table de passer sous le couteau de la cuisinière. Il sera mangé le lendemain. Dans la cuisine, Jean Atecouando et Angus gardent le silence pendant que les cris de Guillaume traversent la porte fermée. Les six enfants Amyot occupent chacun une marche de l'escalier, et c'est l'Écossais qui est l'objet de leur curiosité. Ils ont passé leur visage entre les barreaux de la rampe et l'examinent avec circonspection. Ils n'ont encore jamais vu l'un de ces féroces guerriers en jupette à carreaux dont on dit qu'ils fauchent tout sur leur passage avec leurs énormes épées. Ils ont peine à croire à ces histoires devant l'air malingre de celui-là. Mais, si le grand Sauvage le tient si fidèlement à l'œil, c'est qu'il doit être dangereux.

— Peut-être qu'il se transforme quand il est en colère, chuchote la plus jeune au cadet qui le précède.

Le garçon demande à son frère, assis une marche plus bas, si les Écossais peuvent se transformer en feux follets. Un éclair métamorphose les traits de l'Écossais. Sur la marche suivante, sa sœur entend la question.

— Je crois qu'ils se transforment plutôt en loups-garous, affirme-t-elle.

— Il y a des loups-garous en Écosse ? s'enquiert dans un chuchotement le frère qui vient après.

Il pense, lui, qu'on trouve plutôt d'horribles ogres dans les montagnes de ce pays lointain.

— C'est qu'un enfant comme nous, tranche la fille aînée, au bas de l'escalier.

La mère, occupée à préparer la potion qui va aider le blessé à dormir, a connaissance de leur présence et les refoule à l'étage à coups de cuillère de bois. Les pieds nus tambourinent le plafond pendant un moment avant que retombe le silence dans la maison.

— Non ! Je ne veux pas qu'on me coupe le pied ! hurle Guillaume à pleins poumons.

— Tenez-le fermement ! ordonne le milicien Duquet.

Le paysan Amyot bande tous ses muscles. Ce petit bout d'homme déploie une énergie surprenante. Duquet approche son long couteau de chasse.

— Coupez-moi pas le pied !

— Je veux juste t'enlever ta botte, fiston.

— Jurez-le sur la croix ! Jurez-le !

— Je te le jure sur la croix du Christ.

S'il ment, le milicien ira en enfer. Guillaume parvient à se détendre suffisamment pour permettre à Duquet de glisser sa lame entre le cuir et sa jambe. L'intervention s'avère pénible, car le tuyau de la botte épouse étroitement le mollet du blessé. Au moindre mouvement, Guillaume gémit de douleur. Après de longues minutes, Duquet parvient à lui retirer sa botte. Le bas est rouge de sang jusqu'à la cheville. En usant de toute la délicatesse dont il est capable, Duquet découpe le bas de la même manière que la botte.

Le paysan Amyot se détourne du spectacle. Le milicien examine le pied et secoue sa longue chevelure grisonnante.

— C'est pas beau… vraiment pas beau…

— Voilà ! Voilà ! intervient la femme d'Amyot en faisant irruption dans la chambre.

Elle porte des serviettes et un sceau d'eau fumante.

— Pauvre petit, murmure-t-elle en voyant la blessure. Depuis le début de l'hiver, il reste plus qu'un seul docteur, de Cap-Rouge jusqu'à la Pointe-aux-Trembles. Il faut des fois attendre des jours avant qu'il vienne. Et pis, il arrive qu'il vienne trop tard ou pas du tout. Mais il a de la chance, le petit, ajoute-elle encore. Le docteur Pellerin, y a passé hier pour se rendre à l'Anse-à-Maheu. Antoine l'a trouvé chez le vieux Villeneuve.

Le médecin suit la femme dans la pièce et dépose un coffre de bois sur le sol. Il faut tenir la jambe de Guillaume pour lui permettre de l'examiner. Le médecin ne prend pas de temps à poser son diagnostic et à décider du traitement.

— Le plus vite sera le mieux, qu'il tranche froidement.

Il fait tinter les instruments dans son coffre. Un bistouri, un petit ciseau à bois et un marteau passent sous le regard épouvanté du principal intéressé. Un hurlement fait trembler les murs de la chambre.

Angus frissonne et presse sa main mutilée sur son ventre noué. Son regard croise celui de Jean Atecouando, qui ne le quitte pas. Angus sent la tempête menacer sous le calme du Sauvage.

— Il va pas en mourir, l'Anglais. Il y a pire que perdre un pied ou une main, commente gravement Jean Atecouando.

— *Aye, I ken, sir*[7]. Il y a pire…

L'éclair remplit la chambre d'une lueur fantomatique. Guillaume cligne des paupières. Il a cessé de respirer le temps que l'obscurité revienne. Puis, graduellement, la flamme vacillante de la chandelle sur la table de chevet nimbe d'une fine poussière d'or les objets qui l'entourent. À peine a-t-il remué qu'une douleur lancinante le cloue sur place. Il prend de grandes respirations et serre fort ses paupières pour ne pas pleurer.

Il ne sait pas où il est. C'est une nuit d'orage et il est terrifié par ce qui lui arrive. Il voudrait sentir la chaleur de la main de sa mère sur son front. L'entendre lui chuchoter qu'il a rêvé ce cauchemar.

Un léger couinement attire son attention sur sa droite. Il ne voit rien, mais en relevant un peu la tête, il aperçoit une forme sombre recroquevillée sur la plancher. Un sanglot. Un couinement de chiot perdu. Guillaume se dresse sur un coude en essayant de bouger le moins possible son pied mutilé. Dans la faible clarté d'une chandelle, il voit reluire une pièce ronde argentée. C'est la broche qu'Angus pique dans son plaid pour le retenir sur son épaule droite. Il l'a retirée et s'est recouvert du plaid pour dormir. Il pleure dans son sommeil. Angus a possiblement sauvé la vie de Guillaume en assommant le déserteur. Le voilà maintenant à ses côtés à le veiller, couché à même le plancher froid.

Puis il se rappelle brusquement la flûte volée ! Où est-elle ? Oui ! Cela lui revient ! Quand la femme du paysan l'a déshabillé et lavé

7. Oui, je sais, monsieur.

avant de lui faire boire une potion qui a rendu ses paupières lourdes, l'instrument est tombé de sous son gilet, où il l'avait caché. Par crainte qu'on découvre son méfait, il a insisté pour garder l'objet avec lui dans le lit. Guillaume fouille les draps et retrouve la flûte. Il jette un coup d'œil vers Angus pour vérifier que l'Écossais dort toujours. Son cœur bat fort. Il hésite, porte l'instrument à ses lèvres.

Le son écorché de la flûte flotte comme un lambeau de rêve dans l'esprit d'Angus. Il voit son père se pencher sur lui et, l'air contrarié, corriger son doigté sur l'instrument. « Ton index ne couvre pas complètement le trou. Ne mords pas la flûte, détends-toi. Articule toujours après chaque respiration. Tu devras surveiller tes coups de langue et mieux contrôler la force de ton souffle, mon fils. » « Je n'y arriverai pas, *Dhaidi*... » « Tu es le seul à le penser, Angus. Moi je sais que tu peux jouer. Il suffit que tu y croies aussi. Ce n'est pas de bien jouer qui importe, mais de jouer. L'habileté est un talent qui exige de la patience... » Angus souffle dans la flûte de son père. En fait, c'est du violon qu'il rêve de jouer. Mais il sait qu'avec un doigt en moins il ne pourra plus jamais en jouer. Ce sont des cordes qu'Angus sent maintenant sous ses doigts. Son bras va et vient sur un rythme languissant. « Laisse tes émotions guider tes mouvements... Ta musique, c'est ton cœur qui parle... » Des bribes de phrases. Son père lui a tout appris de la musique. Il était un merveilleux musicien, son père...

Angus ouvre les paupières. Le son de sa flûte continue de flotter dans sa tête. Elle fausse tristement. Angus prend quelques secondes avant de réaliser qu'il est éveillé et qu'une flûte joue véritablement près de lui. C'est une ombre sur le mur qui joue. Angus est encore un peu confus. Il se soulève.

La musique s'arrête abruptement. Les deux garçons se dévisagent pendant quelques secondes en silence. On entend le vent siffler dans les arbres, mais la pluie a cessé de tambouriner sur la maison.

— Je te rends ta flûte, murmure Guillaume sans le regarder.

Angus se lève et prend l'objet. Il contemple la flûte de son père. Il attend des explications. Guillaume a envie de lui dire qu'il a mis la main dessus juste au moment où le déserteur a fait irruption.

— Je l'ai trouvée près du feu… après que tu m'as frappé à la figure, confesse-t-il à la place.

— Tu voulu voler le *tin whistle* ?

Pendant qu'enflent en lui la colère et la déception, Angus attend l'aveu.

— Oui, admet Guillaume d'une voix presque inaudible.

Les mâchoires d'Angus se contractent pour empêcher les invectives de quitter sa bouche. S'égrène un temps qui lui permet de se ressaisir.

— Pouquoi, Guillaume ?

Les larmes brouillent la vue de Guillaume et les émotions lui serrent la gorge.

— À cause d'Émeline.

— Miss Émeline ? fait l'Écossais.

Angus retourne dans son coin, où il s'assoit. Il fixe sa flûte retrouvée et tente de comprendre les raisons du geste de Guillaume. Miss Émeline aime la musique. Elle aime quand il joue de sa flûte. Est-ce qu'Émeline aurait demandé à Guillaume de la lui prendre ? Il n'arrive pas à le croire. À moins que ce soit Guillaume qui ait voulu faire plaisir à Miss Émeline en lui offrant la flûte ? On ne peut s'empêcher de vouloir faire plaisir à Miss Émeline.

Soudain, tout devient clair dans sa tête. Il porte sa flûte à ses lèvres, positionne ses doigts sur les trous et ferme les yeux. Monte un air mélancolique qui finit par rejoindre Guillaume. La tristesse remplit maintenant toute la chambre, toute la maison. Elle berce les enfants Amyot, qui dorment à trois dans les deux lits installés sous les combles. Le paysan Amyot et sa femme l'écoutent aussi. Parce qu'ils ont cédé leur lit au blessé, ils sont blottis l'un contre l'autre sur une couche de fortune dans la cuisine. La musique s'échappe par les interstices des fenêtres, par la cheminée de la maison. Elle caresse les oreilles d'Atecouando, allongé sur le perron, subissant sans se plaindre la rigueur des éléments afin de permettre un peu d'intimité au couple Amyot. La musique est portée par le vent, vers la campagne où, à une lieue de là, s'activent les troupes sous le couvert de la nuit.

Deux ponts ont été jetés sur la rivière du Cap Rouge afin de permettre à l'armée française, sous le commandement du général Bourlamaque, de traverser sur la rive nord. Les déplacements de nuit sont choses courantes à l'approche d'un affrontement. Il faut surprendre l'ennemi sur son propre terrain, le prendre au dépourvu. Les soldats piétinent et pataugent ; les roues des chariots et des canons s'enlisent dans la boue. Le convoi avance à pas de tortue. L'opération va prendre toute la nuit. On surveille la présence d'éclaireurs anglais. Le silence doit être absolu. Rien ne doit compromettre le processus alors qu'on est sur le point de refaire de Québec le glorieux fleuron de la France en Amérique !

Ce n'est que lorsque les premières brigades ont atteint les environs de L'Ancienne-Lorette, désertée par les Anglais avertis de leur approche, que le sous-lieutenant Jacques Boissadel, des grenadiers de Poulhariez, remet l'enveloppe entre les mains du capitaine Charles Giffard. Sous l'abri provisoire d'une toile accrochée entre les arbres, Charles ouvre l'enveloppe. Elle contient deux feuillets. Il a reconnu l'écriture de Catherine et ne peut s'empêcher de s'inquiéter en dépliant le premier. Il s'assoit et approche une lampe de lui. Quand il a terminé la lecture de la lettre, il ferme les yeux. Il a l'impression que le vent siffle un air triste entre les branches qui secouent son abri. Son cœur se déchire.

VIII

Sur le sentier des braves

Catherine se dresse dans le lit et retient un gémissement entre ses dents afin de ne pas réveiller Françoise. La contraction relaxe lentement. Elle souffle et se recouche. Cela a débuté peu de temps après qu'elle se fut mise au lit. Depuis des jours elle ressent des contractions de temps à autre, irrégulières et plus ou moins faibles. Plus fréquemment depuis deux jours. Les tisanes de framboisier arrivent habituellement à les arrêter. Cette fois-ci, elle n'a pas voulu réveiller Françoise pour qu'elle lui en prépare une. Elle écoute la pluie cingler la fenêtre et laisse s'écouler quelques minutes avant de refermer les yeux. Un éclair illumine l'écran de ses paupières. Une nouvelle contraction s'annonce. C'est la dixième d'affilée. Cette fois, Catherine ne peut se méprendre. Le travail est bel et bien amorcé. Elle agrippe l'épaule de sa servante qui dort près d'elle depuis le départ de Charles et la secoue. Voyant l'angoisse déformer les traits de sa maîtresse, Françoise émerge promptement de son sommeil.

— Françoise… je crois que ça y est, lui annonce calmement Catherine.

— Madame ! Madame ! Il ne faut pas s'affoler !

Françoise passe sa robe et enfile son jupon par-dessus. Son reflet dans la glace l'arrête. Elle retire son jupon et l'enfile sous sa jupe. Pas le temps de replacer ses boucles sous son béguin.

— Il ne faut pas vous affoler, Madame ! Je m'occupe de tout !

Elle se précipite hors de la chambre. Catherine se laisse retomber sur l'oreiller et écoute la servante s'activer dans la cuisine. Réveillée par le raffut de Françoise, Jeanne est assise dans son lit et dévisage sa mère.

— Tu as mal au ventre, Maman ?

— Recouche-toi, ma puce… oh !

La contraction est plus forte que les précédentes. Catherine se redresse à moitié. Elle ne retient pas le gémissement qui la libère d'une partie de la tension. Apeurée, Jeanne sort chercher Françoise. Encore engourdi de sommeil, vêtu à la diable, Simon Fraser accourt le premier.

— *Good Lord !* souffle-t-il en constatant de quoi il s'agit.

Il retourne dans sa chambre et finit de s'habiller. Lorsqu'il revient, Françoise est revenue au chevet de sa maîtresse et empile des oreillers dans son dos. Il retourne dans sa chambre, prend le sien et l'apporte. Catherine est déjà confortablement installée. Il ramène son oreiller dans sa chambre. Il ne sait que faire. Il se sent bête. Les accouchements sont des affaires de femmes. Mais il se sent incapable de rester inutile. Il demande à Françoise ce qu'il peut faire. Aller réveiller les voisines ? Bonne idée ! Il court alerter madame Gauthier et sa fille Émeline. Deux heures plus tard, l'eau dans la marmite fume et des piles de serviettes sont prêtes. Fraser a ravivé le feu dans la chambre de la parturiente et a monté plus de bois que nécessaire. Il court à gauche et à droite, se soumettant aux désirs des dames, calmant la pauvre Jeanne entre deux tâches.

— On dirait un nouveau papa, fait remarquer madame Gauthier à la légère.

Le commentaire a cependant pour effet de rappeler à Catherine l'absence du vrai père de son enfant, dont elle n'a pas encore de nouvelles. Et entre chaque contraction, elle se meurt un peu plus d'inquiétude pour son Guillaume. Voilà deux nuits qu'il dort sous Dieu seul sait quel abri. Deux nuits qu'elle ne trouve plus le sommeil, hantée par des images de son fils grelottant, trempé jusqu'aux os, souffrant de froid et de faim, ou pire, noyé, emporté par des eaux noires et glacées. Elle vit perpétuellement dans l'angoisse.

Accoucher à cette heure est bien la dernière chose qu'elle souhaite. C'est sans compter la menace d'une attaque imminente des troupes françaises. Le capitaine Fraser refuse de lui confirmer ses doutes. Mais elle voit dans ses regards fuyants qu'il a deviné la proximité de l'armée de Lévis. Elle prie pour que le jeune Angus parvienne à faire passer sa lettre entre les mains de Charles.

Les contractions se rapprochent. Émeline nage dans la confusion. Elle n'a aucune idée de ce qui va suivre. Comment va naître le bébé ? Elle n'ignore plus qu'il grandit dans le ventre de madame Giffard et que ce ne sont pas les Sauvages qui vont l'apporter, comme elle l'avait cru il n'y a pas si longtemps. La naissance d'un bébé comporte toutefois encore beaucoup de mystère pour elle. Personne ne semble penser lui expliquer et elle est trop embarrassée pour poser des questions. L'origine des bébés et leur arrivée dans le monde sont de ces choses qui ne se racontent qu'à mots couverts.

Émeline fait ce qu'on lui demande. Préparer le berceau, s'assurer que le support à couverture avancé devant le feu soit toujours garni et que madame Giffard soit constamment enveloppée de chaleur. Refermer la porte de la chambre si quelqu'un, dans son empressement, la laisse ouverte en sortant. La chaleur qui règne maintenant dans la pièce couvre son front d'un voile de transpiration. Madame Giffard se plaint d'étouffer et ne cesse de se découvrir. Émeline doit pratiquement se battre pour la recouvrir entre chaque contraction.

Ces durcissements de ventre impressionnent beaucoup Émeline. Ils ont l'air si souffrants qu'elle n'ose plus toucher la parturiente quand ils surviennent. Ce qui arrive aux quinze minutes environ. Sa mère appelle cela le grand travail. Mais que travaille donc le ventre avec autant d'ardeur ? Est-ce qu'il finit de fabriquer le bébé ? Ou est-ce le bébé qui, de l'intérieur, travaille pour se trouver une façon de sortir du ventre ? Émeline n'a aucune idée de l'endroit par où il va naître. On lui a même refusé d'assister à la mise bas de la chatte au printemps dernier.

Lorsque les premières lueurs de l'aube filtrent entre les rideaux, un silence règne dans la maison. Françoise prépare le petit-déjeuner. Jeanne s'est endormie dans le salon, sur les genoux de madame Gauthier. Un ordonnance est venu mettre fin aux pirouettes du capitaine Fraser. L'Écossais est parti d'urgence pour le quartier général, en leur faisant toutefois la promesse d'envoyer s'enquérir du bon déroulement des choses.

Émeline aimerait laisser la lumière bleue inonder la chambre, question de la tenir éveillée. Elle sent ses paupières si lourdes de sommeil. Madame Giffard somnole. Le travail a ralenti et la force diminuée des contractions lui donne un peu de répit. Peut-être que son bébé ne viendra pas au monde aujourd'hui, finalement. L'épuisement creuse de sombres cernes sous les yeux de Catherine. Émeline pense que cette fatigue est due aux soucis que cause Guillaume. À elle aussi, il cause des soucis, Guillaume. Elle lui en veut un peu... beaucoup, de leur faire vivre autant d'angoisse. Les soldats qu'a envoyés le capitaine Fraser à sa recherche sont revenus bredouilles. Reste l'espoir qu'il soit parvenu à rejoindre sain et sauf son beau-père au fortin Jacques-Cartier.

Un profond gémissement arrache Émeline à ses rêveries. Elle saute sur ses pieds. Madame Giffard s'est redressée dans le lit et respire par saccades.

— Émeline... Éme... line... Va... Va chercher... Françoise... Oooh !

Les semelles d'Émeline sont soudées au plancher. Madame Giffard a repoussé les couvertures. Le drap est complètement détrempé. D'où vient toute cette eau ? Qu'est-ce qui arrive à madame Giffard ? Est-ce que quelque chose ne tourne pas rond ?

— Émeline ! lui crie Catherine.

Elle détale.

— La sage-femme ! commande madame Gauthier avec une voix de général d'armée.

En bon fantassin, Émeline pivote sur ses talons, attrape sa cape et se précipite hors de la maison. Son premier pas dans la rue déclenche la batterie de la diane. Elle court à perdre haleine en direction de la Basse-Ville. La veuve Barbel vit dans une minuscule masure, appuyée contre la falaise dans la ruelle des Chiens[1] qui a miraculeusement été épargnée des bombardements de l'été. Tout le monde à Québec l'appelle « la sorcière ». Personne ne connaît son véritable nom. On raconte qu'elle tient ses connaissances des Sauvages, parmi lesquels elle a vécu pendant des années. On la dit fille d'un trappeur blanc et d'une Sauvagesse de la tribu des Kicapous, et épouse d'un guerrier renard, une tribu de Sauvages hostiles aux Français. En 1732, ces Sauvages auraient fait son époux prisonnier. Après la mort de l'homme dans la prison de Québec, la veuve est restée dans la ville, qui serait hantée, dit-on, par l'esprit de son guerrier. Barbel n'est qu'un surnom. Il lui vient du secrétaire de l'intendant Bégon, Jacques Barbel, qui l'a prise dans sa domesticité. Quand Barbel est mort en 1739, la veuve du guerrier renard a pris logis dans une petite remise abandonnée dans le sentier des Chiens et y vit depuis. Personne n'a osé l'en expulser, pas même les Anglais après l'ordre de Murray, il y a quelques jours.

L'écho des pas d'Émeline percute les façades des maisons de pierre. Quand elle prend une pause, elle n'entend que son propre souffle haletant dans le silence. Les rues sont désertes. Les volets des fenêtres sont fermés et les cheminées ne fument plus. L'atmosphère est des plus étranges. Une ville peuplée de fantômes, pourrait-on croire. Émeline dévale la côte de la Montagne et croise des soldats pressés à la grimper.

— *Give way! Give way!* crie celui qui mène la troupe. *Hurry up!*

On ne fait pas attention à elle. Deux d'entre eux portent un brancard sur lequel gît un homme. Croyant reconnaître l'uniforme, Émeline s'arrête. L'uniforme des canonniers français… Le visage de l'homme est d'une pâleur cadavérique et ses lèvres sont bleues. Des glaçons s'agglutinent à ses cheveux et s'accrochent à ses vêtements raidis par le froid. Un cadavre emporté par le fleuve et qu'ont repêché les sentinelles ? Un soldat retire sa cape

1. Aujourd'hui, la rue Sous-le-Cap.

et en couvre le canonnier. Signe que le malheureux est toujours vivant.

Sitôt qu'ils disparaissent dans la courbe de la côte, Émeline se remet en route. Elle emprunte un passage qui donne accès à la ruelle du Saut-au-Matelot, puis débouche dans le sentier des Chiens. La marée encore haute à cette heure vient presque lécher les fondations des maisons qui bordent le sentier. Émeline ne prend que quelques minutes pour localiser derrière l'une d'elles la masure de la veuve Barbel. Un filet de fumée grise s'étire de la cheminée de fer rouillé, jusqu'aux nuages auxquels il se fond. La vieille sorcière est chez elle. Émeline frappe à la porte.

— Veuve Barbel !

En patientant, elle projette son regard au bout du sentier. De nombreux soldats animent le quartier du palais de l'Intendance. Un grondement sourd résonne et fait écho contre la paroi rocheuse de la falaise. Dans le quartier Saint-Roch s'effondre une maison dans un nuage de poussière. Les Anglais démolissent le quartier. Ils craignent l'arrivée des Français, qui pourraient faire des redoutes des maisons. Quel triste moment pour naître, songe Émeline.

— Veuve Barbel ! qu'elle appelle de nouveau.

Personne ne répond. Émeline entrouvre la porte, qui n'est jamais verrouillée. L'odeur qui l'accueille est offensante. Il règne un fouillis indescriptible et Émeline doit prendre garde où elle met les pieds. Seule une petite fenêtre éclaire l'unique pièce qu'encombre un tas d'objets. Des étagères recouvrent les murs. Y sont rangés une multitude de contenants de verre, de faïence, d'argile et de fer. Aux poutres sont suspendus des peaux et des ustensiles de cuisine, des fagots d'herbes et de la morue séchée, sur laquelle prolifère une mousse noirâtre. Le poêle de fonte qui trône au centre se refroidit. La tête penchée sur sa poitrine, la femme est assoupie dans un fauteuil, un livre fermé sur les genoux. À sec d'huile, le bec-de-corbeau qui l'éclairait s'est éteint. Émeline s'approche.

— Veuve Barbel ?

Elle secoue doucement le bras de la femme. Le corps glisse mollement de côté. Le livre tombe au sol. Émeline se redresse dans un sursaut. Son cœur manque un battement avant de reprendre sa course. Elle hésite à la toucher à nouveau. Elle le fait après avoir pris une grande respiration. La peau du poignet est froide. La veuve Barbel est allée rejoindre son Sauvage dans l'au-delà.

— C'était vraiment pas le bon moment de mourir, murmure Émeline.

Elle sort de la masure.

~

— Je n'y arriverai pas toute seule ! constate madame Gauthier.

Elle sent ses jambes faiblir. L'excitation de l'arrivée de l'enfant s'envole. Elle n'a jamais assisté à un accouchement. Elle se fiait à l'expertise de la veuve Barbel, qui ne compte plus les âmes nouvelles qu'elle a accueillies dans ce monde. Jusqu'ici, madame Giffard avait assez bien contrôlé l'expression de ses douleurs. Mais là, depuis que la poche des eaux a crevé ! Ah ! C'est une tout autre affaire ! La pauvre hurle comme une suppliciée. Elle refuse qu'on la touche. Elle dit des mots qu'elle n'a jamais entendu prononcer par la bouche d'une dame de sa qualité. Les responsabilités qui retombent sur madame Gauthier sont au-dessus de ce qu'elle peut accomplir. Elle ne sent pas qu'elle possède la force nécessaire pour y faire face. Encore moins les compétences.

Françoise se pointe. Toute rouge de sa course, Émeline répète la mauvaise nouvelle. La servante reste sidérée. Madame Gauthier s'effondre dans un fauteuil du salon et console Jeanne, qui pleure de peur. Émeline suggère d'aller prévenir le capitaine Fraser.

— Jamais de la vie ! s'écrie Françoise, qui semble tout à coup avoir recouvré tout son sang-froid. C'est une affaire de femmes, ça ! Il va falloir nous en occuper nous-mêmes.

Un regard vers la dame Gauthier, qui a sorti son chapelet et commence à réciter ses prières, lui permet de conclure qu'elle ne pourra pas s'attendre à beaucoup d'elle. Elle considère Émeline.

— Eh bien, mam'zelle Émeline, c'est toi et moi qui devrons jouer les sages-femmes.

— Tu as déjà aidé lors d'un accouchement ?

— Non, mais j'en ai déjà vu deux au couvent. Une jument à l'écurie et la chienne du jardinier. Mais, bon ! Un accouchement, c'est un accouchement, non ? La grâce de Dieu sera avec nous.

— Le paysan Amyot, c'est ici ? s'enquiert Charles à voix forte au grand Sauvage qui se lève à son approche de la maison.

— C'est ici, confirme Jean Atecouando.

— Où est mon fils ?

— Vous êtes le père de Guillaume ?

Charles saute de sa monture et bondit sur le perron. Sans frapper, il entre dans la modeste maison du paysan. Neuf paires d'yeux se tournent vers lui, ronds de surprise.

Il reconnaît le jeune Angus Macpherson parmi les membres de la famille réunie autour de la table pour le petit-déjeuner. Boissadel lui a dit que c'était un jeune Écossais qui lui avait remis la lettre. Un brave garçon. Mais Charles n'a pas le temps de remercier Angus. Il décline son identité et demande où est son fils.

Laurent Amyot montre du doigt une porte fermée. Le capitaine s'y précipite. La chambre est sombre et il doit laisser ses yeux s'adapter. Il décèle une forme au milieu du lit, s'en approche, le cœur rempli d'appréhension. Le front de Guillaume est chaud ; son visage est aussi pâle que les draps. Dérangé dans son sommeil, le garçon remue et geint. Charles s'assoit sur le lit près de lui.

— Je suis désolé, mon grand, qu'il chuchote avec un nœud dans la gorge.

Au moment où il enfourchait son cheval, arrivait le milicien Duquet avec le récit des derniers évènements. Guillaume s'est fait amputer deux orteils au pied droit. Une nouvelle qui lui est entrée dans le cœur, vive comme une pointe de lance.

— Père ? murmure Guillaume en ouvrant ses paupières brûlantes.

Il ne distingue qu'une silhouette près de lui, mais il a bien reconnu la voix.

—C'est moi, Guillaume.

—J'ai très mal...

—Je sais. Je suis là, ne t'inquiète pas.

Il ne pourra guère rester longtemps. Les évènements se précipitent. L'attaque contre les Anglais devient imminente. Les terrains marécageux de la Suette empêchent l'armée française de déployer les troupes nécessaires pour attaquer avec un avantage assuré le poste de Sainte-Foy. Le chevalier de Lévis a décidé d'attendre la tombée de la nuit avant d'agir ; il pourra alors contourner le poste de façon à couper la voie de communications des Anglais entre Sainte-Foy et Cap-Rouge, empêchant ainsi les soldats de ce dernier poste de venir en renfort. Ce délai a permis à Charles d'accourir aussi vite que pouvait le faire son cheval. Il n'a toutefois pas pris le temps de penser à ce qu'il allait faire ensuite. Emmener Guillaume avec lui est de toute évidence impossible. Il ne peut veiller sur Guillaume et commander sa compagnie en même temps.

—C'est le sous-lieutenant des grenadiers qui vous a dit où j'étais ? demande Guillaume d'une voix éraillée par la fatigue et la douleur.

—Oui. Il m'a remis un mot de ta mère dans lequel elle m'explique tes intentions de venir me rejoindre pour m'aider à gagner cette guerre.

—J'ai des informations pour le chevalier de Lévis, déclare Guillaume.

Le capitaine lit les notes de Guillaume. Il est impressionné et ému à la fois.

—Quel courageux jeune homme tu es, dit-il avec émotion.

—Le général Murray est au courant de votre approche. Il se prépare à être attaqué.

—Je transmettrai ces informations au chevalier, sans faute, sitôt de retour. L'état des réserves de nourriture lui sera certainement utile en cas de siège. Nous pourrions envisager de les soumettre grâce à la faim.

— J'aurais aimé les lui remettre moi-même, commente Guillaume sans cacher son immense déception.

— Je le lui dirai.

Ils se dévisagent pendant que leur parviennent les grincements de bois et les cliquetis de vaisselle que font les Amyot. Pas un son de voix ne s'élève dans la cuisine. La fierté que ressent Charles réfrène son désir de reprocher à Guillaume le geste totalement irréfléchi de sortir de Québec alors que la menace d'un affrontement entre les deux armées devient imminente. Les larmes dans la voix, Guillaume avoue sa faute d'avoir menti à propos des petits pains qu'il devait livrer au boucher Couture. Il cache son visage dans ses mains.

— C'est de ma faute. Vous avez été obligé de vous sauver à cause de moi.

— Ta mère me raconte tout dans sa lettre, Guillaume. Personne ne te rend responsable de ce qui est arrivé, murmure Charles. La faute me revient entièrement. Je n'aurais jamais dû te laisser porter ces pains.

Catherine l'avait averti que ses petites manigances dans le dos des Anglais allaient le mettre en péril. Ce risque, Charles avait été prêt à le prendre. Mais il n'avait pas calculé le danger qu'il faisait courir à sa famille. Catherine ne lui reproche rien dans sa lettre, mais il se doute bien qu'elle doit lui en vouloir de ne pas l'avoir écoutée.

— Tu as pensé aux grandes inquiétudes que ton départ cause à ta mère ?

— Oui, confesse Guillaume.

— Il va falloir la rassurer que tu vas bien, dans les circonstances, ajoute Charles en regardant le pied enveloppé d'un pansement. Comment est-ce arrivé, au juste ?

Guillaume lui raconte d'abord sa rencontre fortuite avec Angus. Puis les évènements qui ont suivi l'arrivée du déserteur.

— J'avais peur et mon doigt a pressé la détente tout seul.

— Heureusement pour toi, tu t'en es sorti sans plus de mal. Les conséquences auraient pu être désastreuses.

— C'est Angus qui a assommé le déserteur.

— C'est lui qui a aussi porté le message de ta mère. Je pense que tu as trouvé un bon ami.

Un ami ? Guillaume n'a jamais été aussi incertain. Il sait toute la peine qu'il a fait à Angus en lui prenant sa flûte. L'Écossais ne lui a plus parlé depuis qu'il la lui a rendue.

— Qu'allez-vous faire de moi ? demande-t-il à Charles.

Toujours indécis, son beau-père soupire.

— Tu comprends que je dois retourner reprendre le commandement de ma compagnie, Guillaume. Peut-être que cela vaudrait mieux que tu restes ici, le temps de te rétablir suffisamment pour être transporté à la maison. Je vais voir avec les Amyot…

On frappe et la porte de la chambre s'entrouvre. Le paysan Amyot se montre justement. Il est agité.

— Monsieur, il y a de la grosse fumée noire qui monte à l'est. Le Sauvage dit qu'il a entendu un grondement. Il croit que ça peut être le coup du canon, monsieur. Il y a des Anglais au Cap-Rouge. S'il leur prenait l'envie de passer par ici pour vous attaquer de l'autre bord, j'aimerais mieux ne pas m'y trouver. Ils vont vouloir tout brûler sur leur passage, comme ils l'ont fait le long du fleuve pendant l'été.

Charles se précipite dehors pour constater les faits de visu. Une colonne de fumée noire s'élève effectivement à l'est. Possiblement du côté de Sainte-Foy. Est-ce que le chevalier de Lévis aurait modifié ses plans et aurait procédé à l'attaque plus tôt ?

Quand Charles revient dans la maison, les enfants ont rassemblé les quelques objets qu'on leur permet d'emporter avec eux. Très peu de choses, en fait. Une poupée de guenille, un fusil de bois, un panier de couture, un autre contenant un chaton. La mère emballe des vêtements et ce qu'ils ont de nourriture dans des draps. Le père transporte une pendule. Ce qu'ils possèdent de plus précieux. Ils abandonnent tout le reste au sort. Angus et Charles aident Guillaume à s'habiller aussi vite qu'il le peut. L'opération est pénible pour le garçon, qui ravale les cris de douleur.

Charles le porte dehors dans ses bras, où est réunie la famille Amyot avec ses bagages, auquel se sont ajoutés, suspendus par les pattes à une perche, les lapins du clapier que vient d'assommer le paysan. Aussi une poule dans une cage et un porc que tient en laisse l'un des garçons. Charles dépose Guillaume dans la charrette à foin et essaie de le rassurer.

— On veut ben l'emmener avec nous, monsieur, mais il va falloir qu'il marche, votre p'tit homme. C'est qu'on a mangé le bœuf pendant l'hiver. Les temps sont durs, vous savez.

Charles regarde à gauche et à droite. Il n'y a pas de tête de bétail dans les environs. Encore moins un cheval.

— Je vois, fait-il, consterné.

Guillaume ne peut manifestement pas rester avec les Amyot. Alerté par le fils du paysan, la voisine fuit aussi vers les bois avec sa marmaille, où ils vont tous attendre la suite des évènements. Charles va devoir veiller lui-même sur Guillaume. Sa blessure demande des soins constants. Les yeux du garçon sont déjà gonflés par la fièvre. Il craint que son état n'empire. Il doit absolument le placer entre bonnes mains avant de retourner vers ses hommes. Il doit aussi avertir Catherine et mettre fin à ses angoisses. Lui faire porter un message. Il cherche le Sauvage des yeux. Le paysan devine ses pensées.

— Quand il a vu la fumée, le Sauvage est parti. Il a même pas emmené son prisonnier avec lui, souligne-t-il en désignant le jeune Écossais du doigt.

Angus Macpherson, le messager de Fraser. Oui, bien sûr ! Il n'y a pas d'encre ni de papier chez les Amyot. La plupart des paysans ne savent ni lire ni écrire.

— Écoutez-moi bien, Angus, fait Charles devant l'absence de choix. Vous aller retourner à Québec. Vous comprenez ce que je vous demande ?

— *Aye, sir.*

— Et vous allez trouver madame Giffard. Vous allez lui dire que Guillaume va bien, qu'il est sous ma garde. Mais ne dites rien à propos de sa blessure. Vous pouvez faire cela ?

Angus saisit l'importance de la confiance que lui porte le capitaine. Il voit là aussi une façon de réparer les torts qu'il a causé à la famille Giffard en donnant le misérable petit pain au caporal Brown.

— Je venou porter *Madam Giffard's letter* à vous, répond le jeune Écossais en bombant le torse. Je souis pacable porter message à *Madam* Giffard. *Will be there before night, sir.*

— Vous êtes un brave garçon, Angus. Soyez prudent.

L'Écossais va se mettre en route, quand il se tourne vers Guillaume. Ce dernier baisse les yeux. Angus s'approche de lui.

— Merci, lui dit-il simplement.

— Merci pour quoi ? fait Guillaume, stupéfait.

— Pour le floute. *I ken...* je sais, se reprend-il en cherchant les mots dans cette langue qu'il aime apprendre, beaucoup difficile pour toi à donner *back* à moi. *Take's a lot of humility.* Tou as bonne cœur, Guillaume Renaud. Je aimerais beaucoup être ton ami.

Guillaume est si mal à l'aise qu'il n'arrive pas à répondre. Mais il peut tendre la main pour lui démontrer son assentiment. Angus, le sourire éclatant de bonheur, la prend et la serre. Il est si heureux qu'il a envie de pleurer.

Le toit de l'église de Notre-Dame-de-Foy flambe comme un bûcher de la Saint-Jean. Une détonation fait trembler ses murs de pierre et effraie le cheval de Giffard, qui se cabre en hennissant. Assis entre les cuisses de son beau-père, Guillaume se cramponne au pommeau de la selle. Brûler une église ! Un dimanche ! Quel affront à Dieu ! Le désolant spectacle lui fait momentanément oublier la douleur à son pied. Une partie du toit s'effondre avec le clocher et un fabuleux bouquet d'étincelles monte vers le ciel. Des barils de poudre abandonnés à l'intérieur ont explosé. Les Anglais se servaient de l'église comme dépôt d'armes. Avant de se retirer, ils y ont mis le feu. Tout porte à croire que le général Murray a eu vent des intentions du chevalier de Lévis et a fait rappeler de toute urgence ses troupes à Québec.

L'armée française a reçu l'ordre de marcher de l'avant vers la capitale. Les soldats emmènent avec eux les pièces d'artillerie abandonnées par l'ennemi à Sainte-Foy. Si, comme l'a raconté Guillaume, Murray anticipait leur arrivée, les patrouilles de reconnaissance ont certainement doublé. On ne sait rien de ce qui se passe aux autres postes d'avant-garde. Il y a toutefois fort à parier que les Anglais campés à Cap-Rouge ainsi qu'à L'Ancienne-Lorette se seraient aussi repliés sur Québec et qu'ils se préparent à les recevoir avec tout leur arsenal. Il existe aussi la possibilité que les régiments en poste à Cap-Rouge se soient tout juste mis en route. Si c'est le cas, les troupes françaises risquent d'être poursuivies et prises à revers. Tant que rien n'est confirmé, Charles estime que leur position reste vulnérable.

Son cheval piétine. Il attend la décision de son maître. Charles tergiverse. Il sent Guillaume frissonner contre lui. Il doit rapidement prendre une décision le concernant.

— Comment ça va, mon homme ?

— J'ai trop mal.

La souffrance éraille la voix. Charles touche le front. Il est brûlant. Il vérifie le pansement qui enveloppe le pied blessé. Le sang l'imprègne abondamment. Charles évalue les options qui s'offrent à lui. Il pourrait atteindre Québec en moins de vingt minutes. Mais entrer dans la ville est pratiquement impensable. Garder Guillaume avec lui ? C'est trop dangereux.

— À la réflexion, je pense que je ne connais rien aux accouchements, confesse Françoise dans un mouvement d'abdication. Pourquoi il ne vient pas, ce bébé ?

— Il va venir, crois-moi, il va venir, dit Catherine en se crispant de douleur.

— C'est trop dur de vous voir souffrir comme ça. Je vais aller informer le capitaine Fraser. Peut-être qu'il va pouvoir nous envoyer un chirurgien. Je ne me sens plus la force de continuer seule. Il faut faire sortir ce bébé. Le chirurgien va savoir comment.

— Françoise ! Ce sont des chirurgiens militaires ! Que connaissent-ils aux accouchements !

Elle veut retenir la servante, mais Françoise est sortie comme une flèche. Le regard d'Émeline se remplit d'angoisse. Madame Gauthier et Jeanne présentent le bout de leur nez par la porte laissée ouverte. Percluse de douleur, Catherine s'agrippe à Émeline. Une nouvelle contraction s'amorce et la pauvre femme gronde et se recroqueville dans le lit. Elle est à bout de forces. Ses cheveux sont gominés de transpiration et son visage est rouge de l'effort qu'elle déploie vainement depuis des heures.

Madame Gauthier ferme la porte et emmène Jeanne vers la cuisine, où les bruits ne leur arrivent plus qu'étouffés. La fillette est rudement éprouvée par l'évènement. Fortement ébranlée elle-même, madame Gauthier tente tant bien que mal de la rassurer.

— Ta maman doit crier fort pour que les Sauvages l'entendent et lui apportent le bébé qu'elle attend.

Jeanne reste perplexe.

— Pourquoi ne pas tout simplement poster une lettre chez les Sauvages pour les avertir que Maman veut avoir son bébé tout de suite ?

Pas bête !

— Eh bien… C'est une bonne idée. Tu veux l'écrire ?

Voilà qui va occuper l'enfant pendant quelques minutes.

— Qui va aller la porter ? l'interroge Jeanne. Il ne reste plus personne dans Québec.

Plutôt perspicace, la petite, se dit encore madame Gauthier.

— On demandera au capitaine Fraser.

Jeanne juge la solution acceptable. Elle se met au travail et s'applique à son écriture.

— Est-ce que c'est pour remplacer Guillaume que Maman veut un autre bébé ?

La question, aussi candidement posée, brise le cœur de madame Gauthier. Quelques coups frappés à la porte d'entrée la dispensent de répondre. Un soldat highlander, qui prétend venir de la part du capitaine Fraser, lui présente un billet. Madame Gauthier le remercie.

Le capitaine Fraser leur annonce qu'il doit partir en reconnaissance avec un détachement de son régiment. Un artilleur français sauvé du bloc de glace sur lequel il a dérivé toute la nuit a avoué au général Murray que l'armée française est aux portes de la ville. « *Dieu nous garde ainsi que madame Giffard.* »

Dans la chambre, Émeline attend que passe une contraction, puis elle tente d'aider madame Giffard à se rallonger, mais la femme résiste et désire se lever.

— Vous ne pouvez pas, madame ! Il ne faut pas !

— J'ai besoin de bouger, gémit Catherine. J'ai les reins comme si on les avait essorés.

Elle prend appui sur la table de chevet pour se mettre debout. Émeline veut la forcer à rester dans le lit, mais, déterminée à n'en faire qu'à sa tête, Catherine la repousse. Émeline ne sait pas quoi faire. Si madame Giffard tombe et se blesse ? Catherine fait quelques pas hésitants. Émeline n'a d'autre choix que de la soutenir jusqu'à la fenêtre.

— Où il est, mon Guillaume ? murmure Catherine d'une voix éteinte par l'épuisement.

Elle appuie son front contre la vitre.

— Il faut revenir vous coucher, maintenant, lui dit Émeline, qui anticipe avec appréhension l'approche de la prochaine contraction.

— C'est parce que les hommes ne pensent qu'à se battre qu'il ne veut pas venir au monde, ce bébé…

Une vague de douleur lui traverse les reins. Catherine saisit le rebord de la fenêtre, s'y retient et s'accroupit. La force de son cri témoigne de la violence de la douleur qu'elle endure. Terrifiée, Émeline court jusqu'à la porte et appelle au secours. Deux minutes, qui lui semblent des heures, s'écoulent avant que paraisse madame Gauthier. Ensemble, elles essaient de relever madame Giffard. Mais la parturiente refuse.

— Je ne peux pas… le bébé… il s'en vient !

Du bout des doigts, madame Gauthier soulève discrètement l'ourlet de la chemise de nuit. Elle ferme un œil qui a peur de voir et épie en dessous avec l'autre. Elle lâche un « Oh mon Dieu ! ». Le sang quitte son visage et elle tombe inconsciente sur le plancher.

Le cheval file au trot sur le chemin Saint-Vallier. Il se distance rapidement des troupes de réserve que Lévis envoie prendre position dans le vallon de la rivière Saint-Charles et il est bientôt seul sur la route. Charles a décidé de conduire Guillaume à l'Hôpital général, situé en bordure de la rive ouest de la rivière Saint-Charles, suffisamment éloigné des murs la ville pour qu'il s'y risque. Entre les mains des bonnes religieuses, il est certain que Guillaume sera en sécurité et adéquatement soigné. Il guette d'un œil d'aigle les bois et le sommet de l'abrupte falaise qu'ils longent. Des échanges de coups de feu résonnent sporadiquement sur le plateau au-dessus d'eux. Sans doute des tirailleurs français qui harcèlent les arrières des troupes ennemies.

Charles est nerveux et fait ralentir sa monture. Il plisse les yeux et essaie de distinguer la masse sombre qu'il vient de voir apparaître plus loin sur la route.

— Ce sont des Anglais ? fait d'une voix faible Guillaume, qui l'a aussi remarquée.

Un détachement anglais patrouille effectivement la vallée. Charles resserre son bras enroulé autour de la taille de Guillaume. De toute évidence, ils ne peuvent continuer sur la route. Il étudie les possibilités qui s'offrent à eux. Soit ils rebroussent chemin, soit ils prennent par les bois jusqu'au couvent. Sans plus hésiter, Charles dirige sa monture vers les bois. Leur destination ne se trouve qu'à une lieue de là. Ils ne peuvent plus revenir en arrière. L'état de Guillaume empire. Son visage est rouge de fièvre et il transpire abondamment.

Les sabots du cheval s'enfoncent dans la neige et glissent dans la boue. Ils se fraient un passage entre les arbres. De façon à protéger Guillaume, Charles déplace le garçon de côté et repousse avec son sabre les branches susceptibles de fouetter le pied blessé. Accroché à Charles, Guillaume frissonne et laisse échapper une plainte de temps à autre. Ils progressent ainsi sur une bonne distance. Lorsqu'ils atteignent les marécages, Charles doit ramener le cheval plus près de la route. Le détachement anglais est visible entre les arbres. Ils peuvent même entendre le bruit de leur marche.

— Sois courageux, mon grand, chuchote Charles à Guillaume. Nous y sommes presque.

Ils franchissent encore quelques toises... Un claquement sec résonne dans l'air humide. Le coup de feu a été tiré tout près. Guillaume étouffe un cri de frayeur dans la veste de Charles, qui immobilise sur-le-champ son cheval. Dans un seul mouvement, il saute à terre, fiche son sabre dans la terre molle et arrache Guillaume de la selle. Le garçon en sécurité dans ses bras, adossé contre le flanc de sa monture, il cherche à localiser le tireur.

— Votre uniforme... commence à dire Guillaume.

Charles lui impose le silence. Leurs regards se croisent. Guillaume l'avertit que les Anglais vont prendre l'uniforme français pour cible. Charles considère sérieusement le point de vue de Guillaume. Si lui peut aisément observer l'éclat des vestes rouges anglaises, il devine qu'un œil avisé peut aussi entrevoir son justaucorps blanc grisâtre défiler entre les troncs. Il dépose le garçon sur le sol pour enlever le justaucorps galonné d'or. Il retire aussi le gilet bleu de France et son hausse-col brillant et fait disparaître dans le sac accroché au troussequin de la selle tout ce qui trahit son camp et son rang. Le tricorne garni de fourrure et de la cocarde blanche du roi de France connaît un sort moins heureux. Charles l'abandonne à la branche d'un arbre. Il le récupérera à son retour. Il se sent soudain étrangement nu. Le froid et l'humidité le font frissonner dans sa chemise, mais au moins, de loin, on le prendra pour un simple habitant.

Charles soulève Guillaume dans ses bras et reprend possession de son sabre. Ses sens en alerte, il observe l'ennemi. Il sent battre de frayeur le cœur de Guillaume contre le sien. Il entend avec une étonnante acuité clapoter l'eau de ruissellement, craquer une brindille, criailler les grands corbeaux que la détonation a effrayés et qui se reposent sur la cime des arbres. Il entend aussi des voix. Les Anglais se sont immobilisés et se sont regroupés en rangs serrés, pointe de la baïonnette devant. Le détachement forme un curieux hérisson sur la route. Quelqu'un parle d'un lapin. Un autre dit qu'il s'agissait plutôt d'une perdrix. Un officier lance l'ordre de se remettre en marche. Fausse alerte. Lentement Charles saisit la bride du cheval et le fait avancer. La bête leur sert de bouclier. Sa robe brune, difficilement distinguable entre les arbres, les camoufle à la merveille. Le sol, gorgé de l'eau de la fonte des neiges, est spongieux. La tâche est ardue pour Charles, que le poids de Guillaume fatigue rapidement.

—Dis donc, tu commences à être drôlement lourd, lui fait-il remarquer.

Lorsque les Anglais ne sont plus en vue, il hisse Guillaume sur la selle et reprend sa place derrière lui. Ils progressent lentement, tantôt s'enfonçant dans la neige, tantôt se taillant à coups de lame un passage à travers les branches. Ils atteignent enfin la lisière des bois, qu'un ruisseau sépare des champs. Le cheval bondit dans l'eau glacée et saute sur l'autre rive, puis il fonce vers un bosquet, au-delà duquel s'élèvent les vergues du moulin de l'Hôpital général, qui leur apparaît au détour d'un petit groupe de bouleaux et de vinaigriers. Charles ne remarque pas les hommes rassemblés sous un grand chêne près de la route. À sa vue, les soldats se déploient. Les armes se soulèvent. Un coup détone, puis un deuxième. Surpris, Charles a le réflexe d'éperonner sa monture, mais un autre attroupement d'Anglais surgit de l'autre côté du moulin et dresse un barrage devant lui. Le cheval fait une embardée, manquant le projeter par terre avec Guillaume. Les tenant dans leur ligne de mire, les hommes s'approchent prudemment. Une balle siffle au-dessus de leurs têtes. Charles tire brusquement sur les rênes. Les soldats accourent vers eux, canons devant.

—*Hold your fire, men, the Frenchman's got a young boy with him, damn it*[2] *!* commande un sous-officier.

Son bras enserrant toujours Guillaume contre lui, Charles écarte son sabre de façon à le rendre parfaitement visible et indiquer qu'il n'a pas l'intention de s'en servir.

—*Let go of it, sir*[3] *!*

Giffard obéit et le sabre tombe lourdement dans l'herbe. Un soldat s'élance pour le prendre. Il vérifie que Charles ne possède aucune autre arme, confisque le pistolet inséré dans les fontes. Pendant qu'il s'exécute, les autres les tiennent dans leur mire. Guillaume se dresse aussi droit qu'il le peut et supporte l'épreuve avec un surprenant stoïcisme. Cependant, au fond de lui, il est complètement terrifié. Il n'émet pas un son, mais Charles sent ses doigts s'enfoncer, s'accrocher à lui.

—*The man's no more a threat, Lieutnant Kennedy. The boy's wounded*[4].

Le sous-officier, que Charles reconnaît être du 35e régiment à cause de la plume blanche qu'il porte piquée avec arrogance dans son chapeau[5], vient vers eux.

— *Well, well, Captain Giffard!* qu'il fait en marquant son étonnement devant ce qu'il découvre avant de reprendre avec un brin de cynisme. *I am sure it will be a true pleasure, sir, for the general Murray to see you come back home safe and sound*[6].

---

2. Retenez votre feu, les gars, ce Français est en compagnie d'un jeune garçon, bon sang!

3. Laissez-le tomber, monsieur!

4. L'homme ne représente plus une menace, lieutenant Kennedy. Le garçon est blessé.

5. Parce qu'ils sont parvenus à briser les lignes du Royal Roussillon lors de la bataille des plaines d'Abraham, les soldats du 35e régiment ont obtenu le privilège de porter la plume de la compagnie de grenadiers français.

6. Tiens, tiens, capitaine Giffard! Je suis certain, monsieur, que le général Murray sera très heureux de vous voir rentrer à la maison sain et sauf.

—Ne panique pas, Émeline, râle Catherine en lui attrapant les mains. Tu vas rester avec moi... et m'aider.

—J'ai peur, madame ! s'agite Émeline. Maman, elle est...

—Elle va revenir à elle d'ici quelques minutes. Je sais, je suis un peu... effrayante à voir, mais c'est normal. Il ne faut pas... te laisser impressionner.

—Je ne sais pas si je pourrai !

—Moi je sais que tu es capable. Tu es une brave fille, Émeline... Oh ! Ça revient... dit Catherine en respirant par à-coups. Tu vas... faire... ce que je te dis...

L'expression de la jeune fille décrit toute l'horreur qu'elle ressent à devoir vivre ce moment. Jamais elle n'a imaginé qu'avoir un enfant pouvait être si éprouvant. Après avoir vécu cela, comment une femme peut-elle accepter d'en avoir un deuxième ? Et un troisième ? Elle regarde sa propre mère, inconsciente sur le plancher, qui a accouché de six enfants, dont deux sont morts peu de temps après leur naissance. Elle paraissait pourtant si excitée par l'arrivée du bébé de madame Giffard. Peut-elle avoir tout oublié des douleurs de l'enfantement ? Peut-être que cela ne se passe pas toujours ainsi ?

—Une couverture... Émeline.

La voix qui la commande est soudain forte d'assurance. Émeline va chercher une couverture suspendue devant le feu. La chaleur qu'elle dégage la rassure momentanément. Elle la présente à Catherine, qui lui dicte ce qu'elle doit faire au fur et à mesure. Madame Giffard prévoit le déroulement de la suite des choses et sait exactement ce qu'il faut faire.

—Apporte-moi cette chaise, que je m'y appuie.

—Vous ne pouvez pas rester comme ça, madame ! Ça ne se fait pas ! Il faut retourner dans le lit. C'est là que ça doit se passer, a dit Maman.

—On raconte que les Sauvagesses... ont leurs bébés de cette façon et... qu'elles accouchent souvent toutes seules. Je ne vois pas pourquoi... je n'y arriverais pas moi aussi, commente Catherine.

Sans plus discuter, la jeune fille obéit. Catherine sent une nouvelle contraction l'assaillir et agrippe solidement la chaise. Elles sont maintenant plus fréquentes et plus intenses. C'est le moment de l'expulsion, elle le sait. Curieusement, Catherine a l'impression que tout va plus facilement du fait qu'elle soit accroupie. Elle se souvient de ce que fait et dit la sage-femme à ce stade de l'accouchement. Elle écoute la voix chevrotante de la veuve Barbel dans sa tête lui répéter: « Poussez! Allez, ma p'tite dame, poussez avec tout ce qui vous reste de forces! Qu'on lui découvre enfin la frimousse, à celui-là! »

— Place la couverture... sous moi, souffle-t-elle, et attrape le bébé.

— Je ne peux pas, madame, s'affole Émeline.

— Si, tu peux, Émeline. Tu n'as qu'à ne pas... regarder.

C'est étonnant de constater combien encore il reste d'énergie à Catherine. Elle la dépense sans compter pour mettre enfin au monde son enfant.

Le général Murray est trop occupé pour interroger le prisonnier. Les troupes françaises ont commencé à se montrer sur la route de Sainte-Foy, près des bois de Sillery. Il fait néanmoins savoir au capitaine Giffard par l'entremise de Cramahé, son secrétaire, qu'il est heureux qu'il ait retrouvé son fils et qu'il verra à dépêcher un chirurgien chez lui dès que possible.

— Au fait, comment va votre fièvre? demande Cramahé en soulevant un sourcil suspicieux.

— Ma fièvre? fait Charles, avant de se souvenir du subterfuge qu'a employé Fraser pour justifier son absence et que lui a raconté Catherine dans sa lettre. Oh, mieux... Beaucoup mieux depuis que j'ai retrouvé mon fils.

À la demande de Murray, le lieutenant Kennedy s'occupe de faire transporter le garçon chez lui, où sa mère sera certainement soulagée de le revoir vivant. Ils n'ont pas fait dix pas hors du couvent des Ursulines que Françoise, les cheveux fous sous son béguin posé de travers, leur tombe dessus comme une folle qui a vu le loup-garou.

Sitôt qu'elle reconnaît son maître, elle pousse un cri et s'élance.

— Oh ! Monsieur ! Vous voilà ! Enfin ! Oh ! fait-elle encore en apercevant Guillaume sur le brancard qui le suit. Le petit ! Il est blessé ? Oh ! Le pauvre enfant ! La pauvre Madame ! On dirait que le ciel s'acharne ! Misère de misère ! Oh ! Oh !

Sous bonne escorte militaire, tous les trois regagnent promptement la maison de la rue Saint-Louis. Françoise se précipite à l'étage. En chemin, elle a appris à Charles la stupéfiante nouvelle. Le bébé va naître d'un moment à l'autre. La nouvelle l'a surpris et il doit prendre appui au cadre de la porte.

— *Sir ?* fait l'une des escortes, qui le voit faiblir.

— Ça va, répond Charles.

La maison est étrangement silencieuse. Les minutes s'égrènent. Françoise ne reparaît pas. Les vagissements du nouveau-né ne se font pas entendre. Que se passe-t-il ? Charles attend dans le salon près du brancard de Guillaume. Il est atrocement nerveux. Le sentiment est pire que pendant les minutes qui précèdent une bataille. Les accouchements représentent toujours un risque pour la mère et l'enfant à naître.

Des craquements en haut de l'escalier annoncent une présence. L'ourlet d'une jupe apparaît. C'est madame Gauthier qui descend, les yeux rouges, et reniflant dans un mouchoir. Elle est supportée par une Françoise apparemment tout aussi bouleversée. Le cœur de Charles se serre dans sa poitrine. Appréhendant soudain le pire, il est incapable de remuer les lèvres. C'est Guillaume qui pose la question.

— Alors ?

— Ah ! Je n'ai jamais rien vécu d'aussi éprouvant ! gémit la mère d'Émeline. Ah ! mon cher capitaine ! C'était… c'était…

Madame Gauthier éclate en sanglots. Tout aussi émue, Françoise émet un hoquet. Jeanne et Émeline font du vacarme dans l'escalier.

— Papa ! Guillaume ! Vous êtes revenus ! s'écrie joyeusement Jeanne qui se précipite pour les couvrir de baisers. Venez voir ce que les Sauvages sont venus porter à Maman ! Un beau bébé tout neuf ! Il est vraiment mignon !

— Guillaume ! s'exclame à son tour Émeline avant de le serrer dans ses bras.

Dès qu'Émeline a ouvert la bouche pour parler, elle ne s'arrête plus. Son sourire produit la magie de faire oublier à Guillaume qu'il a deux orteils en moins. Jusqu'à ce qu'il remue sa jambe. Alors il devient tout blême et retient son souffle pour ne pas se plaindre. Il doit lui montrer qu'il peut être aussi brave qu'Angus. Elle commence par lui narrer toutes les angoisses qu'elle et madame Giffard ont vécues et lui fait la morale, puis elle enchaîne en lui racontant l'incroyable nuit qu'elle vient de vivre.

— Et… le bébé ? demande timidement Guillaume.

Émeline se tait brusquement. Elle dévisage son cher Guillaume.

— Je l'ai tenu dans mes mains, comme ça, raconte-t-elle d'une voix modulée par les émotions qui déferlent en elle. Guillaume, c'est si petit et si fragile…

Madame Gauthier se remet à pleurer dans son mouchoir.

Une lumière cendrée flotte dans la chambre. Sentant sa présence, Catherine tourne son visage vers lui. Ses yeux sont soulignés de fatigue, mais ils brillent dans la pénombre. Elle veut se redresser, soudain anxieuse de savoir. Charles la rassure.

— Guillaume est en bas. Tout le monde s'occupe de lui.

— Il est blessé, Françoise m'a dit !

— Il est à la maison. On veillera bien sur lui. Il ira mieux dans quelques jours.

Le visage de Catherine se métamorphose. Un sourire vient estomper un peu les marques de son grand épuisement. Charles caresse la joue de sa femme, puis fait jouer ses doigts dans ses cheveux en broussaille. Catherine soulève le drap et dévoile une petite chose toute rose soigneusement emmaillotée dans un lange.

— Voici Michel, annonce fièrement Catherine. Michel, je te présente ton papa Charles.

Les petits yeux clignent et suivent le son de la voix de la mère. Elle prend le nourrisson avec douceur et le présente au père. Charles n'ose pas le toucher. Il est si petit !

— Michel, un fils… fait-il, tremblant d'émoi.

Avec mille précautions, il prend finalement son enfant, qui se met à gigoter si bien qu'il réussit à extirper une de ses menottes du lange. Charles la caresse du bout du doigt. La minuscule main le saisit et le serre fort. L'enfant est plus solide qu'il ne le croyait.

— Merci, ma mie, dit-il en essuyant une larme.

— Remercie plutôt la vie. C'est elle qui nous fait ce cadeau.

— Michel Giffard, dit-il en calant son fils dans le creux de son bras, la vie te salue. Qu'elle te soit bonne, longue et aussi remplie de bonheur que la mienne peut l'être en cet instant.

IX

Des hommes d'honneur

Lorsque Guillaume ouvre les yeux le lendemain matin, un timide rayon de soleil traverse la fenêtre de sa chambre. Il bouge sa langue dans sa bouche pâteuse. Il a soif. Il se soulève pour voir s'il reste de l'eau dans le verre sur la table de nuit. Le geste réveille la blessure qui élance dans son pied. Il se recouche.

Les mouvements de Guillaume attirent l'attention d'Émeline, que le garçon n'a pas vu assise dans un coin sombre, de l'autre côté du lit. Elle se lève et va lui donner le verre qu'il a renoncé à prendre.

— Tu as mal ? lui demande-t-elle.

— Pas beaucoup… enfin, un peu, quand même.

Elle sourit. Elle voit bien dans les grimaces qu'il fait que Guillaume souffre le martyre.

— Tu sais que tu es le jeune homme le plus courageux que j'aie jamais rencontré, Guillaume Renaud ?

— C'est vrai ?

Elle lui fait un magnifique sourire. Son cœur cognant d'une joie intense, il boit toute l'eau dans le verre et le rend à Émeline. Leurs doigts se touchent et tous les deux rougissent.

— Tu as faim ? qu'elle lui demande. Tu veux que je te monte un plateau ?

Il secoue affirmativement la tête. Il rêve de galettes de sarrasin arrosées de mélasse, de mouillettes de crème, de chocolat chaud, d'œufs mollets bien moelleux, de confiture aux fraises et aux framboises sur une tranche de petit pain…

Guillaume se demande où est Angus en ce moment. A-t-il réussi à revenir jusqu'à Québec ?

Comme Émeline sort de la chambre, sa mère se pointe dans l'embrasure de la porte. Elle tient un petit paquet dans ses bras. Son petit frère.

— Bonjour, dit-elle en entrant.

Elle va d'une drôle de démarche et son visage se plisse quand elle s'assoit près de lui. Elle prend une respiration et lui sourit. Elle sourit tout le temps depuis leur retour. Elle est heureuse de voir Charles à la maison et de pouvoir lui montrer bébé Michel. Cela fait tout drôle à Guillaume d'entendre appeler le bébé du prénom de son père. Mais il aime bien.

— Comment va ta fièvre ce matin ? demande-t-elle en appliquant sa paume sur son front.

Les soins du chirurgien Clarke, envoyé par le général Murray, ont été efficaces. La température a considérablement diminué. L'enflure aussi. L'infection s'était installée dans la plaie. Le médecin anglais a appliqué des sangsues autour de la blessure pour qu'elles aspirent le sang accumulé sous la peau. Il a ensuite prescrit un traitement de trempage du pied dans de l'eau chaude additionnée d'un verre d'eau de vie suivi de l'application d'un cataplasme de purée de carottes, si cela est possible. Ce traitement doit être répété pendant plusieurs jours.

— Tu as envie que j'ouvre un peu la fenêtre pour laisser entrer l'air doux qu'il fait aujourd'hui ? qu'elle lui demande encore.

Il en a envie.

— Ah ! fait Catherine. J'allais presque oublier. Angus est venu hier soir.

— Angus ? Il est revenu ?

— Il était assez tard. Le pauvre garçon a dû passer par les grèves sous les hauteurs d'Abraham afin d'éviter d'être repéré par les Français. Il a été surpris par la marée montante et, heureusement, secouru par un parti anglais en patrouille sur les rives du fleuve. Son aventure l'a un peu ébranlé, mais après avoir enfilé des vêtements secs et avalé un bon repas, il avait recouvré toute sa vitalité.

Il était fort content d'apprendre ton retour sain et sauf à la maison. Il m'a donné ceci pour toi.

Elle pêche dans sa poche un objet que Guillaume reconnaît immédiatement. La flûte irlandaise! Guillaume la prend et la contemple, songeur.

— Il pensait que tu aurais peut-être envie d'en jouer un peu, pour passer le temps.

Le bébé se tortille et commence à montrer des signes de faim.

— J'ai l'impression qu'il va faire un petit glouton comme son grand frère, dit Catherine en riant. Tiens, occupe-le pendant que j'ouvre tes volets.

Elle dépose avec une délicatesse extrême son petit fardeau sur les cuisses d'un Guillaume embêté. Faisant mine de ne pas le remarquer, elle se dirige péniblement vers la fenêtre et l'entrouvre. Un flot de lumière pénètre la pièce. Ce n'est qu'à ce moment que Guillaume se rend compte qu'on l'a installé dans son ancienne chambre. Il n'y a plus de trace des effets personnels du capitaine Fraser.

Une singulière cacophonie supplante l'habituel concert matinal des oiseaux. Partout, les tambours et les fifres résonnent. Des voix fortes de leur autorité militaire donnent des ordres. Catherine écarte plus grand le battant de la fenêtre et se penche. Ce qu'elle voit la consterne. Des soldats en tenue de combat marchent vers la porte Saint-Louis. Ils arrivent de la place d'Armes, près du château du gouverneur et de la Grande Place, par la rue du Parloir.

Elle se tourne vers Guillaume. Il est occupé à étudier le petit être qui fait des bulles avec sa salive. Elle se compose un air plus serein et vole son attention en dégageant bruyamment sa gorge que les émotions serrent.

— Tu peux surveiller Michel quelques minutes, je vais voir si ton père est réveillé.

Les yeux de Guillaume deviennent grands comme des écus. Il va protester, mais sa mère est déjà partie. Il considère le bébé qu'elle lui confie. Qu'est-ce qu'on fait avec un bébé naissant? Est-ce que ça comprend ce qu'on lui dit?

— Tu n'es vraiment pas beau, tu sais. Enfin, pas aussi beau que le bébé de madame Latour.

Il attend. Le bébé ne réagit pas. Les bébés ne comprennent donc rien à ce que disent les grands. À moins qu'il ne soit sourd. Il tape fort des mains. Le bébé sursaute légèrement, ce qui le rassure. Le bébé gigote et son visage se plisse et devient rouge. Est-ce une réaction normale ? C'est certainement parce qu'il est coincé dans son lange et qu'il ne peut pas battre des bras et des jambes comme il le désire. En tout cas, lui n'aimerait pas se sentir aussi coincé dans sa couverture. Guillaume détache un coin de la couverture de flanelle et dégage les bras. Ils sont maigrelets et la peau est recouverte de marbrures rouges et d'un duvet. Il grimace.

— Comment ça, tu as des poils avant moi ? s'indigne-t-il. C'est pas juste, ça !

Il examine le bébé comme s'il s'agissait d'une nouvelle espèce animale. Une petite main s'agite. Il note la petitesse des doigts. Ils sont vraiment minuscules comparés à ceux de Charles. Il se risque à les toucher. C'est doux. Il caresse les cheveux. Ils sont foncés et hirsutes. On dirait un porc-épic. Son index glisse sur la joue ronde. Bébé tourne la tête. Sa bouche s'ouvre et cherche le doigt. Apeuré, Guillaume le retire prestement. Puis il comprend.

— Ah ! Tu as faim, toi aussi ?

Du bruit dans le couloir le soulage. Sa mère va reprendre bébé Michel et... C'est Émeline qui se pointe avec son petit-déjeuner.

— Charles, murmure Catherine en entrant dans la chambre.

Elle referme derrière elle et s'adosse à la porte. Son cœur se brise. Debout devant la commode, Charles lui tourne le dos. Il a revêtu son uniforme que Françoise a défroissé et nettoyé comme elle a pu. Il tourne lentement son visage vers elle, mais n'ose pas la regarder en face.

— Mes hommes sont juste de l'autre côté des remparts, sur le champ de bataille.

—J'ai vu les Anglais quitter les remparts par la porte Saint-Louis.

Charles lui fait maintenant face. Il est aussi bouleversé qu'elle. Un soupir gonfle la poitrine de l'homme. Catherine se mord les lèvres pour ne pas pleurer. Elle sait combien il souffre de ne pas être à la tête de sa compagnie. Elle va vers lui et ouvre les bras. Ils restent serrés l'un contre l'autre un long moment sans rien dire tandis que leur parvient le premier coup de canon. Ils tremblent autant que les murs de la maison. Au second coup, Catherine sert plus fort son mari contre elle.

—Ils sont là à se battre pour l'honneur de la France et moi... je suis ici à ne rien faire, dit-il d'une voix étranglée.

Elle s'écarte pour le regarder. Les larmes mouillent les yeux de Charles. Elle lit toute la honte qu'il ressent sur son visage.

—Il y a d'autres honneurs à gagner que celui de tomber au champ de bataille pour sa patrie, Charles. Sauver la vie d'un enfant au lieu de détruire celles de dizaines d'hommes ne devrait-il pas être une cause plus glorieuse? Je crois que ce que tu as fait hier est la chose la plus honorable qu'un homme puisse accomplir. Tu as sacrifié tes rêves de gloire pour le bien de ton fils. Au lieu de mettre ta vie en jeu pour défendre ta réputation, tu as mis ta réputation en jeu pour défendre la vie. Si cette définition de l'honneur gouvernait le cœur de tous les hommes, il n'y aurait plus de guerres pour nous arracher nos enfants. Quel plus bel exemple de héros peux-tu leur offrir? Personne ne pourra jamais te le reprocher.

En ce matin du 28 avril 1760, sur la plaine d'Abraham, le ciel crache fer et plomb sur les hommes. Des hommes qui s'acharnent à détruire ce que les femmes, après tant de souffrances, leur ont donné: la vie. Si les sages paroles de Catherine sont parvenues à tranquilliser un peu sa conscience, dans son cœur et dans son âme, Charles souffre quand même toutes les blessures que subissent ses compatriotes.

L'action s'est principalement déroulée près du chemin de Sainte-Foy, à une demi-lieue des remparts, où les Fraser Highlanders et les grenadiers du Royal Roussillon se sont disputé la possession d'un certain moulin Dumont. À un moment, le sous-lieutenant Jacques Boissadel a lutté en corps à corps avec un soldat de la compagnie de Simon Fraser. Pour sauver la vie de son soldat, le capitaine Fraser a grièvement blessé le sous-officier des grenadiers. Fraser ignore que c'est Boissadel qui a déposé dans les mains de Giffard la lettre qu'il a confiée à Angus. Combien étranges peuvent parfois être les circonstances de la vie qui tissent ensemble les fils du destin !

Près d'une heure après la fin des combats, avec un mélange de joie et d'amertume, Charles Giffard apprend de la bouche de Fraser la déroute totale de l'armée britannique. Les Anglais se sont repliés derrière les murs de Québec, abandonnant morts et blessés ainsi que toute leur artillerie sur le champ de bataille, que recouvre maintenant une nappe de fumée sulfureuse. Au chevalier de Lévis revient le privilège de monter le siège de la ville. Il pense en lui-même : « Quelle ironie ! »

Dès le soir du 28 avril, le chevalier de Lévis ordonne que soient creusées des tranchées et construites des redoutes. Les Français assiègent ceux qui les ont assiégés moins d'un an plus tôt. Les rôles s'inversent. S'installe l'attente. D'après les informations que leur a fournies Guillaume Renaud, elle ne devrait pas être trop longue. La faim et le manque de munitions allaient obliger les Anglais à déposer les armes.

Le fleuve se dégage de ses glaces. Chacun des deux camps observe la ligne d'horizon qui sépare le ciel du fleuve dans l'espoir d'apercevoir un navire battant son pavillon. Le 9 mai se présente dans la rade de Québec un premier bâtiment. Les observateurs attendent fébrilement de voir le pavillon se hisser. C'est le *HMS Lowestoft*, un navire anglais. Un mouvement de soulagement soulève le moral de la garnison anglaise de Québec tandis que la déconvenue sape celui des Français. Qu'à cela ne tienne ! Lévis garde espoir de voir arriver les renforts attendus de France. Se voyant coincés entre la flotte ennemie et les troupes qui les assiègent, les Anglais ne pourront que reconnaître leur défaite. Lorsque, moins d'une semaine plus tard, jettent l'ancre dans la rade de Québec deux autres navires anglais, c'est la reconnaissance de la défaite pour les Français. Le siège est levé dès le lendemain. Lévis se replie vers Montréal avec ses troupes.

Dans les semaines qui suivent, les habitants de Québec regagnent leurs maisons et logis. La vie reprend graduellement un cours normal. La cohabitation avec l'Anglais, estimée un mal temporaire pendant l'hiver, devient une réalité durable avec laquelle il faut composer. Ainsi, monsieur Gauthier ne voit plus d'inconvénient à négocier des ententes avec l'armée britannique. Un commerçant doit nécessairement faire du commerce pour vivre. Comme l'a dit Marcel Laliberté, l'argent ne parle qu'une seule langue.

Chez les Giffard, les choses se passent différemment. Charles se sent prisonnier des Anglais et de ses rêves brisés. Il accepte difficilement la défaite des Français après une si magnifique victoire sur les plaines. Sans doute qu'il ne l'acceptera jamais. Par principe. Le matin où l'armée du chevalier de Lévis est retournée à Montréal, il a déclaré que c'était une bataille gagnée pour l'honneur et non pour la gloire. Il garde espoir que Lévis prenne sa revanche avant la fin de l'été. Sans l'espoir, les rêves meurent.

Le général Murray a commencé sa campagne d'été. À la fin de juin, des centaines de troupes se sont embarquées sur des navires dans le port de Québec afin de remonter le fleuve jusqu'à Montréal, vers où convergent aussi les armées des généraux Amherst et Haviland. Des milliers de soldats anglais envahissent le territoire de la Nouvelle-France dans le but ultime de la conquérir. Commence le jeu de l'offensive finale. Les villages qui jalonnent la rivière Richelieu et le fleuve Saint-Laurent s'inclinent les uns après les autres devant la puissance britannique. Les conquérants se dirigent vers un même point : Montréal, dernier bastion français en Amérique.

Le matin du 18 septembre 1759, la ville de Québec capitulait. En ce matin ensoleillé du 8 septembre 1760, c'est au tour de Montréal. L'âme brisée, le gouverneur Vaudreuil signe les conditions de capitulation proposées par les Anglais. L'armée de France rend les armes. Toutefois, pour ne pas subir la dernière humiliation d'avoir à les remettre aussi à l'ennemi, Lévis brûle ses drapeaux sur l'île Sainte-Hélène. Quand la nouvelle arrive à Québec, c'est la consternation générale chez les Canadiens. La Nouvelle-France n'est plus. Les Anglais sont ici pour rester, il faudra bien s'y faire. De même, les conquérants devront composer avec la présence de ces milliers d'habitants que deux siècles et demi de colonisation auront profondément enracinés dans ce pays. Le gouvernement s'organise. Il accorde aux Canadiens qui prêtent serment d'allégeance au roi George les mêmes droits que tous les autres sujets britanniques. Il permet aux Canadiens qui s'y refusent de rentrer en France.

Charles Giffard a choisi de rester. Tout comme son père et son grand-père, il est né dans la colonie de la Nouvelle-France. Cette terre qui vient de voir naître son fils et nourrira ses enfants est sa seule patrie. Il a rangé ce qui lui reste de son bel uniforme. Il entreprend un nouveau chapitre de sa vie. L'honneur se gagne avec ce que l'on vaut, et non pas par ce que l'on représente. Il est prêt à considérer plus sérieusement la proposition de monsieur Gauthier de devenir son partenaire d'affaires. Il ne connaît rien dans les stratégies commerciales. Qu'à cela ne tienne ! Il suffit de savoir compter intelligemment.

Il se tient droit et fier devant l'Anglais et lui répond dans la belle langue de son père. Il se forge de nouvelles armes. Ce sont ses traditions qu'il veut maintenant défendre et l'identité de son peuple qu'il tient à préserver. L'héritage qu'il veut léguer à ceux qui le suivront. La guerre n'est pas finie. « Il va falloir continuer à nous battre, déclare-t-il avec force conviction à Guillaume, pour que nos enfants, nos petits-enfants et tous ceux qui vont les suivre n'oublient pas qui ils sont. La conquête ne sera jamais complète. Ce que les Anglais vont construire, ils le feront sur nos fondations. Nous serons sujets britanniques, mais nous chanterons notre propre hymne en brandissant un drapeau qui dévoilera les couleurs des allégeances de nos cœurs. Les Anglais gouvernent peut-être le pays, mais ils ne gouverneront jamais notre âme. Souviens-toi ! »

De cette année terrible, Guillaume a appris les plus grandes leçons de sa vie. Si la guerre peut tirer de l'homme le pire de lui, elle peut aussi tirer ce qu'il a de meilleur. C'est l'équilibre de la nature. L'ennemi n'est pas toujours celui que l'on pense. Il peut être le vilain en face de nous et qui nous veut du mal, mais il peut aussi être le sentiment en nous, qui nous aveugle et nous pousse à faire le mal. Les bancs de l'école de la vie sont parfois un peu durs. Il se souviendra.

Guillaume se remet lentement de sa blessure. Il a d'abord commencé à se déplacer avec des béquilles avant de pouvoir le faire avec une canne. Il va devoir attendre encore un certain temps avant de pouvoir marcher sans appui. Tout le temps, Émeline reste à ses côtés pour l'aider et l'encourager. Sa présence dans la maison des Giffard est devenue presque quotidienne. Jeanne et elle s'amusent à changer ses langes et à dorloter bébé Michel. Il grandit vite et devient adorable. Guillaume le trouve plus amusant et il le fait rire avec ses plus horribles grimaces. Jeanne appelle son nouveau petit frère sa « poupée vivante ».

Qu'Émeline ait jeté son dévolu sur son petit frère n'a pas longtemps agacé Guillaume. Il en a profité pour apprendre à mieux connaître et apprécier Angus, que le capitaine Fraser a pris sous son aile. L'orphelin est mieux habillé et logé et Fraser veille à ce qu'il ne manque plus jamais de nourriture. Qui l'aurait cru ? Angus et Guillaume sont des amis inséparables. Tout a commencé quand Angus est revenu, quatre jours plus tard, reprendre sa flûte. Les deux garçons sont restés dans la chambre pendant de longues minutes sans se parler. Puis, s'armant de tous ses meilleurs sentiments, Guillaume lui a demandé comment on dit dans sa langue qu'on est désolé de ce qu'on a fait.

—*Is duilich leam*, a répondu Angus en gaélique.

—Is doulichkrrr...

Après plusieurs tentatives, Guillaume a renoncé à prononcer correctement le son comme dans le mot *loch*.

—En anglais, on dit : *I am very, very, very sorry*, a alors dit Angus avec un drôle de sourire.

—*I am verrry, verrry, verrry sorrry*, a répété Guillaume en roulant exagérément les r.

Les deux garçons ont pouffé de rire. Puis Guillaume a sorti la flûte de sous son oreiller. Il a veillé sur le précieux objet comme sur la prunelle de ses yeux. Il en connaît maintenant la valeur.

—Merci.

—*Tapadh leat*, a dit Angus en reprenant possession de son bien. Tou jouer de le floute ?

—J'ai essayé, mais je ne sais pas vraiment comment.

—Tou aimer apprendre ?

—Tu me montrerais comment ? s'est alors enthousiasmé Guillaume.

Angus a sorti de son *sporran* une deuxième flûte. Celle-ci est en bois de saule, visiblement de facture artisanale.

—John MacCormick faire pou moi, a-t-il expliqué.

Il a soufflé dedans. Le son moelleux était très différent de celui, plus clair, de sa flûte irlandaise en métal.

— *'Tis a good flute*, a déclaré Angus, l'air satisfait.

Il a présenté l'instrument à Guillaume.

— *'Tis yer flute*. Tou jouer pou Miss Émeline.

Presque quotidiennement, lors de ses promenades sur le cap Diamant ou sur les remparts, Angus a enseigné à Guillaume les rudiments du *tin whistle*. Ensuite, Guillaume a commencé à montrer à Angus les bases du jeu d'échecs. Au début, leurs conversations se limitaient à la musique et aux stratégies de jeu. Progressivement se sont insérés des sujets plus intimes. Guillaume a appris qu'Angus rêvait d'être un grand musicien. La perte de son petit doigt l'empêche dorénavant de jouer du violon. Il a cependant de nouveaux rêves. Il ne veut plus quitter le Canada. Son père y est enterré. Il veut l'être à ses côtés. La terre de ce pays est bonne. Peut-être qu'il pourrait en tirer sa subsistance. Il se voit déjà guidant sa charrue dans son champ. Des jours de dur labeur au terme desquels il prendrait un repos bien mérité, assis devant le soleil couchant, à jouer sur sa flûte un air de son pays à une jolie dame canadienne, qu'il ajoute avec un clin d'œil. Angus a rencontré une gentille fille dans le faubourg Saint-Roch. La fille d'un charpentier qui a à peu près son âge. L'Écossais est heureux comme il ne l'a pas été depuis longtemps.

Aujourd'hui, le sort de la Nouvelle-France ne préoccupe pas trop Guillaume. Il est heureux. C'est un beau jour. Le soleil est splendide et le ciel, d'un bleu profond comme on n'en voit qu'à l'automne. La commune située entre les remparts et l'enceinte du couvent des Ursulines est recouverte d'un magnifique tapis de fleurs sauvages multicolores. Émeline a fini d'étaler sur la couverture le goûter que leur a préparé Françoise. Un reste de pâté de tourtes[1] froid, des petits cornichons dans le vinaigre, des pommettes dans le sirop encore tiède qu'elle vient de préparer et un appétissant morceau de fromage cheddar. Les fromages anglais, qu'ils découvrent fort délicieux, prennent petit à petit leur place sur la table des Renaud-Giffard.

Émeline est particulièrement jolie. Elle a mis dans ses cheveux ses plus beaux rubans et étrenne une toilette neuve que lui a confectionnée sa mère dans l'une de ses anciennes robes de bal. Guillaume trouve que le taffetas bleu lavande lui va très bien. C'est

1. La tourte (pigeon migrateur) est une espèce d'oiseau officiellement éteinte depuis 1914. Ces oiseaux vivaient autrefois en abondance sur le territoire nord-américain. Leur chair, très appréciée, entrait dans la confection de la célèbre tourtière, pâté de viande auquel l'oiseau a donné son nom, mais qui de nos jours se fait à partir de viande de porc ou de gibier hachée.

qu'aujourd'hui est un jour spécial. C'est l'anniversaire d'Émeline, et Guillaume a projeté de lui faire une surprise. Pour l'occasion, il porte son beau gilet de velours rouge et un justaucorps de drap beige qui lui donne une allure de gentilhomme. Sa chevelure nouée sur la nuque avec un ruban noir brille de propreté.

Le suroît charrie jusqu'à eux le suave parfum du fleuve et les voix des militaires en entraînement à proximité de la redoute royale. Guillaume les observe pendant qu'Émeline tranche des pointes du pâté de tourtes. Un peu au-delà de la redoute, la toiture d'un vieux hangar est visible. C'est le hangar où Émeline et lui avaient projeté de jouer un vilain tour à Jacquelin Couture. C'était en juillet 1759, quelques heures à peine avant le début des bombardements de Québec par les Anglais. Plus d'un an s'est écoulé depuis ! Que d'évènements sont venus tout bouleverser ! Les « circonstances de la vie », comme les appelle Charles, ont fait grandir Guillaume. Il a connu la peur, la faim et la solitude. Il a appris à détester et à pardonner. Il a même perdu deux orteils. Et c'est avec un grand émoi qu'il a découvert ce matin son premier poil de menton. Il va bientôt être un homme ! Par crainte qu'elle se moque de lui, il n'a pas osé le dévoiler à Émeline, mais il l'a annoncé à Charles, qui lui a promis de lui enseigner comment se servir d'un rasoir coupe-chou lorsqu'il en aurait deux douzaines de plus. Ce jour-là, il sera véritablement un homme.

Émeline lui présente une assiette bien garnie. Elle croise le regard de Guillaume et lui fait l'un de ces sourires qui n'appartiennent qu'à ce langage implicite qu'ils ont toujours partagé depuis qu'ils se connaissent. En croquant dans son pâté, il voit un rayon de soleil allumer une paille d'or dans l'un de ses yeux bruns. Il a l'impression de n'avoir jamais goûté d'aussi bon pâté. Il croit que le soleil n'a jamais brillé aussi fort.

Assis côte à côte, leurs épaules se frôlent. Ils mangent dans un silence contemplatif. Roi de son rocher, un carouge exhibe fièrement pour eux ses épaulettes écarlates en faisant « konk-la-reee ! konk-la-reee ! ». Ils entendent aussi le trille joyeux du serin sauvage et le refrain entraînant du pinson. Ce qui rappelle à Guillaume…

— J'ai une surprise pour toi, ferme les yeux, dit-il en se tournant vers son amie.

Le visage d'Émeline s'éclaire. Elle s'exécute, ravie. Elle adore les surprises.

Guillaume fouille sous son gilet et en sort sa flûte en bois de saule. Il est nerveux. Il a horriblement peur de se tromper. Il essuie le bec sur sa manche avant de le placer entre ses lèvres. Un son timide s'en échappe. Puis résonnent enfin les premières notes d'une mélodie qu'Angus a composée.

Surprise, Émeline entrouvre les paupières. Les yeux fermés, Guillaume est concentré à jouer la pièce d'Angus qu'elle préfère. Le cœur tout chaviré, elle l'écoute. Elle est si captivée qu'elle ne se rend pas compte que les larmes mouillent ses joues. Guillaume joue un peu maladroitement et manque quelques accords, mais il s'en sort plutôt bien. Quand il a fini, plane un silence fébrile.

— Joyeux anniversaire, Émeline, murmure enfin Guillaume, au comble des émotions.

Émeline est si émue qu'elle n'arrive pas à articuler un mot.

— Je sais, ce n'était pas aussi bien que quand c'est Angus qui joue.

— C'est faux ! proteste Émeline. C'était très bien. Je n'arriverais même pas à jouer comme toi !

— C'est vrai, tu as aimé ?

— Quand ça vient de ton cœur, j'aime tout ce que tu fais, Guillaume, déclare Émeline. C'est une surprise très touchante.

La poitrine de Guillaume se gonfle.

— Ça s'appelle *Miss Émeline*. Tu sais, cet hiver, j'ai été un peu jaloux d'Angus, confesse-t-il en baissant les yeux, gêné.

— Un peu ? éclate de rire son amie.

— Tu t'en es rendu compte ?

— Guillaume de mon cœur ! C'était aussi évident qu'un nez au milieu d'un visage. Tu as été un véritable monstre de jalousie, si tu veux mon avis. Et ce pauvre Angus qui ne demandait qu'à être ton ami.

— Il voulait aussi être le tien, fait observer Guillaume. Il est le meilleur musicien. Il est un habile danseur. Il est un excellent élève. Tu lui trouvais toutes les qualités !

Elle prend la main de Guillaume dans la sienne et ses joues humides prennent la teinte de jolis coquelicots.

— Grand nigaud, va ! Tes qualités sont nombreuses, Guillaume Renaud ! Combien de fois tu as bravé le danger pour défendre ce que tu crois juste ? L'honneur de ton père, la liberté de ton beau-père et celle de notre pays ? Et que tu aies reconnu tes torts envers Angus est une très belle chose. C'est la qualité d'un cœur qui est à la bonne place. Un cœur humble. Tu es un homme d'honneur, Guillaume. Voilà pourquoi je t'apprécie. Angus, je l'apprécie parce que sa musique me rend joyeuse. En retour, j'ai essayé de le rendre moins malheureux en lui apportant de la nourriture et des vêtements. Il était si seul et avait besoin d'amis. On a tous besoins d'amis, tu sais. Des amis qui nous font rire quand on est triste. D'autres qui nous aident quand on est dans la misère. Pour moi, tu es tout ça, Guillaume. Mais, avec toi, il y a quelque chose de différent, de plus qu'avec Angus. Nous deux, on est… des amis « À la vie, à la mort ! » et… puisque je ne peux avoir qu'une seule vie et qu'une seule mort, je suppose que je ne peux avoir qu'un seul ami comme ça.

Dans le ventre de Guillaume, des dizaines de bulles de bonheur éclatent et se répandent partout dans son corps. Cela lui procure un sentiment merveilleux. Avant qu'il ne s'en rende compte, Émeline se dresse sur ses genoux et approche son visage du sien. Elle veut l'embrasser sur la joue, mais Guillaume a tourné la tête et c'est sur ses lèvres que se posent les siennes. Le moment est doux comme la brise qui joue dans leurs cheveux. Ils se dévisagent avec étonnement. Puis, poussé par ce sentiment qu'il n'a pas encore appris à discerner, Guillaume embrasse à nouveau Émeline. Quand ils s'écartent, leurs joues sont aussi brûlantes que le feu du forgeron.

— À la vie ! À la mort ! Émeline Gauthier, qu'il lui murmure en lui faisant son plus beau sourire.

Fin

DISTRIBUTION EN AMÉRIQUE DU NORD

Canada et États-Unis:
MESSAGERIES ADP
2315, rue de la Province
Longueuil (Québec) J4G 1G4
Pour les commandes: 450 640-1237
www.messageries-adp.com

DISTRIBUTION EN EUROPE

France:
INTERFORUM EDITIS
Immeuble Paryseine
3, Allée de la Seine
94854 Ivry-sur-Seine Cedex
Pour les commandes: 02.38.32.71.00
www.interforum.fr

Belgique:
INTERFORUM BENELUX SA
Fond Jean-Pâques, 6
1348 Louvain-La-Neuve
Pour les commandes: 010.420.310
www.interforum.be

Suisse:
INTERFORUM SUISSE
Route A.-Piller, 33 A
CP 1574
1701 Fribourg
Pour les commandes: 026.467.54.66
www.interforumsuisse.ch

CET OUVRAGE A ÉTÉ ACHEVÉ D'IMPRIMER
EN JUILLET 2010
SUR LES PRESSES DE LEBONFON
À VAL-D'OR, QUÉBEC
SUR PAPIER ENVIRO NATUREL 100 % RECYCLÉ